VIDA DE CRISTO

VIDA DE

Fulton J. Sheen

CRISTO

Volume
· II ·

TRADUÇÃO
Márcia Xavier de Brito
William Campos
da Cruz

2ª EDIÇÃO

Título original: *Life of Christ*
Copyright © Espólio de Fulton J. Sheen/The Society for the Propagation of the Faith/www.missio.org

Direitos de edição da obra em língua portuguesa no Brasil adquiridos pela PETRA EDITORIAL LTDA. Todos os direitos reservados. Nenhuma parte desta obra pode ser apropriada e estocada em sistema de banco de dados ou processo similar, em qualquer forma ou meio, seja eletrônico, de fotocópia, gravação etc., sem a permissão do detentor do copirraite.

PETRA EDITORIAL
Av. Rio Branco, 115 – Salas 1201 a 1205 – Centro
20040-004 – Rio de Janeiro – RJ – Brasil
Tel.: (21) 3882-8200

Imagem de capa: NAYPONG/THINKSTOCK

CIP-Brasil. Catalogação na publicação
Sindicato Nacional dos Editores de Livros, RJ

S545v Sheen, Fulton J., 1895-1979
Vida de Cristo, volume 2 / Fulton J. Sheen ; tradução Márcia Xavier de Brito, William Campos da Cruz. - 2. ed. - Rio de Janeiro : Petra, 2021.
264 p.

Tradução de: Life of Christ
ISBN 9786588444221

1. Jesus Cristo - Biografia. I. Brito, Márcia Xavier de. II. Cruz, William Campos da. III. Título.

18-49087
CDD: 232.9
CDU: 27-312

Sumário

29. A crescente oposição | 7
30. A raposa e as galinhas | 17
31. A ressurreição que prepara Sua morte | 21
32. A mulher que pressentiu a morte do Senhor | 31
33. A entrada em Jerusalém | 35
34. A visita dos gregos | 41
35. O filho do rei marcado para a morte | 47
36. A Última Ceia | 53
37. O servo dos servos | 60
38. Judas | 67
39. A despedida do amante divino | 76
40. A oração do Senhor ao Pai | 96
41. A agonia no jardim | 103
42. O beijo peçonhento | 112
43. O julgamento religioso | 119
44. As negações de Pedro | 128
45. O julgamento perante Pilatos | 132
46. No rodapé da lista | 143
47. O segundo julgamento perante Pilatos | 148
48. A crucifixão | 162
49. As sete palavras do alto da Cruz | 170
50. Sete palavras à Cruz | 188
51. O véu do templo se rasgou | 197
52. A perfuração de Seu lado | 200

53. Os amigos noturnos de Jesus | 203

54. A ferida mais grave da terra — O túmulo vazio | 205

55. As portas estão fechadas | 222

56. Dedos, mãos e pregos | 229

57. O amor como condição de autoridade | 233

58. O mandato divino | 240

59. A última aparição em Jerusalém | 244

60. Penitência | 249

61. A Ascensão | 253

62. Cristo assume um novo corpo | 257

29

A CRESCENTE OPOSIÇÃO

A oposição e o ódio dos fariseus, dos escribas e dos líderes do templo a Nosso Senhor cresceu de dentro para fora, como na maioria dos corações humanos. Primeiro, odiaram-No em seus próprios corações; depois, expressaram esse ódio aos discípulos; então, manifestaram seu ódio abertamente ao povo; e, por fim, o ódio concentrou-se no próprio Cristo.

A má disposição dos próprios corações manifestou-se quando um homem paralítico foi levado a Nosso Senhor em Cafarnaum. Em vez de realizar imediatamente o milagre, Nosso Senhor perdoou-lhe os pecados. Uma vez que a doença, a morte e o mal eram efeitos diretos do pecado, embora não necessariamente do pecado pessoal de qualquer indivíduo, foi primeiro à raiz da doença, a saber, o pecado, e perdoou-o:

> Filho, perdoados te são os pecados.
> (São Marcos 2,5)

Em vez de considerar o milagre como prova daquele que o operou, seus inimigos perguntaram:

> Como pode este homem falar assim?
> Ele blasfema.
> Quem pode perdoar pecados senão Deus?
> (São Marcos 2,7)

Não se enganaram ao concluir que Cristo agia como Deus. O Antigo Testamento dizia que tal poder pertencia a Deus. Verdade, somente Deus pode perdoar os pecados, mas Deus podia fazê-lo e estava fazendo naquele momento por intermédio de Sua natureza humana. Mais tarde, daria esse poder aos apóstolos e sucessores:

> Àqueles a quem perdoardes os pecados,
> ser-lhes-ão perdoados.
> (São João 20,23)

Entretanto, os homens que exercem essa autoridade ainda seriam apenas instrumentos humanos de Sua Divindade, assim como, de maneira maior, Sua natureza humana era instrumento de Sua Divindade. Ainda que os pensamentos dos fariseus permanecessem em suas cabeças, nenhum pensamento do homem é desconhecido por Deus.

> Mas Jesus, penetrando logo com seu espírito
> seus íntimos pensamentos, disse-lhes:
> "Por que pensais isto nos vossos corações?
> Que é mais fácil dizer ao paralítico:
> Os pecados te são perdoados, ou dizer:
> Levanta-te, toma o teu leito e anda?
> Ora, para que conheçais o poder concedido ao Filho do homem sobre a terra
> (disse ao paralítico), eu te ordeno:
> levanta-te, toma o teu leito e vai para casa."
> No mesmo instante, ele se levantou e,
> tomando o leito, foi-se embora à vista de todos.
> (São Marcos 2,8-12)

Na cabeça deles, Jesus era culpado por blasfêmia porque reivindicou o poder de Deus. A respeito de Sua autoridade para perdoar os pecados, deu-lhes prova sensível de que Sua alegação não era fictícia. Embora não pudessem negar o que viram, não reconheceram Seu poder. A fé em Cristo aumentava entre o povo, mas diminuía entre fariseus, escribas e doutores da lei de todos os vilarejos da Galileia, da Judeia e em Jerusalém. Os milagres não são necessariamente uma cura para a descrença. Se a disposição é perversa, nenhuma prova do mundo convence, nem mesmo a ressurreição dos mortos.

Até aquele momento, os escribas e os outros apenas pensavam mal. O ódio então encontrara expressão em seus lábios contra os discípulos do Senhor. A ocasião se deu quando Jesus nomeou Mateus, o Publicano, como apóstolo. Um publicano era um judeu que traiu o próprio povo ao se tornar coletor de impostos para os romanos que ocupavam o país. O publicano deveria coletar na comunidade determinada soma em impostos, mas tudo que recebia acima desse montante guardava para si. Naturalmente, isso dava ensejo a muitos atos desonestos; como resultado, o publicano era um dos cidadãos mais desprezados da comunidade.

Quando Nosso Senhor viu o publicano à mesa recebendo os impostos, não prometeu nada a Mateus, simplesmente disse: "Segue-me". Mateus o fez de imediato. Ele, que era tão pouco patriota, mais tarde escreveu o primeiro evangelho e se tornou o mais patriota dos cidadãos, voltando a contar, uma centena de vezes, as profecias da glória de Israel em ter gerado o salvador.

Nosso Senhor aceitou um convite para comer na casa de Mateus. Isso foi um grande escândalo para os fariseus e sua justiça rigorosa. Mas, quando viram que

> numerosos publicanos e pecadores vieram
> e sentaram-se com ele e seus discípulos.
> (São Mateus 9,10)

perguntaram aos discípulos:

> Por que come vosso mestre
> com os publicanos e com os pecadores?
> (São Mateus 9,11)

Jesus estava sendo reconhecido como Mestre e Mentor, mas agora arriscava sua reputação ao associar-se com os párias da sociedade. Se os leprosos se ajuntavam, a camaradagem com pecadores não era prova de que Ele também era um pecador?

Antes, lera os pensamentos; dessa vez, os discípulos decerto contaram-lhe a acusação dos fariseus, à qual respondeu que exatamente por ser diferente dos pecadores é que foi estar em seu meio. O formalismo rígido, expresso em sacrifícios externos, ignorava o verdadeiro sacrifício do eu que poderia salvar os pecadores. Vangloriavam-se de conhecer as Escrituras, então o Senhor deu aos fariseus uma referência de Oseias segundo a qual a misericórdia agrada mais a Deus que o formalismo:

> Não são os que estão bem que precisam de médico,
> mas sim os doentes.
> Eu quero a misericórdia e não o sacrifício (Oseias 6,6).
> Eu não vim chamar os justos, mas os pecadores.
> (São Mateus 9,12-13)

Mais uma vez disse que "viera" ao mundo, não que nascera. Sempre há a afirmação de que Ele não começou a existir no tempo, mas somente de que, como Deus, tornara-se algo que não era, a saber, um homem. E a razão de Sua vinda não foi escrever um novo código moral; veio fazer algo pelos pecadores. Aqueles que, como os fariseus, se recusavam a admitir que estavam doentes com o pecado não precisavam de Jesus como médico de almas. O cego que se recusava a admitir a existência da luz nunca poderia ser curado. Nosso Senhor não viera por simples adesão literal à lei cerimonial, entendida como "sacrifício", mas para erguer os caídos. Como médico, Ele não podia fazer o bem àqueles que eram curiosos, ou que negavam a culpa ou a chamavam de Complexo de Édipo; veio apenas para carregar os pecados, e, por isso, somente os pecadores, e não os justos, tirariam proveito de Sua vinda.

O amor aos pecadores era uma coisa nova na terra. Se viesse para ser apenas um mestre, teria escrito Sua lei como fizera Lao-Tsé, e teria dito aos homens "aprendam e pratiquem". Entretanto, uma vez que veio para ser um salvador e dar a própria vida "como resgate", convocou os homens a expiar o mal.

> Não vim chamar à conversão os justos, mas sim os pecadores.
> (São Lucas 5,32)

A oposição tornou-se mais aberta depois que Nosso Senhor curou o surdo endemoninhado. Ela deixou os círculos estreitos dos corações tenebrosos e dirigiu-se ao povo para agitá-los contra Jesus. As multidões que viram os milagres estavam cheias de admiração e diziam que nada parecido jamais fora visto em Israel. Isso levou os fariseus a iniciar a blasfêmia:

> É pelo príncipe dos demônios que Ele expulsa os demônios.
> (São Mateus 9,34)

Nosso Senhor respondeu à acusação ao demonstrar que expulsou Satanás pelo poder de Sua Divindade, empregando a analogia de uma casa cercada, ocupada por um homem forte. No entanto, alguém mais forte do que o homem entra e toma todas as armas, defesas e bens da casa. Nosso Senhor disse que, se ingressou no domínio do mal e tomou posse da casa, tal como o corpo de um possesso, estava manifestado, então, um grande poder contra Satanás, que nada mais era que o próprio Deus. Todavia, porque disseram que Jesus tinha um espírito imundo, eram culpados de um pecado imperdoável; punham-se além do perdão. Se envenenaram a fonte de água viva que por si só podia saciar a sede, então deviam morrer do veneno. Se blasfemam contra aquele de quem o perdão flui, há esperança de perdão? O surdo que nega ser surdo nunca ouvirá; os pecadores que negam a existência do pecado e, desse modo, o remédio contra o pecado, se põem, para sempre, à parte daquele que veio para redimir.

O estágio final do ataque foi direcionado a Nosso Senhor.

> Atravessava Jesus os campos de trigo num dia de sábado. Seus discípulos, tendo fome, começaram a arrancar as espigas para comê-las.
> Vendo isto, os fariseus disseram-Lhe:
> Eis que teus discípulos fazem o que é proibido no dia de sábado.
> (São Mateus 12,1-2)

O Antigo Testamento não proibia arrancar espigas de milho do campo, mas fazer isso em um sábado, segundo os fariseus, representava um pecado duplo. Como dispõe o Talmude:

> Caso a mulher role o trigo para remover as cascas, é considerado como peneiração; se esfregar as espigas de trigo, é considerado como debulha; se limpar as aderências laterais, peneira o fruto; se esmagar a espiga, tritura; se os lançar das mãos, joeira.
> [Jer. Shabat 10a]

O que escandalizou os fariseus não foi a violação da lei bíblica, mas a violação da lei rabínica. Ao ver o que acreditavam ser uma profanação do *Shabat*, atacaram abertamente Nosso Senhor por algo que os discípulos fizeram.

A resposta de Nosso Senhor foi tríplice: primeiro, apelou aos profetas, à Lei e então àquele que era maior que ambos, a saber, depois Ele mesmo. Nos casos que citou, as sutilezas cerimoniais foram preferidas a uma lei suprema. Nosso Senhor recorreu ao grande herói nacional, Davi, que comeu os pães da proposição proibidos a todos, salvo aos sacerdotes (1 Samuel 21,6). Se permitiram que Davi rompesse a proibição divina de uma mera questão cerimonial em favor de uma necessidade do corpo, por que não permitiam isso a Ele e a seus discípulos? Quando Davi fugia de Saul e estava faminto, Nosso Senhor disse que Davi:

> entrou na casa de Deus e comeu os pães da proposição?
> Ora, nem a ele nem àqueles que o acompanhavam
> era permitido comer esses pães reservados só aos sacerdotes.
> (São Mateus 12,4)

Os fariseus, por certo, admitiriam que o risco de vida suplanta a lei cerimonial, mas, além disso, Davi teve permissão de comer o pão não só porque estava faminto, mas porque alegou estar a serviço de alguém superior, e servir a alguém maior era mais importante do que Davi servir a um mestre terreno.

Nosso Senhor, então, respondeu de maneira mais direta à acusação de violar a lei do sábado. Aqueles que o acusaram de trabalhar no templo no *Shabat* prepararam sacrifícios, acenderam as lamparinas e, contudo, porque faziam parte do serviço do templo, não foram considerados violadores da lei do *Shabat*. Entretanto, ali, naquele sábado, em meio a um campo de milho, sem nenhuma pompa de glória, estava aquele que era maior que o templo.

> Ora, eu vos declaro que aqui está quem é maior que o templo.
> (São Mateus 12,6)

Essas palavras profundas eram blasfêmia para os fariseus, mas havia outra afirmação do que dissera quando purificou o templo pela primeira vez em Jerusalém, ao declarar que Seu corpo era o templo porque ali residia a divindade. Nele a divindade abrigava-se corporalmente, e, em nenhum outro lugar na terra, Deus poderia ser encontrado exceto escondido em Sua humanidade. Portanto, se os apóstolos infringiram os regulamentos cerimoniais, não tinham culpa, porque, sim, estavam a serviço do templo; mais ainda, a serviço do próprio Deus.

Ao todo, por sete vezes acusaram-no de descumprir o *Shabat*. Ele os desconcertou, certa vez, na sinagoga de Cafarnaum, após curar o homem com a mão ressequida, ao dizer:

> Há alguém entre vós que, tendo uma única ovelha
> e se esta cair num poço no dia de sábado,
> não a irá procurar e retirar?
> Não vale o homem muito mais que uma ovelha?
> É permitido, pois, fazer o bem no dia de sábado.
> (São Mateus 12,11-12)

Nesse momento a oposição se acirrou. De corações odiosos, passou às palavras de contenda com os discípulos e, então, às acusações blasfemas aos ouvidos do povo e, por fim, ao próprio Senhor. Não sendo capazes de respondê-Lo, após o milagre de Cafarnaum:

> Os fariseus saíram dali e deliberaram sobre os meios de o matar.
> (São Mateus 12,14)

Nosso Senhor afastou-se da agitação. Ainda não era a hora de julgá-los. Mateus, nesse momento, cita uma passagem de Isaías em que estava previsto o caráter manso de Cristo:

> Não quebrará o caniço rachado,
> nem apagará a mecha que ainda fumega,
> até que faça triunfar a justiça.
> Em seu nome as nações pagãs porão sua esperança (Isaías 42,1-4).
> (São Mateus 12,20-21)

Não há nada mais débil que um caniço partido que, às vezes, é usado pelos pastores para entoar melodias; nem há nada mais frágil que a chama tremulante de uma vela; ainda assim, Ele não destruiria nenhuma dessas coisas, tão manso era Seu caráter. Não reprimiria a menor aspiração a ele dirigida, nem consideraria alma alguma sem finalidade. Uma chama fumegante não pode mais iluminar um cômodo, mas nenhuma alma jamais seria considerada um objeto ofensivo. O caniço rachado não pode produzir uma música doce, mas nenhuma alma há de ser descartada como inútil e sem esperança de responder às harmonias celestiais. O caniço rachado pode ser remendado, e a chama fumegante pode ser reavivada por um poder e uma graça que lhes são exteriores.

O Evangelho não poderia ter escolhido, em meio a tal conflito, ódio e mordacidade, melhor momento para retratar a paciência, a gentileza e a mansidão de Jesus do que durante as investidas dos escribas e fariseus. Eram de partidos distintos, mas, porque encontraram um inimigo maior, uniram-se e vieram até Ele dessa vez, com modos pouco educados, e perguntaram:

> Mestre, quiséramos ver-te fazer um milagre.
> (São Mateus 12,38)

Os milagres de cura e outros semelhantes não bastavam, disseram. Desejavam algum sinal extraordinário dos céus. Ele respondeu:

> Esta geração [infiel] e perversa pede um sinal.
> (São Mateus 12,39)

Algumas versões se referem a uma geração "adúltera", porque o pecado do adultério era usado no sentido metafórico de infidelidade espiritual a Deus. Mais uma vez, afirmou a importância da conduta moral como essencial para ver a verdade. Contrastou a conduta prática e a fé no arrependimento de Nínive na prece de Jonas, e a fé e o zelo da rainha de Sabá ao ouvir a sabedoria de Salomão com a falta de arrependimento dos escribas e fariseus e a frieza de seus corações. Ainda que a visitante de Salomão fosse uma rainha, ela percorreu uma grande distância por nenhuma outra razão que não a busca de sabedoria. Portanto, ela podia vir em juízo contra os escribas e fariseus que desdenhosamente repeliam a verdade.

> No dia do juízo, a rainha do Sul se levantará
> com esta raça e a condenará,
> porque veio das extremidades da terra
> para ouvir a sabedoria de Salomão.
> Ora, aqui está quem é mais do que Salomão.
> (São Mateus 12,42)

Nosso Senhor aqui alegou superioridade a um grande profeta dos judeus, ouvido pelas nações dos gentios e que buscou informações dos confins da terra. Os fiéis gentios julgarão aqueles mesmos fariseus que O viram e mesmo assim rejeitaram o Evangelho. Entretanto, não somente os verdadeiros intelectuais do mundo se levantarão em juízo contra os que se recusam a aceitar Aquele que era maior que Salomão, mas também:

> No dia do juízo, os ninivitas se levantarão
> com esta raça e a condenarão,
> porque fizeram penitência à voz de Jonas.
> Ora, aqui está quem é mais do que Jonas.
> (São Mateus 12,41)

Se os homens de Nínive, que eram pagãos, fizeram penitência com a pregação de Jonas, não deveriam os escribas e fariseus fazer penitência com a pregação daquele que era maior que Jonas? O povo de Nínive não teve o mesmo privilégio desses escribas e fariseus de falar com Deus em forma de homem; a rejeição Dele, portanto, era um presságio da vinda do juízo. Ao pedir-Lhe um sinal, demonstraram perversidade moral, pois não acreditariam nem se Ele fizesse o tipo de milagre que pediam. Queriam sinais não por convicção, mas para condená-lo.

Isso O levou ao único sinal que lhes daria; o sinal do profeta Jonas.

> Jonas esteve três dias e três noites no ventre do peixe,
> assim o Filho do Homem ficará três dias
> e três noites no seio da terra.
> (São Mateus 12,40)

Mais uma vez a sombra da Cruz recaiu sobre os escribas e os fariseus. Em linguagem velada, Ele lhes disse que, no terceiro dia, ressurgiria. Seria tratado como Jonas o foi pelos marinheiros, com a diferença de que Jonas foi lançado ao mar, e Ele seria lançado numa cova. Entretanto, assim como Jonas escapou das profundezas do mar, no terceiro dia, para cumprir sua missão de pregar a penitência, assim também Ele ressurgiria para cumprir a missão de enviar Seu Espírito para a cura do pecado e a proclamação do arrependimento. O milagre de Jonas foi um sinal de que ele era um profeta divinamente comissionado, e isso autenticou sua exortação dos ninivitas ao arrependimento; do mesmo modo, a ressurreição autenticaria a obra do Mestre. Aqueles que não aceitassem o sinal de humilhação e morte, e depois o de ressurreição e glória, não aceitariam nenhum outro sinal.

> Ora, aqui está quem é mais do que Jonas.
> (São Mateus 12,41)

Se os ninivitas se arrependeram com a pregação de Jonas, por que os escribas e os fariseus não se arrependeram diante Dele, a quem Jonas apontava? Pediram um sinal para condená-Lo; deu-lhes um sinal que os condenava. Queriam um sinal dos céus; deu-lhes um sinal das profundezas da terra. Queriam um sinal que provocasse maravilhas; deu-lhes um sinal para provocar arrependimento. Queriam um sinal somente para si; deu-lhes um sinal da terra dos gentios para a qual Seu Evangelho seria transmitido após a Ressurreição. Em Nazaré, quando seus concidadãos tentaram matá-Lo, deu-lhes dois exemplos do Antigo Testamento retirados dos gentios para demonstrar que Seu Evangelho lhes seria transmitido. Nessa controvérsia, Ele usou mais três exemplos dos gentios. No entanto, uma vez que "a salvação vem dos judeus", como Ele lhes disse, deveriam rejeitá-Lo antes que os gentios recebessem Sua verdade e vida. Mais uma vez, a Cruz e a glória da Ressurreição foram postas diante deles como o motivo de Sua vinda dos céus à terra.

30

A RAPOSA E AS GALINHAS

A Cruz foi levantada mais uma vez pelos fariseus quando Nosso Bendito Senhor estava na Galileia, no território de Herodes. Os fariseus, que haviam tramado Sua morte, tentavam inquietar e perturbar o Mestre, dizendo:

> Sai e vai-te daqui,
> porque Herodes te quer matar.
> (São Lucas 13,31)

Decerto os fariseus não estavam interessados na segurança de Nosso Senhor, e sim ansiosos para atraí-lo a Judeia, onde cairia de modo mais direto sob o poder deles e do Sinédrio. Com certeza a história não era simples invenção, pois, no começo da vida pública de Jesus, fariseus e herodianos tinham conspirado contra Ele. Ademais, a consciência de Herodes já estava pesada por causa do assassinato de João Batista. A presença do Mestre Divino, bem como Sua popularidade, perturbava muitíssimo Herodes. Os fariseus estavam dispostos a envolver-se na trama de Herodes para livrar seus domínios de Jesus; ao mesmo tempo, ganhava terreno o desejo de levá-lo a Jerusalém para precipitar-Lhe a morte.

Nosso Bendito Senhor não se deixou enganar pelo plano ardiloso nem pela cordialidade fingida dos fariseus. Dispensou-os logo com a seguinte resposta:

> Ide dizer a essa raposa:
> eis que expulso demônios
> e faço curas hoje e amanhã;
> e ao terceiro dia [sou consumado].
> (São Lucas 13,32)

Israel, no Antigo Testamento, foi descrito como a vinha do Senhor; quem mais merecia o nome de espoliador da vinha senão a raposa que assassinou o precursor do Messias? Herodes, acrescentou o Senhor, não tinha de temer que Sua popularidade levasse à intriga ou à revolução. O trabalho de expulsar espíritos malignos de homens possuídos e fazer andar os paralíticos continuaria. Esses milagres inofensivos não seriam interrompidos até o momento de Sua morte e glorificação. "Hoje e amanhã" indicavam períodos curtos, como na passagem do profeta Oseias. Então viria a Crucifixão e, ao fim da Crucifixão, Ele diria que o propósito de Sua vinda estava consumado. Somente no fim do terceiro dia, e não antes disso, terminaria a trajetória. Ele sabia a hora de Sua morte, e sabia que a hora ainda não havia chegado. Fariseus, herodianos e saduceus, unidos em aliança iníqua, não teriam uma Vítima até que Jesus se entregasse a eles.

O Senhor reafirmou que tinha pleno controle da própria vida ao dizer que não morreria na Galileia, onde estava na ocasião, mas em Jerusalém:

> Porque não é admissível que um profeta
> morra fora de Jerusalém.
> (São Lucas 13,33)

Não importava quanto Herodes tentasse matá-lo, Jesus não modificaria a "Hora" estabelecida pelo Pai. Pertencia a Jerusalém o monopólio do assassinato de profetas, e lá a Cruz seria erigida. Quanto à ameaça a Sua vida, Nosso Senhor tão somente a ignorou. Era na Cidade Santa, sob Pôncio Pilatos, que haveria de ser assassinado, e não nas províncias sob o poder de Herodes. O "hoje, amanhã e o terceiro dia" era o período exato de que Nosso Senhor precisava para viajar de Pereia, onde estava, até Jerusalém. Tampouco disse que "morreria", mas, antes, que "seria consumado". Uma vez na Cruz, em Jerusalém, Ele diria "está consumado", unindo assim a Missão Divina do Pai com o próprio desejo de pregar, expulsar demônios e então oferecer-se como sacrifício pelos pecados dos homens. A mesma expressão usada por Nosso Senhor acerca da consumação de Sua vida aparece duas vezes na Epístola aos Hebreus — uma vez aplicada aos sofrimentos do Senhor por levar os homens à salvação, e a outra:

> E, sendo ele consumado,
> veio a ser a causa da eterna salvação
> para todos os que lhe obedecem.[1]
> (Hebreus 5,9)

---

1 | Citado aqui conforme a tradução Almeida Revista e Corrigida, por empregar exatamente o termo enfatizado pelo autor. (N. T.)

A menção a Jerusalém lembrou-O não só da morte, mas também de Seu amor patriótico pela cidade.

> Jerusalém, Jerusalém, que matas os profetas
> e apedrejas os enviados de Deus,
> quantas vezes quis ajuntar os teus filhos,
> como a galinha abriga a sua ninhada debaixo das asas,
> mas não o quiseste!
> Eis que vos ficará deserta a vossa casa.
> Digo-vos, porém, que não me vereis
> até que venha o dia em que digais:
> Bendito o que vem em nome do Senhor!
> (São Lucas 13,34-35)

Nunca uma apóstrofe foi pronunciada por um patriarca a uma terra ou cidade com o mesmo amor que o Mestre mostrou pela cidade apontada como o lugar do Eterno, onde a glória de Deus havia de habitar e que viria a ser o veículo de revelação a todas as nações. A imaginação do Mestre voltou-se da raposa para as galinhas como exemplo de amor cívico. A figura das asas abertas para abrigar e aquecer era comum nos livros do Antigo Testamento e nos profetas, mas a tragédia estava na rejeição dos homens. Disse Deus: "Quisera", e os homens responderam: "Não queremos". A profecia acerca de Jerusalém estaria cumprida literalmente dentro de uma geração. Quando Sócrates foi condenado à morte pelos juízes atenienses, o carrasco que lhe deu cicuta para beber chorou enquanto lhe entregava o copo. Nosso Senhor, sendo Deus, sabia de antemão que os governadores e juízes de Jerusalém o condenariam à morte, e chorou por eles. No caso de Sócrates, o carrasco chorou pelo executado; aqui, no entanto, é Aquele que há de ser executado que chora pelos carrascos. Eis a diferença entre um filósofo e Deus.

É tremendo o poder da liberdade: o homem sempre a tem dentro de si para aceitar ou rejeitar as asas da proteção e do abrigo divinos. Assim também o homem-Deus tinha-a em Si para oferecer espontaneamente a própria vida por Jerusalém e pelo mundo. Se fosse obrigado a sofrer, seria o peso da injustiça, e o Pai não aceitaria um sacrifício oferecido com relutância. Antes, Nosso Senhor chamara aqueles que estavam dispostos a ser pastoreados por Ele de Suas ovelhas; agora, chama-os de Sua ninhada. Aqui como alhures, a Cruz estava diante dele, mas seria um aperfeiçoamento, uma consumação, uma glória. Mais uma vez, o Senhor associou Cruz e Ressurreição; os dois nunca se separaram. Iria para a Cruz não como mártir, mas como Vencedor. Decerto os homens lhe poriam uma coroa de espinhos e o cravariam numa Cruz, mas tudo isso apenas no *nível humano*. Nada aconteceria antes da hora determinada por Deus. São Pedro, que estava com Nosso Senhor na ocasião, falaria mais tarde do ponto de vista divino da Crucifixão no sermão de Pentecostes:

> depois de ter sido entregue,
> segundo determinado desígnio e presciência de Deus,
> vós o matastes,
> crucificando-o por mãos de ímpios.
> (Atos dos Apóstolos 2,23)

Jerusalém o rejeitaria na Sexta-Feira Santa depois de tê-Lo recebido no domingo anterior. Talvez a entrada triunfal fosse um símbolo de como Jerusalém O receberia posteriormente, no fim do mundo. O apóstolo que se descreve como aquele a quem Jesus amava deu esta interpretação da Segunda Vinda:

> Ei-lo que vem com as nuvens.
> Todos os olhos o verão,
> mesmo aqueles que o traspassaram.
> (Apocalipse 1,7)

A raposa e a galinha se encontraram. A raposa podia agora conspirar com os fariseus, como mais tarde conspiraria com Pilatos, para entregá-lo à morte. Mas o Senhor da História julga a todos conforme tenham devorado como a raposa ou reunido como a galinha. Aqueles que não se aninhassem sob as asas da galinha, advertiu Ele, seriam pegos pelas garras da águia devoradora romana.

31

A ressurreição que prepara Sua morte

Muitos foram os atentados à vida de Cristo, em particular quando declarou ser o Filho de Deus. No entanto, sua morte foi formalmente decidida quando demostrou poder sobre a morte ao ressuscitar Lázaro.

> E desde aquele momento resolveram tirar-lhe a vida.
> (São João 11,53)

Antes, muitas vezes falou primeiro de Sua morte e, depois, de Sua Ressurreição. Dessa vez, falou da ressurreição primeiro, enquanto os inimigos decidiam Sua morte. A tumba vazia de Lázaro instigou a decisão de dar-Lhe a cruz, mas Ele, em troca, desistiria da cruz por um túmulo vazio.

Essa não foi a primeira vez que falara da ressurreição. No início da vida pública, quando alimentou as multidões e apresentou-se como o Pão da Vida, disse que daria a outros a ressurreição:

> Ora, esta é a vontade daquele que me enviou:
> que eu não deixe perecer nenhum daqueles que me deu,
> mas que os ressuscite no último dia.
> Esta é a vontade de meu Pai:
> que todo aquele que vê o Filho e nele crê,
> tenha a vida eterna; e eu o ressuscitarei no último dia.
> (São João 6,39-40)

> Ninguém pode vir a mim se o Pai, que me enviou,
> não o atrair; e eu hei de ressuscitá-lo no último dia.
> (São João 6,44)

> Quem come a minha carne e bebe o meu sangue
> tem a vida eterna; e eu o ressuscitarei no último dia.
> (São João 6, 54)

Essas palavras foram além das profecias da própria Ressurreição. Eram uma afirmação de que todos que acreditassem Nele e vivessem por Sua vida ressuscitada desfrutariam, por Seu poder, da ressurreição.

Anteriormente, trouxera dos mortos pelo menos duas outras pessoas. Uma foi a filha de Jairo; a outra, o filho da viúva de Naim. A primeira tinha acabado de morrer; o segundo já estava no caixão. Ainda assim, o caso mais surpreendente de todos foi o de Lázaro.

Nosso Senhor, naquele momento particular, estava pregando a leste do rio Jordão, em Pereia. A certa distância estava a cidade de Betânia, que ficava cerca de três quilômetros fora de Jerusalém. Nessa cidade viviam duas irmãs, Marta e Maria, e Lázaro, irmão delas, de cuja hospitalidade Nosso Senhor sempre desfrutava. Quando Lázaro sentiu-se mal, Marta e Maria mandaram uma mensagem a Jesus, dizendo:

> Senhor, aquele que tu amas está enfermo.
> (São João 11,3)

As irmãs chamavam-No de "Senhor", para indicar o reconhecimento de Sua divindade e autoridade. Também não punham a fonte do amor em Lázaro; ao contrário, a fonte estava no próprio Jesus. As irmãs apelaram para o Seu amor e deixaram a decisão de fazer o melhor para Cristo (Sua mãe, igualmente, o fizera na festa de casamento em Caná, onde apenas observou: "Eles não têm vinho"). Quando Nosso Senhor recebeu a mensagem, disse:

> Esta enfermidade não causará a morte,
> mas tem por finalidade a glória de Deus.
> Por ela será glorificado o Filho de Deus.
> (São João 11,4)

Deveria estar em sua mente, de uma só vez, tanto a morte de Lázaro como a Sua própria Ressurreição, pois mais tarde, quando foi a Betânia e ressuscitou Lázaro dos mortos, disse a Marta:

> Não te disse eu: Se creres, verás a glória de Deus?
> (São João 11,40)

Ele associa a honra e a glória a si mesmo, não como Messias, mas como Filho de Deus, aquele que está unido com o Pai. Quando Nosso Senhor disse que a doença de Lázaro não causaria morte, não queria dizer que Lázaro não morreria, mas, antes, que o fim e o propósito da morte eram Sua própria glorificação como Filho de Deus.

É muito provável que as irmãs tenham acreditado que, tão logo Nosso Senhor recebesse a mensagem, correria para ficar ao lado de Lázaro. Entretanto, ele ficou mais dois dias onde estava após receber a notícia. Se o último capítulo da morte de Lázaro não tivesse sido escrito, pareceria que faltara compaixão a Nosso Senhor Santíssimo. Acontece que esse foi um dos raros exemplos de morte, doença e infortúnio em que o último capítulo estava escrito e que os propósitos de Deus são vistos mesmo na Sua demora.

A distância que separava Nosso Senhor da casa de Lázaro era de cerca de um dia de viagem. Se, portanto, permaneceu ainda dois dias a mais em Pereia e se acrescentarmos mais um dia de jornada, ao todo teriam se passado quatro dias desde o recebimento da notícia. As delongas de Deus são misteriosas. O pesar, às vezes, é prolongado pelo mesmo motivo pelo qual é enviado. Deus pode abster-se, por um momento, de curar; não porque o Amor não ame, mas porque o Amor nunca deixa de amar e um bem maior virá da aflição. O relógio dos céus é diferente do nosso. O amor humano, impaciente com atrasos, nos insta à velocidade. A mesma morosidade ocorreu quando Ele estava a caminho da casa de Jairo, cuja filha trouxe de volta à vida. Ali, Nosso Senhor Bendito, em vez de apressar-se pelo caminho, usou um desses momentos preciosos para curar uma mulher de um problema de sangramento, assim que ela tocou Suas vestes na multidão. As obras do mal, às vezes, são feitas apressadamente. Nosso Senhor disse a Judas para fazer "rápido" seu trabalho sujo.

Depois de dois dias, Nosso Senhor falou novamente sobre a família que amava. Ele não disse "Vamos ver Lázaro" ou "Vamos a Betânia", mas, em vez disso, falou "Voltemos a Judeia", cuja capital era Jerusalém, onde estava concentrada a oposição a Ele. Quando os discípulos ouviram isso, imaginaram, de imediato, as ameaças a Sua vida e os apedrejamentos em Jerusalém e disseram a respeito dos fariseus e líderes do povo:

> Mestre, há pouco os judeus te queriam apedrejar, e voltas para lá?
> (São João 11,8)

Nosso Senhor estava a testá-los. Poucas semanas antes, João dissera sobre os inimigos:

> Procuraram então prendê-lo, mas ele se esquivou das suas mãos.
> (São João 10,39)

Agora ele estava sugerindo aos apóstolos que voltassem ao centro da oposição. Sua hora se aproximava. Mas os apóstolos não conseguiam ver a prudência ou o senso comum em tal passo. Temiam pela própria segurança, bem como pela segurança do Mestre, embora não mencionassem estar com medo; ao contrário, falavam somente dos inimigos que ameaçavam apedrejá-Lo. A resposta que o Senhor lhes deu foi outra indicação da disposição divina de Sua vida e que nenhum homem poderia tirar Dele.

> Não são 12 as horas do dia?
> Quem caminha de dia não tropeça, porque vê a luz deste mundo.
> Mas quem anda de noite tropeça, porque lhe falta a luz.
> (São João 11,9-10)

Como era seu costume, afirmava uma verdade simples com duplo sentido; um literal e outro, espiritual. O sentido literal era: existe a luz natural do dia. Por cerca de 12 horas o homem trabalha ou empreende uma jornada, e, durante essas horas do dia, o sol brilha em seu caminho. Se, porém, o homem viaja ou trabalha à noite, tropeça ou atrapalha-se no trabalho. O sentido espiritual estava no denominar-se Luz do Mundo. Assim como ninguém pode impedir o sol de brilhar durante as determinadas horas do dia, da mesma maneira, ninguém jamais pode reprimi-Lo ou pará-Lo em Sua missão. Muito embora fosse para a Judeia, nenhum mal recairia sobre Ele até que o permitisse. Enquanto a luz brilhasse sobre os apóstolos, nada teriam a temer, mesmo na cidade dos perseguidores. Passara essa mesma ideia ao responder a Herodes quando o chamou de raposa. Haveria um tempo em que ele permitiria que a luz do mundo fosse apagada, e isso ocorreria quando dissesse a Judas e a seus inimigos no Jardim das Oliveiras: "Esta é a vossa hora e do poder das trevas" (São Lucas 22,53). No entanto, até que permitisse, os inimigos nada poderiam fazer. O dia existe até a Paixão; a Paixão é a noite.

> Enquanto for dia, cumpre-me terminar as obras daquele que me enviou.
> Virá a noite, na qual já ninguém pode trabalhar.

> Por isso, enquanto estou no mundo, sou a luz do mundo.
> (São João 9,4-5)

Ninguém poderia subtrair-lhe um único segundo das 12 horas de luz estabelecidas nas quais deveria pregar, assim como ninguém poderia apressar um segundo da hora das trevas quando fosse de encontro à morte. Quando finalmente anunciou que deveriam começar a jornada, Tomé, melancólico e pessimista, disse aos condiscípulos:

> Vamos também nós, para morrermos com ele.
> (São João 11,16)

Conhecendo a tremenda oposição que havia em Jerusalém, Tomé, naquele momento, sugeriu que todos poderiam morrer juntos na Cidade Santa. O que quer que se possa dizer de Tomé, devemos admitir que, antes de todos, reconheceu que a morte estava reservada a Nosso Senhor, embora tenha sido o último a reconhecer Sua Ressurreição. Se Nosso Senhor desejasse ser morto, Tomé estava disposto a ser morto com ele. Sempre que aparece no Evangelho, Tomé fica do lado negro. Ainda assim, se a única maneira de prosseguir com o Mestre era morrer com Ele, Tomé estava disposto a fazê-lo.

Quando Nosso Senhor chegou a Betânia, Lázaro já havia sido enterrado quatro dias antes. Betânia, por estar a menos de duas horas de Jerusalém e no raio de visão do templo, era o cenário de um grande afluxo de pessoas e, em especial, de inimigos, quando Sua vinda foi anunciada. Muitos consoladores também foram levar alento às pobres irmãs. Quando souberam da chegada de Jesus, Marta, a mais ativa, levantou-se e saiu para encontrá-lo, ao passo que Maria permaneceu na casa. Marta tinha alguma confiança no poder do Cristo, mas ainda era uma confiança muito limitada, pois disse-Lhe:

> Senhor, se tivesses estado aqui, meu irmão não teria morrido!
> (São João 11,21)

Quando Nosso Senhor disse que seu irmão levantaria novamente, Marta admitiu que ele o faria, na ressurreição geral dos mortos, no último dia. Era estranho que Marta não ouvisse ou recordasse o que Nosso Senhor havia falado antes no templo:

> Porque vem a hora em que todos os que se acham
> nos sepulcros sairão deles ao som de sua voz.
> (São João 5,28)

A fé que Marta expressou na ressurreição era a da maioria dos judeus, com exceção da dos saduceus. Assim como a mulher no poço sabia que o Messias viria e, no entanto, não sabia que Ele já falava com ela, Marta, igualmente, apesar de acreditar na ressurreição, não sabia que a ressurreição estava diante dela. Assim como dissera à mulher do poço que era o Messias, agora Nosso Senhor disse a Marta:

> Eu sou a ressurreição e a vida.
> (São João 11,25)

Se Cristo tivesse dito "Eu sou a ressurreição", sem prometer dar vida espiritual e eterna, haveria somente a promessa de reencarnação em sucessivos níveis de sofrimento. Se dissesse "Eu sou a vida", sem dizer "Eu sou a ressurreição", haveria apenas a promessa de nossos desgostos contínuos. Entretanto, ao combinar os dois, afirmou que Nele estava a vida que, ao morrer, eleva-se à perfeição. Portanto, a morte não era o fim, mas o prelúdio da ressurreição em novidade e plenitude de vida. Essa era a nova maneira de combinar a Cruz e a glória, que perpassou como antífona o salmo de Sua vida. No momento em que disse isso, andou em direção dos inimigos na Judeia. Nosso Senhor Santíssimo estava relutante em utilizar a palavra "morte", que provava que toda a Sua vida estava contra isso. Empregou a mesma palavra a respeito da filha de Jairo, como fez com Lázaro, a saber, estavam "adormecidos". Seria a mesma palavra que os seguidores de Cristo usariam a respeito de Estêvão, ao afirmarem que ele "dormiu".

Quando Nosso Senhor perguntou a Marta se ela acreditava que quem quer que cresse Nele nunca morreria, ela respondeu:

> Sim, Senhor. Eu creio que tu és o Cristo,
> o Filho de Deus, aquele que devia vir ao mundo.
> (São João 11,27)

A fé plena na encarnação preparou o milagre a seguir. Maria chega chorando à cena. Quando Nosso Senhor viu suas lágrimas e a dos seus amigos:

> Jesus ficou intensamente comovido em espírito.
> (São João 11,33)

Antes ativo que passivo, teve compaixão com a morte e o pesar, dois dos maiores efeitos do pecado. Teve fome porque a desejou; estava pesaroso porque o quis; morreria porque desejou. A longa procissão de enlutados através dos séculos, o efeito pavoroso da morte que estava prestes a tomar sobre Si, instigou-O a sorver o cálice da cruz. Não poderia ser um Sumo Sacerdote digno sem ter compaixão por nossas dores. Como era fraco em nossa fraqueza, pobre em nossa pobreza, da mesma maneira, era triste em nossa tristeza. Essa partilha, deliberadamente desejada, dos pesares daqueles que redimiria, o fez chorar. A palavra grega empregada indica lágrimas derramadas de maneira calma. Nosso Senhor é descrito a chorar nas Escrituras por três vezes. Uma vez por uma nação, quando chorou por Jerusalém; uma vez no Jardim de Getsêmani, quando chorou pelos pecados do mundo; e, nessa ocasião, por Lázaro, quando chorou pelo efeito do pecado que é a morte. Nenhuma das lágrimas foi por si mesmo, mas pela natureza humana que assumira. Em cada ocasião, seu coração humano pôde distinguir o fruto da raiz, os males que afetam o mundo de sua causa, que é o pecado. Era verdadeiramente "o Verbo feito Carne".

Muitos ao redor do túmulo de Lázaro disseram:

> Vede como ele o amava!
> (São João 11,36)

Outros, todavia, que também choravam, pesarosos, mostraram suas garras ao perguntar:

> Não podia ele, que abriu os olhos do cego de nascença,
> fazer com que este não morresse?
> (São João 11,37)

É evidente que havia uma crença vaga de que Ele era o Messias, por conta das outras maravilhas que operara. Na cruz também podiam admitir todos os milagres, salvo, aparentemente, não poder descer dela. Agora estavam dispostos a admitir todos os milagres, mas, certamente, se fosse o Messias, o Filho de Deus, teria evitado a morte de Lázaro. Já que não o fez, logo, não era o Cristo. Ignorou as provocações quando chegou à tumba em que estava Lázaro. Sugeriu que a pedra fosse removida. Marta confirmou a morte certa de Lázaro ao dizer-lhe:

> Senhor, já cheira mal,
> pois há quatro dias que ele está aí...
> (São João 11,39)

Ela advertiu Nosso Senhor de que a condição do morto era tal que abandonasse toda a esperança de ressurreição até o último dia. Quando, porém, a pedra foi removida em obediência à ordem de Nosso Senhor, Este voltou-se ao Pai Celestial em oração. A função da oração era que, por esse milagre, todos que o vissem pudessem acreditar que o Pai e Ele eram um e que o Pai O enviara ao mundo. Então:

> exclamou em alta voz: Lázaro, vem para fora!
> (São João 11,43)

Lázaro saiu da tumba com a mortalha enrolada no corpo. As mãos amáveis das irmãs removeram o pano que cobria sua face, e ele, que estivera aprisionado pela morte, foi trazido à vida. Ali, ao sol brilhante do meio-dia, na presença de testemunhas hostis, um homem que estivera morto por quatro dias foi trazido à vida em um instante.

Assim como o sol incide sobre a lama e a endurece, e incide sobre a cera e a amolece, esse milagre de Nosso Senhor Santíssimo endureceu alguns para a incredulidade e amoleceu outros para a fé. Alguns creram: o efeito geral, no entanto, foi a decisão de executar Nosso Senhor. Muitos foram até os fariseus e relataram tudo o que Cristo fizera.

> Os pontífices e os fariseus convocaram o conselho e disseram:
> Que faremos? Esse homem multiplica os milagres.
> Se o deixarmos proceder assim, todos crerão nele.
> (São João 11,47-48)

Não havia dúvida sobre o fato da ressurreição; o problema era como evitar que Ele se tornasse popular em virtude de tal poder. Tinha demonstrado claramente por seus milagres que era o Cristo. No entanto, os milagres não são a cura para a incredulidade. Alguns não acreditariam nem mesmo se todo dia alguém se levantasse dos mortos. O raciocínio deles era curioso:

os romanos virão e arruinarão a nossa cidade e toda a nação.
(São João 11,48)

Alegavam que, se Ele continuasse a operar tais milagres e manifestar tal poder, as pessoas O aceitariam como rei. Isso, todavia, pensavam, despertaria o ódio dos romanos que ocupavam o país. O propósito deles era sacrificar Jesus para não serem sacrificados pelos romanos. Entretanto, o que temiam iria acontecer, como Nosso Senhor disse que aconteceria. Os romanos, sob o governo de Tito, destruíram a cidade, queimaram o templo e colocaram a nação em vergonhoso cativeiro.

Caifás, o sumo sacerdote, estava presente nesse conselho. Uma vez que outros se professavam perdidos a respeito do que fazer, o astuto Caifás repreendeu-lhes e ofereceu uma solução mais verdadeira do que suspeitava.

Vós não entendeis nada!
Nem considerais que vos convém que
morra um só homem pelo povo,
e que não pereça toda a nação.
(São João 11,49-50)

"Que Roma decida por Sua morte, não nós" foi seu argumento. "Não teremos culpa por matar alguém tão amado pelo povo, e os romanos serão os responsáveis". Nosso Senhor se tornaria, assim, um grande bode expiatório para aplacar a autoridade romana. A crucifixão desse homem apaziguaria César e retiraria as suspeitas de que os judeus estavam revoltados com Roma.

Caifás quase não percebeu o significado de suas palavras, de que era conveniente que um homem morresse pela nação em vez de deixar que ela perecesse. Séculos antes, a motivação dos irmãos de José era má quando o lançaram no poço e o venderam como escravo, mas, não obstante, cumpriram os propósitos de Deus, pois José, posteriormente, disse aos irmãos:

Vossa intenção era de fazer-me mal,
mas Deus tirou daí um bem; era para fazer,
como acontece hoje, com que se conservasse
a vida a um grande povo.
(Gênesis 50,20)

Aqui também, do ponto de vista humano, havia o assassinato para fins políticos; do ponto de vista divino, Caifás, inconscientemente, afirmou que Cristo era uma oferta pelo povo judeu, por todos os povos. Sua morte seria vicária; sua vida seria um sacrifício por outrem. Acreditava-se que o sumo sacerdote, nos tempos antigos, tinha o dom da profecia; e o Evangelho menciona a asserção desse tratante como uma verdadeira profecia.

> E ele não disse isso por si mesmo, mas,
> como era o sumo sacerdote daquele ano,
> profetizava que Jesus havia de morrer pela nação,
> e não somente pela nação, mas também para que
> fossem reconduzidos à unidade os filhos de Deus dispersos.
> (São João 11,51-52)

Perto do crepúsculo de Sua vida, um saduceu indelicado que não acreditava na ressurreição afirmou que um anjo lhe anunciara o nascimento Dele, cujo nome era Jesus, isto é:

> ele salvará o seu povo de seus pecados.
> (São Mateus 1,21)

Caifás proclamou uma nova unidade, uma nova aliança que seria efetuada por Aquele que se daria em substituição por outros e, assim, os haveria de salvar. Nosso Senhor dissera que veio dar a vida em resgate da humanidade pecadora; Caifás também o dissera, sem perceber suas palavras. O bom pastor morreria para que houvesse "um só rebanho e um só pastor" (São João 10,16).

A ressurreição selou sua morte. Porque uma pedra fora retirada da tumba e um morto, chamado de volta à vida, as autoridades agora decretaram que uma pedra deveria ser colocada diante de Seu sepulcro.

> E desde aquele momento resolveram tirar-lhe a vida.
> (São João 11,53)

32

A mulher que pressentiu a morte do Senhor

A intuição de uma mulher pressentiu mais do que os apóstolos puderam compreender, embora a eles lhes fosse predito de maneira explícita a Paixão e morte do Senhor. A mulher era Maria Madalena, que havia sido pecadora. O momento, seis dias antes da Sexta-Feira Santa; o lugar, a casa de Simão — Simão, que fora leproso.

Reclinado à mesa, o Mestre conversava com os apóstolos e com os demais convivas: João e Tiago, que recentemente tinham buscado os primeiros lugares; Pedro, a rocha que compreenderia um Cristo divino, mas não um Cristo sofredor; Natanael, o novo Jacó, sem dolo, a quem se havia prometido que veria o Cristo como o mediador entre o céu e a terra; Judas, o tesoureiro dos fundos apostólicos; os outros apóstolos, que agiriam em unidade em poucos minutos; Lázaro, tão recentemente levantado dos mortos pelo poder Daquele que chamava a Si mesmo de "A Ressurreição"; Marta, ainda serva e dedicada; e Maria, a pecadora arrependida.

Quando a ceia se aproximava do fim, Maria passou por trás do assento do Salvador, levando consigo um vaso de bálsamo de nardo puro. Esse bálsamo era caro; Judas, que punha preço em tudo, avaliou-o em cerca de trezentos denários. O bálsamo era caro para Maria; contudo, não caro demais para o Filho de Deus. O vaso em que se carregava este extrato de mirra provavelmente era de alabastro, com um gargalo longo e fino. Maria quebrou o vaso para possibilitar um fluxo sem medida sobre a cabeça e os pés do Senhor. Em poucos dias, na Última Ceia, Ele partiria o pão como sinal de Seu Corpo, que seria partido na Cruz. Do "espírito quebrantado e contrito" de Maria, que Deus nunca rejeita, veio esta outra coisa partida, numa prefiguração de Sua morte. Em Seu nascimento, os Sábios do Oriente trouxeram mirra para Sua morte e sepultamento; agora, no fim de Sua vida terrena, Maria trouxe mais uma vez mirra para Sua morte. Após ungir primeiro a cabeça e depois os pés do Senhor, ela secou estes últimos com os próprios cabelos.

Outrora Jacó vertera unguento sobre uma pedra, consagrando-a como altar de sacrifício a Deus. Agora, essa mulher vertia no novo Israel um bálsamo que O preparava para o sacrifício. Esse foi precisamente o modo como Nosso Senhor interpretou a ação dela; até mesmo o nome "Cristo" significava "o Ungido de Deus", ou o Messias.

Então falou Judas Iscariotes, e todos os apóstolos estavam de acordo com seu julgamento:

> Por que não se vendeu este bálsamo
> por trezentos denários
> e não se deu aos pobres?
> (São João 12,5)

Essas são as primeiras palavras de Judas registradas nas Escrituras. Ele desviaria todos os pensamentos de Cristo para os pobres. Maria esvaziara o vaso de bálsamo, mas Judas teria enchido a bolsa com dinheiro. Os outros discípulos tinham pensamentos similares acerca da prioridade do econômico. Um "rei do pão" era mais importante que um "Rei Salvador". Em sua indignação, perguntavam:

> Para que este desperdício?
> (São Mateus 26,8)

Com base no que sabiam de Nosso Senhor, pensavam que Ele teria preferido dar aos pobres, em vez de mostrar glória a Seu Corpo, que havia de ser partido para Redenção deles. A filantropia, ao menos no caso de Judas, era mero pretexto para a avareza. Considerou-se desperdício aquilo que foi gasto para honrar a Deus.

Nosso Divino Senhor imediatamente veio em defesa da mulher:

> Deixa-a.
> (São João 12,7)

Na verdade, era a Ele que os apóstolos estavam insultando; mas, em Sua humildade, censurou-os apenas pela atitude para com a mulher. Então, o que estava meio confuso na mente dela, a saber, a morte iminente do Senhor, Ele agora proclamava à luz do dia:

embalsamou-me antecipadamente o corpo para a sepultura.
(São Marcos 14,8)

Maria estava fazendo uma oferta ao Senhor como vítima pelos pecados do mundo. A efusão do bálsamo era uma antecipação do embalsamento de Seu Corpo. Pode ter sido inconsciente para Maria, como o fora inconsciente para os Reis Magos, que também anteciparam a morte do Senhor, mas Este tornou o inconsciente consciente. Seis dias antes de Sua morte, ela O ungiu para o sepultamento. Os apóstolos não eram capazes de enxergar a morte do Senhor, tantas vezes predita; mas essa mulher viu, enfim, a razão de Sua vinda — veio não para viver, mas para morrer e tornar a viver. E ela há de ter visto além de Sua morte — afinal não estava sentada com Lázaro, que fora trazido de volta à vida por meio Daquele que chamava a Si mesmo de "a Ressurreição e a Vida"?

Então, respondendo à objeção acerca dos pobres, disse Nosso Senhor:

Pois sempre tereis convosco os pobres, mas a mim nem sempre me tereis.
(São João 12,8)

As palavras "Deixa-a" estavam no singular e, portanto, dirigiam-se apenas a Judas; as demais palavras estavam no plural e, desse modo, advertiam todos os apóstolos. Para o Filho de Deus, em Seu papel de Filho do Homem sofredor, restavam apenas mais seis dias. Os economicamente pobres sempre existiriam sobre a terra, e a oportunidade de servi-los sempre estaria presente. O que lhes fosse feito em nome do Senhor, Jesus contaria como feito a Si mesmo. Mas, dentro de uma semana, Deus em forma e hábito humanos terminaria uma breve estada antes de passar para a glória eterna à direita do Pai. Extinguir-se-iam, então, todas as chances de consolá-Lo, ouvi-Lo, tocá-Lo e vê-Lo. Tolerai, portanto, que essa mulher se una à Minha morte, pois não tornarei a morrer. Ser um com "a largura, altura e profundidade" de Minha Paixão excede em valor todo ato de caridade. Além disso, os que doam por amor da morte de Cristo e de Sua glória são aqueles que sempre dão aos pobres. No entanto, os que ignoram o Cristo Salvador, como o fez Judas, são aqueles que depois se mostram avaros de defender os pobres e que vendem o Mestre por trinta moedas de prata.

Ao feito da mulher foi dada honra perpétua pelo Senhor, que previu que o ato de Maria seria venerado para todo o sempre. Embora ela o tivesse feito para o sepultamento do Senhor, Ele usou o incidente para informar aos apóstolos que o Evangelho seria pregado no mundo inteiro, e a memória de Maria seria divulgada em toda parte.

> Em verdade eu vos digo:
> em toda parte onde for pregado este Evangelho
> pelo mundo inteiro,
> será contado em sua memória o que ela fez.
> (São Mateus 26,13)

Como escreveu Crisóstomo:

> Embora inúmeros reis, generais e as nobres façanhas daqueles cujos memoriais permanecem afundados no silêncio; embora aqueles que derrubaram cidades e cercaram-nas com muros, conquistaram troféus e escravizaram muitas nações não sejam conhecidos senão por ouvir dizer, e não pelo nome, apesar de terem proclamado estatutos e estabelecido leis; essa mulher, que havia sido prostituta e vertera seu bálsamo na casa de um leproso na presença de uma dúzia de homens — essa mulher todos os homens celebram mundo afora.

33

A ENTRADA EM JERUSALÉM

Era o mês de Nissan. O livro de Êxodo ordenava que nesse mês o cordeiro pascal fosse escolhido e quatro dias depois levado para o local do sacrifício. No Domingo de Ramos, o cordeiro era escolhido por aclamação popular em Jerusalém; e na Sexta-Feira Santa era sacrificado.

Nosso Senhor passou o último *Shabat* em Betânia com Lázaro e suas irmãs. Circulava, nesse momento, a notícia de que Ele chegaria a Jerusalém. Em preparação para Sua entrada, enviou dois discípulos para o vilarejo, onde fora dito que encontrariam um jumentinho amarrado, que nenhum homem montara. Deveriam desamarrá-lo e levá-lo ao Senhor.

> Se alguém vos perguntar por que o soltais,
> responder-lhe-eis assim: O Senhor precisa dele.
> (São Lucas 19,31)

Talvez jamais tenha sido escrito paradoxo maior que este — de um lado, a soberania do Senhor e, de outro, sua "necessidade". Essa combinação de divindade e dependência, de posse e pobreza, foi a consequência de o Verbo fazer-se carne. Na verdade, Ele, que era rico, fez-se pobre por nossa causa, para que pudéssemos ser ricos. Pegou emprestado de um pescador o barco do qual pregou; tomou emprestado pães de centeio e peixes de um menino para alimentar a multidão; pegou emprestado a tumba de onde ressurgiria; e, agora, pegou emprestado um burrico, no qual entraria em Jerusalém. Às vezes, Deus adquire antecipadamente e requisita as coisas do homem, como se lhe recordasse que tudo é um dom Dele. Basta aos que O conhecem ouvir: "O Senhor necessita disso".

Ao aproximar-se da cidade, "grande multidão" veio ao seu encontro; dentre eles estavam não só cidadãos, mas também os que tinham ido para as festividades e, é claro, os fariseus. As autoridades romanas também estavam em alerta durante as grandes festas para que não houvesse uma insurreição.

Em todas as ocasiões anteriores, Nosso Senhor rejeitou o falso entusiasmo do povo, saiu dos holofotes da publicidade e evitou tudo o que mostrasse sinais de exibição. Em uma das vezes:

> [...] ordenou aos seus discípulos que
> não dissessem a ninguém que ele era o Cristo.
> (São Mateus 16,20)

Então, trouxe dos mortos a filha de Jairo:

> Ordenou-lhes severamente que ninguém o soubesse.
> (São Marcos 5,43)

Depois de revelar a glória de Sua divindade na Transfiguração:

> proibiu-lhes Jesus que contassem a quem quer
> que fosse o que tinham visto, até que o
> Filho do homem houvesse ressurgido dos mortos.
> (São Marcos 9,8)

Quando as multidões, depois do milagre dos pães, procuravam torná-Lo rei:

> tornou a retirar-se sozinho para o monte.
> (São João 6,15)

Quando Seus parentes Lhe pediram para ir a Jerusalém e Ele publicamente aturdiu o festival com milagres, disse:

> O meu tempo ainda não chegou.
> (São João 7,6)

No entanto, a entrada de Jerusalém era tão pública que mesmo os fariseus disseram:

> Vede! Nada adiantamos! Reparai que todo mundo corre após ele!
> (São João 12, 19)

Tudo isso se opunha ao Seu costume habitual. Antes, frustrava todos os entusiasmos; agora, Ele os estimulava. Por quê?

Porque sua "hora" tinha chegado. Agora era o momento de fazer a última afirmação pública do que reivindicava. Sabia que isso O levaria ao calvário, à ascensão e à instituição de Seu reino. Uma vez que reconhecesse o louvor deles, então havia somente duas opções à cidade: confessá-Lo, como fez Pedro, ou, do contrário, crucificá-Lo. Ou era Ele rei, ou não teriam outro rei senão César. A melhor ocasião para fazer sua última aparição pública não era a costa da Galileia, nem o alto das montanhas, mas a cidade real na Páscoa.

Chamou atenção para Seu reino de duas maneiras. Primeiro, pelo cumprimento de uma profecia familiar ao povo e, segundo, pelos tributos de divindade que aceitou.

Mateus afirma explicitamente que a procissão solene era o cumprimento da profecia feita por Zacarias anos antes:

> Dizei à filha de Sião: Eis que teu rei vem a ti,
> cheio de doçura, montado numa jumenta,
> num jumentinho, filho da que leva o jugo (Zacarias 9,9)
> (São Mateus 21,5)

A profecia veio de Deus por um profeta e, agora, o próprio Deus a cumpria. A profecia de Zacarias pretendia contrastar a majestade e a humildade do Salvador. Ao olharmos as antigas gravações das tabuletas da Assíria e da Babilônia, os murais do Egito, as tumbas dos persas e os arabescos das colunas romanas, ficamos tomados de espanto pela majestade de reis que cavalgam triunfantes em cavalos ou carruagens e, às vezes, sobre os corpos prostrados dos inimigos. Em contraste, eis aqui Aquele que vem triunfante sobre um jumento. Como Pilatos, se estivesse olhando do alto de sua fortaleza naquele domingo, deve ter se divertido com o espetáculo ridículo de um homem ser proclamado rei e, ainda assim, estar sentado em um animal que era o símbolo dos proscritos — um veículo apropriado para quem rumava às garras da morte! Se Ele tivesse entrado na cidade com pompa real ao modo dos conquistadores, teria fomentado a crença de que era um messias político. No entanto, a circunstância que escolheu validava Sua afirmação de que Seu reino não era deste mundo. Não há insinuação de que esse rei pobre fosse um rival de César.

A aclamação do povo foi outro reconhecimento de Sua divindade. Muitos tiraram as vestes e as esticaram diante Dele; outros cortaram ramos das oliveiras e palmas e pavimentaram a passagem. O Apocalipse fala de uma grande multidão diante do trono do cordeiro batendo palmas com entusiasmo. Aqui, as palmas, muitas vezes usadas ao longo de toda a história para indicar vitória, como quando Simão Macabeu entrou em Jerusalém, testemunharam a vitória do Cristo — ainda que antes de ser momentaneamente derrotado.

Então, utilizando os versos do grande Hillel que se referiam ao Messias, as multidões o seguiram, a bradar:

> Bendito o rei que vem em nome do Senhor!
> Paz no céu e glória no mais alto dos céus!
> (São Lucas 19,38)

Ao admitir, naquele momento, que Ele era o enviado por Deus, praticamente repetiram a canção dos anjos de Belém, pois a paz que trazia era a reconciliação da terra e dos céus. Também repetiram a saudação dos Reis Magos na manjedoura — "o rei de Israel".

Um novo canto foi incorporado enquanto bradavam:

> Hosana ao filho de Davi!
> Bendito seja aquele que vem em nome do Senhor!
> Hosana no mais alto dos céus!
> (São Mateus 21,9)

> O rei de Israel!
> (São João 12,13)

Era o príncipe prometido da linhagem de Davi, aquele que veio com a missão divina. Hosana era, originalmente, uma prece e agora uma saudação de boas-vindas a um rei salvador. Sem compreender totalmente por que Ele fora enviado nem o tipo de paz que traria, eles, não obstante, confessaram que era divino. Os únicos que não partilharam dessa aclamação foram os fariseus:

> Neste momento, alguns fariseus
> interpelaram a Jesus no meio da multidão:
> Mestre, repreende os teus discípulos.
> (São Lucas 19,39)

Era incomum que interpelassem a Nosso Senhor, já que estavam incomodados por Ele aceitar a homenagem das multidões. Com impressionante majestade, Nosso Senhor retorquiu:

> Digo-vos: se estes se calarem, clamarão as pedras!
> (São Lucas 19,40)

Se os homens se calassem, a própria natureza bradaria e proclamaria Sua divindade. As pedras são duras, mas, se gritassem, bem mais endurecidos não haveriam de estar os corações dos homens que não reconhecessem a misericórdia de Deus diante deles. Se os discípulos se calassem, os inimigos nada teriam a ganhar, pois as montanhas e os mares verbalizariam.

A entrada fora chamada de triunfal, mas Ele sabia bem que os "Hosanas" se transformariam em "Crucifica-o" e as palmas se tornariam lanças. Entre os gritos da multidão, ouviria os sussurros de Judas e as vozes iradas diante do palácio de Pilatos. O trono para o qual estava sendo aclamado era uma cruz, e Sua coroação real seria uma crucifixão. Muitas vestes sob Seus pés hoje, mas na sexta-feira lhe seriam negadas até mesmo as próprias vestes. Desde o início sabia o que havia no coração do homem, e nem por uma vez sugeriu que a redenção das almas dos homens seria efetuada por demonstrações vocais exageradas. Embora fosse rei, e ainda que nesse momento eles O admitissem como rei e senhor, sabia que a acolhida real que O esperava era o calvário.

Trazia lágrimas nos olhos, não por conta da cruz que o esperava, mas por causa dos infortúnios que pairavam sobre aqueles a quem Ele veio salvar e nada teriam Dele. Ao olhar por sobre a cidade:

> Jesus contemplou Jerusalém e chorou sobre ela, dizendo:
> Oh! Se também tu, ao menos neste dia que te é dado,
> conhecesses o que te pode trazer a paz!...
> Mas não, isso está oculto aos teus olhos
> (São Lucas 19,41-42)

Viu com precisão histórica a queda das forças de Tito e, ainda assim, os olhos que viram o futuro tão claramente ficaram quase cegos pelas lágrimas. Falou de Si mesmo como disposto e capaz de ter evitado aquela sina ao ajuntar os culpados sob suas asas, como a galinha faz com os pintinhos, mas eles não o fariam. Como o maior patriota de todos os tempos, olhou além do próprio sofrimento e fixou o olhar sobre a cidade que rejeitou o Amor. Ver o mal e ser incapaz de remediá-lo por conta da perversidade humana é a maior das angústias. Ver a maldade e ser confundido pela rebelião do malfeitor é o bastante para partir o coração. Um pai fica consternado pela angústia quando vê o erro do filho. O que ocasionou as lágrimas nos olhos de Cristo foram os olhos que não viram e os ouvidos que não ouviram.

Na vida de cada indivíduo e na vida de cada nação existem três momentos: um tempo de visitação ou privilégio na forma de bênção de Deus; um tempo de rejeição em que o divino é esquecido; e um tempo de ruína ou desastre. O juízo (ou desastre) é consequência das decisões humanas e prova que o mundo é guiado pela presença de Deus. Suas lágrimas pela cidade mostraram-No como Senhor da História, dando graça aos homens e, ainda assim, sem nunca destruir a liberdade deles de rejeitá-Lo. Entretanto, ao desobedecê-Lo, os homens se destroem; ao apunhalá-Lo, é o próprio coração que apunhalam; ao negá-Lo, é a própria cidade e nação que levam à ruína. Essa foi a mensagem das lágrimas enquanto o Rei caminhava para a Cruz.

34

A VISITA DOS GREGOS

Não somente aos judeus, mas também aos gentios Nosso Senhor revelou o propósito de Sua vinda, a saber, dar a vida por Suas ovelhas. Aos primeiros, revelou-se como o cumprimento das profecias acerca de Sua vinda. Os gentios, contudo, não tinham uma revelação como essa contida no Antigo Testamento; portanto, para eles o Senhor traçou uma analogia com a natureza que podiam de pronto compreender.

Isso se deu a menos de uma semana de Sua crucifixão. Ele já se mostrara como Ressurreição ao levantar Lázaro dos mortos; cumprira para Seu próprio povo uma profecia antiga a respeito de Sua entrada, humilde mas triunfal, em Jerusalém. Agora era hora de ensinar os gentios acerca da razão de Sua vinda. Os gentios aqui estavam representados pelos gregos, como mais tarde seriam representados pelo eunuco etíope que aderira à religião do Antigo Testamento e estava chegando a Jerusalém para os festejos. Como os gentios não se submetiam à circuncisão, o acesso ao santuário lhes estava vedado, mas era-lhes permitido que circulassem por um espaçoso pátio.

Os fariseus já haviam reclamado que "o mundo inteiro corria atrás Dele". Como prova disso, os gregos, ou as outras ovelhas que não eram do aprisco, apresentaram-se ao Bom Pastor. Enquanto os inimigos planejavam matá-Lo, os gregos queriam vê-Lo. Em Seu nascimento, os Sábios do Oriente foram à manjedoura; agora, os gregos, que eram os Sábios do Ocidente, iam à Cruz. Tanto os magos do Oriente quanto os magos do Ocidente haviam de ver uma humilhação; no primeiro caso, Deus em forma de menino em Belém; no segundo caso, Deus em forma de criminoso na Cruz. Como sinal notório da compreensão de Sua divindade, apresentou aos magos a estrela; aos gregos, um grão de trigo. Ainda há mais algumas semelhanças nas perguntas. Os gregos disseram a Filipe:

> Senhor, quiséramos ver Jesus.
> (São João 12,21)

Os Sábios do Oriente tinham perguntado:

> Onde está o rei dos judeus que acaba de nascer?
> (São Mateus 2,2)

Esses gregos viram a entrada triunfal em Jerusalém e devem ter sido edificados pelo porte nobre de Nosso Senhor. Talvez o que mais os atraiu tenha sido o fato de que Nosso Bendito Senhor purificara o templo e dissera que o Pai fizera dele "uma casa para todas as nações". Esse conceito revolucionário deve ter inflamado profundamente o espírito de universalismo que era uma característica dos gregos. Quando André e Filipe levaram ao Senhor a notícia de que os gregos queriam vê-Lo, Jesus respondeu:

> É chegada a hora para o Filho do Homem ser glorificado.
> (São João 12,23)

Em Caná, Nosso Senhor dissera à mãe que Sua "hora" ainda não tinha chegado; durante Seu ministério público nenhum homem pôde tocá-Lo, porque Sua "hora ainda não tinha chegado"; mas aqui Ele anunciou, a poucos dias da morte, que chegara o momento de ser glorificado. A glorificação referia-se às mais baixas profundezas de Sua humilhação na Cruz, mas também se referia a Seu triunfo. Não disse que estava próxima a hora de Sua morte, mas a hora de ser glorificado. Ele uniu o Calvário e Seu triunfo, como o faria depois da Ressurreição, quando falou aos discípulos no caminho de Emaús:

> Porventura não era necessário
> que Cristo sofresse essas coisas
> e assim entrasse na sua glória?
> (São Lucas 24,26)

A Seus seguidores, a Cruz agora parecia a humilhação mais profunda; para Ele, era o peso de glória. Suas palavras aos gregos, contudo, também queriam dizer que os gentios haveriam de ser uma marca de Sua glorificação. O muro que separava judeus e gentios seria derrubado. Desde o início, o Senhor via os frutos da Cruz crescendo em terras pagãs.

A resposta que deu aos gregos era muito apropriada. O ideal deles não era a abnegação, mas a beleza, a força e a sabedoria. Desprezavam os extremos. Apolo era o exato oposto de Nosso Senhor, em quem Isaías profetizara que não haveria "beleza" enquanto pendia da Cruz.

Para tornar a lição da Redenção familiar aos gregos, o Senhor usou um exemplo da natureza:

> Em verdade, em verdade vos digo:
> se o grão de trigo, caído na terra,
> não morrer, fica só;
> se morrer, produz muito fruto.
> (São João 12,24)

Amiúde ele usara parábolas sobre sementes e plantios, e chamara-se a Si mesmo de semente: "A Palavra é a semente". Numa parábola, o Senhor comparou Sua missão a uma semente que caiu em variados tipos de solo, explicando as diferentes reações das almas à Graça. Agora revelava que Sua vida teria o ápice de sua influência por meio da morte. A natureza, disse Ele, foi marcada pela Cruz; a morte é a condição da vida nova. Os discípulos O teriam guardado como uma semente no celeiro de suas vidas estreitas. Todavia, se não morresse para gerar vida nova, Ele seria uma cabeça sem corpo, um pastor sem rebanho, um rei sem reino.

Há quem pergunte se os gregos, sabendo que Sua vida estava em perigo, não sugeriram que Ele fosse a Atenas a fim de ficar imune ao destino cruel que O aguardava. Jerusalém, devem ter advertido, pretendia matá-lo; Atenas havia matado apenas um de seus grandes mestres, Sócrates, e desde então lamentava-se por isso. Em todo caso, Jesus lembrou-os de que não era simplesmente um Mestre; se fosse para estar entre eles, não seria para desempenhar o papel de Sócrates ou de Sólon. Sendo assim, Ele podia de fato salvar a própria vida; o propósito de Sua vinda, no entanto, era entregá-la.

A natureza humana, dizia Ele aos gregos, não alcança a grandeza por meio da poesia e da arte, mas sim passando pela morte. É provável que tenha falado do "grão de trigo" para sugerir que era Ele o Pão da Vida. A natureza é um livro de Deus, como o é o Antigo Testamento, embora não sobrenatural, como o é este último. O dedo de Deus, contudo, traçou a mesma lição em ambos. A semente se decompõe para virar planta. Aplicando a lei natural, Ele disse aos gregos que, se continuasse a viver, Sua vida teria sido impotente. Não veio para ser um moralista, mas um Salvador. Não veio para somar preceitos aos de Sócrates, mas para dar vida nova; como poderia a semente dar vida nova sem Calvário? Como disse Santo Agostinho: "Ele mesmo era o grão a ser morto e multiplicado; a ser morto pela incredulidade dos judeus; a ser multiplicado pela fé de todas as nações".

A segunda lição seguiu-se imediatamente: deviam aplicar a si mesmos o exemplo da morte do Senhor.

> Quem ama a sua vida, perdê-la-á;
> mas quem odeia a sua vida neste mundo,
> conservá-la-á para a vida eterna.
> (São João 12,25)

Nenhum bem real é feito sem algum custo e sofrimento a quem o realiza. Assim como as impurezas legais mencionadas no Antigo Testamento, a purgação e a purificação são feitas com sangue. O ato de dar vazão aos próprios sentimentos ou de seguir cegamente os próprios instintos recebeu o golpe de misericórdia nesse diálogo com os gregos. O que a Cruz põe em prática é a autodisciplina e a mortificação do orgulho, da luxúria e da avareza; só assim, disse Ele, corações duros serão quebrantados e pessoas aflitas alcançarão a paz.

Os gregos tinham vindo ao Senhor dizendo: "Quiséramos ver Jesus", provavelmente por causa da majestade e da beleza que tanto reverenciavam como seguidores de Apolo. O Senhor, contudo, apontou Seu aspecto maltrapilho que ofereceria uma vez na Cruz e acrescentou que somente haveria beleza de alma na vida nova por intermédio da Cruz na vida deles.

Então parou por um momento quando Sua alma se perturbou com a iminência da Paixão, de ser "feito pecado", de ser traído, crucificado e abandonado. Da profundeza do Sagrado Coração jorraram as seguintes palavras:

> Presentemente, a minha alma está perturbada.
> Mas que direi?...
> Pai, salva-me desta hora...
> Mas é exatamente para isso que vim a esta hora.
> (São João 12,27)

São quase as mesmas palavras que Ele usou mais tarde no Jardim do Getsêmani — palavras inexplicáveis, exceto pelo fato de que Ele estava carregando o peso dos pecados do mundo. Era natural que Nosso Senhor passasse por uma luta, visto que era um homem perfeito. Mas não eram só os sofrimentos físicos que O perturbavam; Ele, assim como os estoicos, filósofos, homens e mulheres de todas as idades, podia ter estado calmo diante de grandes provações físicas. Todavia, Sua perturbação era menos dirigida à dor, e mais à consciência dos pecados do mundo que exigiam tais sofrimentos. Quanto mais amava aqueles de quem Ele era propiciação, tanto mais aumentava sua angústia, do mesmo modo que são as faltas do amigos, mais que as dos inimigos, que mais perturbam o coração!

Decerto Ele não estava pedindo para ser salvo da Cruz, uma vez que repreendeu os apóstolos por tentarem dissuadi-Lo. Dois polos opostos estavam unidos Nele, separados apenas no discurso: o *desejo* de libertação e a *submissão* à vontade do Pai. Ao desnudar a própria alma, disse aos gregos que o sacrifício de Si mesmo não era fácil. Não tinham de ser fanáticos quanto a desejar morrer, pois a natureza não quer crucificar a si mesma; por outro lado, tampouco deveriam afastar os olhos da Cruz, tomados de pavor. Em seu próprio caso, agora como sempre, os momentos mais penosos convertiam-se nos mais jubilosos; nunca há cruz sem ressurreição; a "hora" em que o mal exerce seu domínio transforma-se rapidamente no "dia" em que Deus é vencedor.

Suas palavras eram um tipo de solilóquio. A quem Ele se voltaria nesta hora? Não aos homens, pois são eles que precisam da salvação! "Só o Pai que me enviou nesta missão de resgate pode me sustentar e me libertar! Não pedirei que me liberte. Esta é a hora para a qual o tempo foi feito; para a qual Abel, Abraão e Moisés apontaram. É chegada a hora da provação à qual devo submeter-me".

No exato momento em que falava da chegada desta hora a que devia submeter-se para a redenção dos homens

> [...] veio do céu uma voz:
> Já o glorifiquei
> e tornarei a glorificá-lo.
> (São João 12,28)

A voz do Pai viera ao Senhor em duas outras ocasiões em que Sua missão perante a Cruz era o principal: no batismo, quando apareceu como o Cordeiro de Deus a ser sacrificado pelo pecado; e na transfiguração, quando falou de sua morte a Moisés e Elias, enquanto banhado em glória radiante. Agora a Voz veio, não à margem do rio, nem no topo da montanha, mas acima do templo, a plenos ouvidos também dos representantes dos gentios. "Já o glorifiquei" podia referir-se à glorificação do Pai até o momento da morte de Jesus; "e tornarei a glorificá-lo" podia referir-se aos frutos após a Ressurreição e Ascenção. Possivelmente também, visto que Ele estava falando aos gentios no pátio do templo dos judeus, a primeira parte podia ter-se referido à revelação feita aos judeus; a segunda, aos gentios depois do Pentecostes.

Em cada uma dessas três manifestações, Nosso Senhor estava em oração ao Pai, e Seus sofrimentos estavam predominantemente diante Dele. Nesta ocasião, eram os efeitos de sua morte redentora que eram proclamados.

> Essa voz não veio por mim,
> mas sim por vossa causa.
> Agora é o juízo deste mundo;
> agora será lançado fora o príncipe deste mundo.
> (São João 12,30-31)

O Pai falou para convencer os ouvintes de Jesus do propósito da missão Deste — não só para dar ao mundo outro código, mas para dar uma vida nova por intermédio da morte. Falou como se a Redenção do Senhor já estivesse consumada. A sentença ou o julgamento transmitido ao mundo era a Cruz. Todos os homens, disse Ele, hão de ser por ela julgados. Ou estarão *nela*, como convidava os gregos a subi-la, ou *sob* ela, como estavam aqueles que O crucificaram. A Cruz revelaria o estado moral do mundo. De um lado, mostraria a profundidade do mal pela Crucifixão do Filho de Deus; de outro, deixaria evidente a graça de Deus ao oferecer perdão a todos os que "tomem sua cruz dia após dia" e O sigam. Não Ele, mas o mundo, estava sendo julgado. Não Ele, mas Satanás, estava sendo lançado fora. Somente a Cruz importava; ensinos, milagres, cumprimento de profecias — todas essas coisas estavam subordinadas à Sua missão na terra: ser como o grão de trigo que passa pelo inverno de um Calvário e então se torna o Pão da Vida. São Paulo, mais tarde, tomaria o tema da semente que morreu para viver e o descreveria aos coríntios:

> Sim, ele morreu por todos,
> a fim de que os que vivem já não vivam para si,
> mas para aquele que por eles morreu e ressurgiu.
> Por isso, nós daqui em diante
> a ninguém conhecemos de um modo humano.
> Muito embora tenhamos considerado Cristo dessa maneira,
> agora já não o julgamos assim.
> (2 Coríntios 5,15-16)

35

O FILHO DO REI MARCADO PARA A MORTE

Na terça-feira da semana em que morreu, Nosso Senhor contou uma das últimas parábolas relacionadas às profecias do Antigo Testamento, indicando o que lhe aconteceria dentro de 72 horas. Os dirigentes do templo acabavam de questionar Nosso Senhor a respeito de Sua autoridade. A posição que tomavam era a de representantes e guardiões do povo; portanto, deveriam evitar que pessoas fossem enganadas. Nosso Senhor respondeu-lhes em parábola, demonstrando-lhes o tipo de guardiões e guias que eram.

> Um homem plantou uma vinha, cercou-a com uma sebe, cavou nela um lagar, edificou uma torre,
> (São Marcos 12,1)

Aquele que plantou a vinha foi o próprio Deus, como os ouvintes já sabiam pela leitura dos primeiros versos do capítulo 5 de Isaías. A cerca que ergueu ao redor era a que os separava das nações idólatras dos gentios e permitia que Deus cuidasse de Sua vinha frutífera — Israel — com cuidado especial. O lagar, escavado na rocha, guardava certa referência aos serviços e sacrifícios do templo. A torre, cujo propósito era vigiar e guardar a vinha, simbolizava a vigilância especial de Deus sobre seu povo.

> [...] arrendou-a a vinhateiros e ausentou-se daquela terra.
> (São Marcos 12,1)

Isso significava o compromisso de responsabilidade para com o próprio povo, tão resguardado do contágio pagão. Esse compromisso começou com Abraão, quando foi retirado da terra de Ur, e com Moisés, que deu a seu povo os mandamentos e as leis para adorar o Deus verdadeiro. Como disse Deus pelo profeta Jeremias:

> Sem descanso, enviei-vos desde o princípio
> os profetas, meus servos [...]
> (Jeremias 35,15)

Daquele momento em diante, a vinha de Israel deveria ter dado a Deus frutos de fidelidade e amor proporcionais às bênçãos que receberam. Entretanto, quando o dono da vinha enviou sucessivamente três servos para ajuntar os frutos, eles foram maltratados pelos vinhateiros. O que esses mensageiros divinos, ou profetas, sofreram está descrito no capítulo 11 de Hebreus. Santo Estêvão, o primeiro mártir, descreveria depois a infidelidade do povo aos profetas.

> A qual dos profetas não perseguiram os vossos pais?
> Mataram os que prediziam a vinda do Justo,
> do qual vós agora tendes sido traidores e homicidas.
> (Atos dos Apóstolos 7,52)

No entanto, o amor de Deus não se cansou da crueldade dos vinhateiros. Houve novos chamados ao arrependimento após cada novo ato de violência.

> Enviou outros servos em maior número que os primeiros,
> e fizeram-lhes o mesmo.
> (São Mateus 21,36)

Segundo Marcos, alguns foram golpeados na cabeça e tratados de maneira atroz; outros, mortos, o que indicou o auge da iniquidade. Essas são afirmações gerais, mas, não obstante, poderiam se referir ao espancamento de Jeremias e à morte de Isaías.

> Disse então o senhor da vinha: Que farei?
> Mandarei meu filho amado; talvez o respeitem.
> (São Lucas 20,13)

Deus é representado em solilóquio, como que para lançar seu amor em uma luz mais clara. O que mais ele poderia fazer por sua vinha além do que já fizera? O "talvez" não foi só uma dúvida de que seu Divino Filho seria aceito, mas também uma expectativa de que não seria. A história da relação de Deus com um povo foi contada em minutos.

Aqueles que ouviram Nosso Senhor compreenderam totalmente as muitas referências ao percurso dos profetas que foram enviados ao povo e tiveram a mensagem repudiada. Já O tinham ouvido afirmar ser o Filho de

Deus. Sob o véu tênue da parábola, Ele respondia à pergunta, isto é, com que autoridade fez determinadas coisas. Nosso Senhor aqui não só reafirmou Sua relação pessoal com o Pai Celestial, mas também a superioridade infinita sobre os profetas e servos.

Então, ao revelar aos ouvintes o tipo de morte que haveria de sofrer por suas mãos, Ele prosseguiu:

> Os lavradores, porém, vendo o filho, disseram uns aos outros:
> Eis o herdeiro! Matemo-lo e teremos a sua herança!
> Lançaram-lhe as mãos, conduziram-no para fora da vinha e o assassinaram.
> (São Mateus 21,38-39)

Os vinhateiros aqui são representados como conhecedores do Filho e herdeiros da vinha. Com clareza inconfundível, o Senhor revelou o destino tenebroso que sofreria nas mãos deles, de que seria "conduzido para fora da vinha", ao Monte Calvário, fora de Jerusalém, e Ele era o último apelo do Pai ao mundo pecador. Não havia ilusão alguma a respeito da veneração que receberia da humanidade. Recusa, injúrias e insultos seriam a saudação oferecida ao Filho do Pai Celestial.

Três dias depois de contar a história, ela se tornou verdade. Os mantenedores credenciados da vinha, como Anás e Caifás, lançaram-no para fora da cidade, numa colina que era um depósito de lixo, e O mataram. Como disse Santo Agostinho: "Mataram-No para que pudessem possuir e, porque O mataram, perderam".

Posteriormente, Nosso Senhor disse que aqueles que mataram o Filho perderiam a herança. Ele, então, fez com que a mente dos ouvintes se voltasse às sagradas escrituras.

> Mas Jesus, fixando o olhar neles, disse-lhes:
> Que quer dizer então o que está escrito:
> A pedra que os edificadores rejeitaram
> tornou-se a pedra angular?
> (São Lucas 20,17)

Essa era uma citação do Salmo 117 que lhes era muito familiar:

> A pedra rejeitada pelos arquitetos tornou-se a pedra angular.
> Isto foi obra do Senhor, é um prodígio aos nossos olhos.
> (Salmo 117,22-23)

O Antigo Testamento continha muitas profecias a respeito de Nosso Senhor como uma pedra. Por cinco vezes Nosso Senhor fez proveito da parábola da vinha. Agora, depois de utilizar a imagem para indicar a crueldade para com o filho unigênito de Deus, enviado dos céus para garantir os direitos do Pai, Ele deixou Sua imagem completamente de lado e tomou a imagem da pedra angular. O Filho de Deus seria a pedra desprezada e rejeitada. Predisse, todavia, que seria a pedra que uniria e amalgamaria todas as coisas.

Nunca houve menção da tragédia sem a glória, de modo que aqui também os maus-tratos recebidos pelo Filho são compensados por Sua vitória suprema, por meio da qual, como pedra angular, une judeus e gentios em uma casa santa. Assim, os artífices de Sua morte foram postos de lado pelo grande arquiteto. Mesmo a própria rejeição inconsciente Dele tornou-os inconscientes, instrumentos voluntários de Seu propósito. Aquele a quem recusaram Deus ergueria como rei. Sob a imagem da vinha, predisse a própria morte; sob a imagem da pedra angular, a Ressurreição. Falou da própria sina e destino como se já estivessem realizados e assinalou a futilidade de qualquer oposição a Ele, ainda que O matassem. Eram palavras excepcionais, vindas de um homem que disse que em três dias seria crucificado. E, ainda assim, revelam, em palavras claras, aquilo que vagamente sabiam em seus corações. Com uma rapidez dramática, que os pegou desprevenidos, antecipou o juízo que disse que viria a exercer sobre todos os homens e nações no último dia. No momento, deixou de ser o cordeiro de Deus e começou a ser o leão de Judá. Seus últimos dias findavam-se naquele momento; os dirigentes deveriam decidir agora se O receberiam ou O rejeitariam. Ele os advertiu de que, por tirarem-lhe a vida, Seu reino passaria aos gentios:

> Por isso vos digo: ser-vos-á tirado o Reino de Deus,
> e será dado a um povo que produzirá os frutos dele.
> (São Mateus 21,41)

Prosseguindo com a analogia, tirada de Daniel, da pedra que foi esmagada para pulverizar os reinos da terra, vociferou:

> Aquele que tropeçar nesta pedra, far-se-á em pedaços;
> e aquele sobre quem ela cair será esmagado.
> (São Mateus 21,44)

Há duas imagens: uma é a do homem tropeçando na pedra que está, passivamente, no chão. Nosso Senhor aqui alude à rejeição que viria a sofrer durante o período de humilhação. A outra imagem é a da pedra ativamente considerada, como, por exemplo, ao cair de um penhasco. Com essa imagem, referia-se a Si mesmo como glorificado e esmagando toda oposição terrena. A primeira se referia a Israel no momento presente em que O rejeitou e o motivo pelo qual Jerusalém, disse Ele, ficaria desolada. A outra se referia aos que O rejeitaram depois da Ressurreição gloriosa, da Ascensão e do avanço de Seu reino sobre a terra.

Todos os homens, afirmou, tinham algum contato com Ele. São livres para rejeitar Sua influência, mas a rejeição é a pedra que os esmaga. Ninguém pode permanecer indiferente, uma vez que O tenha encontrado. Ele permanece como o elemento perpétuo no caráter de todo ouvinte. Nenhum mestre no mundo jamais alegou que rejeitá-lo seria endurecer o coração e tornar o homem algo pior. Entretanto, eis Aquele que, três dias antes de partir para a morte, disse que Sua própria rejeição arruinaria o coração. Acreditando-se Nele ou não, ninguém é o mesmo depois disso. Cristo disse ser a rocha sobre a qual o homem erigiria as bases de sua vida ou a rocha que os esmagaria. Nunca os homens simplesmente passaram por Ele. É a presença permanente. Há quem pense que podem deixar Cristo passar sem ser recebido, mas Ele chamou isso de negligência fatal. Um esmagamento inevitável se seguiria não só à negligência ou à indiferença, mas também à oposição formal. Nenhum mestre que já viveu disse aos que o ouviam que rejeitar suas palavras significaria condenação. Mesmo aqueles que acreditam que Cristo era apenas um mestre hesitariam diante desse juízo acerca da recepção de Sua mensagem. Entretanto, por ser primeiro um salvador, a alternativa era compreensível. Rejeitar o salvador era rejeitar a salvação, como Nosso Senhor disse a respeito de Si na casa de Zaqueu. Os que Lhe questionavam a autoridade não tinham dúvidas quanto ao significado espiritual da parábola e da referência a eles mesmos. As motivações foram descobertas, o que somente exasperou ainda mais aqueles cujos desígnios eram maus. Quando o mal é trazido à luz, nem sempre há arrependimento; às vezes, torna-se ainda mais maléfico.

> Naquela mesma hora os príncipes dos sacerdotes
> e os escribas procuraram prendê-lo,
> mas temeram o povo.
> Tinham compreendido que se referia a eles
> ao propor essa parábola.
> (São Lucas 20,19)

Os bons se arrependem ao tomar conhecimento de seus pecados; os maus ficam irados quando descobertos. A ignorância não é a causa do mal, como sustentava Platão; tampouco a educação é a resposta para a remoção do mal. Esses homens tinham tanto intelecto quanto vontade; tanto conhecimento quanto intenção. A Verdade pode ser conhecida e odiada; a Bondade pode ser conhecida e crucificada. Aproximava-se a Hora e, por aquele momento, o temor do povo detev os fariseus. Não se podia desencadear a violência contra Ele até que dissesse: "É chegada a hora".

36

A Última Ceia

Algumas coisas na vida são lindas demais para se esquecer, mas também na morte pode haver algo lindo demais para ser esquecido. Daí o Memorial Day, nos Estados Unidos, um dia para lembrar os sacrifícios dos soldados pela preservação da liberdade de seu país. Liberdade não é uma herança, mas uma vida. Uma vez recebida, não segue existindo sem esforço, como uma pintura antiga. Assim como a vida deve ser nutrida, defendida e preservada, também a liberdade deve ser readquirida a cada geração. Soldados, todavia, não nascem para morrer; a morte no campo de batalha é uma interrupção de seu chamado à vida. No entanto, diferentemente dos demais, Nosso Bendito Senhor veio a este mundo para morrer. Até mesmo no nascimento, Sua mãe foi lembrada de que Ele veio para *morrer*. Nunca nenhuma mãe no mundo viu a morte estender com tanta avidez os braços a um recém-nascido.

Quando Jesus ainda era apenas um bebê, o velho Simeão, fitando o rosto Daquele que retrocedeu a eternidade e fez-se jovem, disse que Ele estava destinado a ser "um sinal de contradição", ou um sinal que despertaria a oposição daqueles que são deliberadamente imperfeitos. A mãe, ao ouvir a palavra "contradição", quase podia ver os braços de Simeão desvanecerem-se e em seu lugar aparecerem os braços descarnados da cruz a envolvê-Lo na morte. Antes que Jesus completasse dois anos de vida, o rei Herodes enviou cavaleiros marchando como trovões, com espadas reluzentes como relâmpagos, numa tentativa de decapitar o bebê, enquanto ainda não era forte o bastante para suportar o peso de uma coroa!

Uma vez que Nosso Divino Senhor veio para morrer, era natural que houvesse um Memorial de Sua morte! Uma vez que era Deus, e também homem, e uma vez que nunca falou de Sua morte sem falar da Ressurreição, não deveria Ele mesmo instituir o Memorial de Sua morte em vez de deixá-lo à memória casual dos homens? E foi exatamente isso que Ele fez na noite da Última Ceia. O Memorial Day não foi instituído por soldados que previram a própria morte, mas o Memorial do Senhor foi instituído, e isso é importante, não porque Ele morreria como um soldado e seria sepultado, mas porque voltaria a viver depois da Ressurreição. O Memorial seria o cumprimento da Lei e dos profetas; seria um memorial em que haveria um Cordeiro sacrificado, não para comemorar a liberdade política, mas a liberdade espiritual; acima de tudo, seria o Memorial de uma Nova Aliança.

Uma Aliança ou Testamento é um contrato, um acordo ou um pacto, e a Escritura refere-se a um pacto entre Deus e o homem. Na Última Ceia, Nosso Senhor falaria do Novo Testamento, ou Nova Aliança, que é mais bem compreendida em relação à Antiga. A Aliança de Deus com Israel como nação foi feita por intermédio de Moisés. Foi selada com sangue, pois este era considerado um sinal da vida; compreendia-se que aqueles que misturam o sangue ou imergem as mãos no mesmo sangue tinham comunhão de espírito. Nas Alianças entre Deus e Israel, Deus prometia bênçãos se Israel permanecesse fiel. Entre as principais fases da Antiga Aliança estavam a de Abraão com o direito de primogenitura, a de Davi e a promessa do reinado, e a de Moisés, em que Deus mostrou poder e amor a Israel ao libertá-lo do Egito e prometer que Israel seria para Ele um reino de sacerdotes. Quando os hebreus estavam cativos no Egito, Moisés recebeu instruções para um novo rito.

Depois das pragas, Deus castigou os egípcios ainda mais, a fim de incitá-los a libertar Seu povo, ferindo os primogênitos de cada casa egípcia. Os israelitas haviam de salvar-se a si mesmos oferecendo um cordeiro e, depois de mergulhar hissopo no sangue, aspergindo com ele os umbrais das portas. O anjo de Deus, vendo o sangue, passaria de largo. O Cordeiro, portanto, era a Páscoa, ou a passagem do anjo destruidor: ou seja, uma "passagem" que garantia a segurança. Deus então ordenou sua continuação ano após ano.

Essa instituição do sacrifício do Cordeiro Pascal mencionada no Êxodo foi seguida pela realização da Aliança com Moisés em que Deus fez de Israel uma nação; era o nascimento dos israelitas como povo escolhido por Ele. A Aliança era concluída com diversos sacrifícios. Moisés ergueu um altar com 12 colunas. Tomando o sangue do sacrifício, derramou metade dele sobre o altar e a outra metade sobre as 12 tribos e sobre o povo com as seguintes palavras:

> Eis, disse ele, o sangue da aliança que o Senhor fez convosco [...]
> (Êxodo 24,8)

Ao derramar o sangue no altar, que simbolizava Deus ou uma das partes da Aliança, e ao aspergir sangue sobre as 12 tribos e sobre o povo, que representavam a outra parte, ambos eram partícipes do mesmo sangue e entravam num tipo de união sacramental.

Essa Aliança ou Testamento com Israel tinha o propósito de ser aperfeiçoada por uma revelação mais completa da parte de Deus. Os profetas disseram mais tarde que o exílio dos israelitas era uma punição por terem quebrado a Aliança; no entanto, visto que foram restaurados à Antiga Aliança, assim haveria uma Nova Aliança ou Testamento que incluiria todas as nações. Por intermédio do profeta Jeremias, o Senhor falou ao povo:

> Eis a aliança que, então,
> farei com a casa de Israel — oráculo do Senhor:
> Incutir-lhe-ei a minha lei;
> gravá-la-ei em seu coração. [...]
> (Jeremias 31,33)

A Última Ceia e a Crucifixão deram-se durante a Páscoa, quando o Filho Eterno do Pai mediou um Novo Testamento ou Aliança, assim como o Antigo Testamento ou Aliança fora mediado por Moisés. Da mesma forma que Moisés ratificou o Antigo Testamento com o sangue de animais, também Cristo agora ratificava o Novo Testamento com o próprio sangue, Ele, que é o verdadeiro Cordeiro Pascal.

> Porque isto é meu sangue, o sangue da Nova Aliança [...]
> (São Mateus 26,28)

Tendo chegado a hora de Sua exaltação, pois em menos de 24 horas Ele se renderia, Jesus reuniu os 12 apóstolos a seu redor. Em um ato sublime, interpretou o significado de Sua morte e declarou que estava marcando o início do Novo Testamento ou Aliança ratificada por Sua morte sacrificial. Todo o sistema mosaico e pré-messiânico do sacrifício estava, assim, cumprido e concluído. Nenhum fogo criado desceu para devorar a vida que era oferecida ao Pai, como no Antigo Testamento, pois o fogo seria a glória de Sua Ressurreição e as chamas do Pentecostes.

Uma vez que a morte era a razão de Sua vinda, Ele instituía então para os discípulos e para a posteridade um ato memorial de Sua redenção, que prometera quando disse que era o Pão da Vida.

> Tomou em seguida o pão e depois de ter dado graças,
> partiu-o e deu-lho, dizendo:
> Isto é o meu corpo, que é dado por vós; [...]
> (São Lucas 22,19)

Não disse "Isso representa ou simboliza Meu Corpo", mas "Isto é o meu corpo" — um corpo que seria partido na Paixão.

Então tomou o vinho nas mãos e disse:

> Bebei dele todos, porque isto é meu sangue,
> o sangue da Nova Aliança,
> derramado por muitos homens
> em remissão dos pecados.
> (São Mateus 26,27-28)

Sua morte iminente, na tarde seguinte, foi posta diante deles de forma simbólica ou não sangrenta. Na Cruz, Ele morreria pela separação de Seu sangue e corpo. Daí não ter consagrado o pão e o vinho juntos, mas separados, para anunciar Sua morte pela separação do corpo e do sangue. Nesse ato, Nosso Senhor era o que seria na Cruz no dia seguinte: ao mesmo tempo, sacerdote e vítima. No Antigo Testamento e entre os pagãos, a vítima, por exemplo um bode ou uma ovelha, era separada pelo sacerdote que o oferecia. Nesta ação eucarística e na Cruz, Ele, o sacerdote, oferecia a Si mesmo; portanto, era também a Vítima. Desse modo, cumprir-se-iam as palavras do profeta Malaquias:

> Porque, do nascente ao poente,
> meu nome é grande entre as nações
> e em todo lugar se oferecem ao meu nome
> o incenso, sacrifícios e oblações puras.
> Sim, grande é o meu nome entre as nações
> — diz o Senhor dos exércitos.
> (Malaquias 1,11)

Em seguida veio o mandamento divino de prolongar o Memorial de Sua morte:

> Fazei isto em memória de mim.
> (São Lucas 22,19)

Repeti! Renovai! Estendei pelos séculos o sacrifício oferecido pelos pecados do mundo!

Por que Nosso Bendito Senhor usou pão e vinho como elementos desse memorial? Antes de tudo, porque não há outras duas substâncias na natureza que simbolizem melhor a união do que pão e vinho. Assim como o pão é feito de uma multiplicidade de grãos de trigo, e o vinho é feito de uma multiplicidade de uvas, os muitos que creem são um em Cristo. Em segundo lugar, não há outras duas substâncias na natureza que tenham de sofrer mais para tornar-se o que são senão o pão e o vinho. O trigo tem de passar pelos rigores do inverno, submeter-se ao calvário da moenda e então sujeitar-se à depuração do fogo antes de se tornar pão. As uvas, por sua vez, têm de submeter-se ao Getsêmani de uma prensa e têm sua vida esmagada por elas a fim de se tornarem vinho. Assim, de fato simbolizam a Paixão e os sofrimentos de Cristo, e a condição da Salvação, pois Nosso Senhor disse que, se não morrermos, não poderemos viver Nele. Uma terceira razão é que não há duas outras substâncias na natureza que tenham tanta tradição em alimentar o homem quanto o pão e o vinho. Ao levarem esses elementos ao altar, os homens levam a si mesmos. Quando pão e vinho são tomados, transformam-se no corpo e no sangue do homem. Mas, quando o Senhor tomou o pão e o vinho, Ele os transformou Nele mesmo.

Todavia, pelo fato de o Memorial de Nosso Senhor não ter sido instituído pelos discípulos, mas por Ele mesmo, e porque Ele não podia ser vencido pela morte — ao contrário, tornaria a levantar-se dos mortos em novidade de vida —, Cristo desejava que, assim como Ele aguardava *ansiosamente* Sua morte redentora na Cruz, também os cristãos de todas as eras, até a consumação dos séculos, *rememorassem* a Cruz. A fim de que não reencenassem o Memorial sem zelo nem capricho, deu-lhes a ordem de relembrar e anunciar Sua morte redentora até que voltasse! O que pediu aos apóstolos foi que anunciassem no futuro o Memorial de Sua Paixão, morte e Ressurreição. Ele olhava para a frente, em direção à Cruz; os apóstolos olhavam, e continuam a olhar desde então na Missa, para trás, para Sua morte redentora. Assim, como disse São Paulo, "havia de proclamar a morte do Senhor até que Ele venha" julgar o mundo. O Senhor partiu o pão para anunciar que Seu próprio corpo humano seria partido e também para mostrar que era uma Vítima voluntária. Foi partido pela rendição voluntária antes que os executores o partissem pela crueldade voluntária.

Quando os apóstolos e a Igreja, mais tarde, repetissem o Memorial, o Cristo, que nasceu da Virgem Maria e padeceu sob Pôncio Pilatos, estaria glorificado nos céus. Naquela Quinta-Feira Santa, Nosso Senhor não lhes dera outro sacrifício que não Seu único Ato Redentor na Cruz; mas deu uma nova forma de presença. Não seria um novo sacrifício, pois há apenas um; deu uma nova presença de Seu sacrifício único. Na Última Ceia, Nosso Senhor agiu de maneira independente dos apóstolos ao apresentar o sacrifício sob as espécies do pão e do vinho. Depois da Ressurreição e Ascensão, e em obediência ao mandamento divino, Cristo ofereceria Seu sacrifício ao Pai Celestial por meio deles ou dependendo deles. Sempre que o sacrifício de Cristo é celebrado na Igreja, há uma aplicação a um novo momento no tempo e uma nova presença no espaço do único sacrifício do Cristo que está agora na glória. Em obediência a seu mandamento, os discípulos estariam representando de maneira não sangrenta aquilo que Ele apresentou ao Pai no sacrifício de sangue do Calvário.

Depois de transformar o pão em Seu Corpo e o vinho em Seu sangue:

> partiu-o e deu-lho [...]
> (São Marcos 14,22)

Por essa comunhão foram feitos um com Cristo, para serem oferecidos com Ele, Nele e por Ele. Todo amor almeja unidade. Assim como o ápice do amor na ordem humana é a unidade de marido e mulher na carne, também a unidade na ordem divina é a unidade da alma e Cristo na comunhão. Quando os apóstolos, e posteriormente a Igreja, obedecem às palavras de Nosso Senhor para renovar o Memorial e comer e beber Dele, o Corpo e o Sangue não seriam aqueles do Cristo físico então diante deles, mas aquele do Cristo glorificado no céu que continuamente intercede pelos pecadores. A salvação da Cruz, eterna e soberana, é assim aplicada e atualizada ao longo do tempo pelo Cristo celestial.

Quando Nosso Senhor, depois de ter transformado pão e vinho em seu Corpo e Sangue, disse aos apóstolos que comessem e bebessem, Ele estava fazendo à alma do homem o que a comida e a bebida fazem ao corpo. A menos que sejam sacrificados ao serem arrancados das raízes, os vegetais não podem alimentar ou comungar com o homem. O sacrifício do que é mais ínfimo deve preceder a comunhão com o que é mais elevado. Primeiro Sua morte foi misticamente representada; depois, seguiu-se a comunhão. O mais baixo se transforma no mais alto; os elementos químicos em vegetais; os vegetais em animais; elementos químicos, vegetais e animais em homem; e o homem em Cristo pela comunhão. Os seguidores de Buda não extraem força de sua vida, mas apenas de seus escritos. Os escritos do cristianismo não são tão importantes quanto a vida de Cristo, que, vivendo em glória, derrama sobre seus seguidores os benefícios de Seu sacrifício.

A única nota que insiste em soar ao longo de Sua vida foi a morte e a glória. Foi sobretudo por isso que Ele veio. Assim, na noite anterior à Sua morte, Ele deu aos apóstolos algo que, ao morrer, ninguém mais poderia dar: deu a Si mesmo. Só a sabedoria divina poderia ter concebido tal memorial! Humanos, entregues à própria sorte, poderiam ter estragado o drama de Sua Redenção. Com a morte do Senhor, poderiam ter feito duas coisas aquém do Caminho da Divindade. Poderiam ter considerado Sua morte redentora um drama apresentado uma vez na história, como o assassinato de Lincoln. Nesse caso, teria sido apenas um incidente, e não uma Redenção — o fim trágico de um homem, não a salvação da humanidade. Lamentavelmente, esse é o único modo como muitos olham para a Cruz de Cristo, esquecendo-se da Ressurreição e da efusão dos méritos da Cruz no Ato Memorial que Ele instituiu e ordenou. Nesse caso, Sua morte seria apenas uma espécie de Memorial Day e nada mais.

Ou poderiam tê-la considerado um drama representado uma vez, mas que deve ser relembrado apenas por meio da meditação em seus detalhes. Nesse caso, voltariam e leriam os relatos dos críticos do drama que vivenciavam à época, a saber, Mateus, Marcos, Lucas e João. Essa seria apenas uma lembrança literária de Sua morte, assim como Platão registra a morte de Sócrates, e teria feito a morte de Nosso Senhor igual à morte de qualquer outro homem.

Nosso Senhor jamais disse a ninguém que escrevesse acerca de Sua Redenção; todavia, com efeito, disse aos apóstolos que a renovassem, aplicassem, celebrassem e estendessem pela obediência a Seus mandamentos dados na Última Ceia. Ele queria que o drama do Calvário fosse encenado não apenas uma vez, mas por todas as eras à sua própria escolha. Não queria que os homens fossem leitores da história da Redenção, mas atores dela, oferecendo seu corpo e sangue junto com o Dele na reencenação do Calvário, dizendo com Ele: "Este é meu corpo e este é meu sangue"; morrendo para a natureza inferior a fim de viver para a graça; dizendo que não se importam com a aparência nem com as espécies de suas vidas como, por exemplo, relacionamentos familiares, trabalho, afazeres, aparência física ou talentos, mas que seu intelecto, sua vontade e sua substância — tudo que verdadeiramente eram — transformar-se-iam em Cristo; que o Pai celestial, ao baixar os olhos sobre eles, os veria no Filho, veria o sacrifício deles amalgamado com o sacrifício de Cristo, as mortificações deles incorporadas à morte de Cristo, de modo que, enfim, pudessem participar de Sua glória.

37

O SERVO DOS SERVOS

Dentro do breve intervalo de cinco dias aconteceram duas das mais famosas abluções da história. No sábado anterior à Sexta-Feira Santa, uma Maria penitente ungiu os pés de Nosso Divino Salvador; na quinta-feira da semana seguinte, Ele lavou os pés dos discípulos. Sem mancha por ser o Salvador, seus pés foram ungidos com nardo fragrante, mas havia ainda tanta poeira mundana grudada nos pés dos discípulos que tiveram de ser lavados.

> Antes da festa da Páscoa,
> sabendo Jesus que chegara a sua hora
> de passar deste mundo ao Pai [...].
> (São João 13,1)

Sua mente voltou ao momento em que o Pai pôs todas as coisas em suas mãos e o Filho saiu Dele. A hora de retornar, contudo, havia chegado. A primeira parte de Seu ministério foi entre "os que não O receberam"; os momentos finais seriam com aqueles "que O receberam", aos quais asseguraria que os amou "até o fim".

A hora da partida é sempre uma hora de afeição ativa. Quando o marido deixa a mulher para sair em uma longa viagem, há mais atos ternos de devoção do que na presença contínua em casa. Muitas vezes Nosso Senhor Santíssimo se dirigira aos apóstolos com as palavras: "meus irmãos", "minhas ovelhas", "meus amigos", "meus", mas nessa hora Ele os chamou de "meus queridos", como se sugerisse uma espécie de relacionamento mais afetuoso. Estava prestes a deixar o mundo, mas os apóstolos deveriam ficar, pregar Seu Evangelho e instituir Sua Igreja. A afeição por eles era tamanha que nem todas as glórias do céu ao abrir-se para recebê-Lo poderiam, por um momento, perturbar o amor cálido e compassivo que sentia por eles.

Quanto mais próximo Ele ficava da Cruz, mais os apóstolos discutiam entre si.

> Surgiu também entre eles uma discussão: qual deles seria o maior.
> (São Lucas 22,24)

Na mesma hora em que lhes deixaria o memorial de seu amor, quando Seu coração afetuoso seria trespassado pela traição de Judas, os apóstolos demonstraram desdém pelo Seu sacrifício em uma disputa vã a respeito da precedência. Cristo olhou para a Cruz; eles debatiam como se isso não significasse renúncia. A ambição cegou-os a todas as Suas lições a respeito de domínio, pois pensavam que o homem era grande por exercer autoridade. Essa era a ideia de grandeza entre os gentios, a qual deveriam substituir pelo serviço ilimitado ao próximo.

> E Jesus disse-lhes: Os reis dos pagãos dominam como senhores,
> e os que exercem sobre eles autoridade chamam-se benfeitores.
> Que não seja assim entre vós; mas o que entre vós é o maior, torne-se como o último; e o que governa seja como o servo.
> Pois qual é o maior: o que está sentado à mesa ou o que serve?
> Não é aquele que está sentado à mesa?
> Todavia, eu estou no meio de vós, como aquele que serve.
> (São Lucas 22,25-27)

Nosso Senhor admitiu que, em certo sentido, Seus apóstolos eram reis; também não lhes negou o instinto pela aristocracia, mas o instinto deles deveria ser a nobreza da humildade; o maior tornando-se o menor. Levar essa lição para casa. Recordou-os da posição que Ele mesmo ocupava como Mestre e Senhor da mesa — e, contudo, alguém em que se tinham apagado todos os traços de superioridade. Disse-lhes, muitas vezes, que não veio para ser servido, mas para servir. Carregar o fardo de outros e, especialmente, a culpa foi o motivo de se tornar "o servo sofredor" predito por Isaías. As palavras anteriores sobre fazerem-se servos, nesse momento, foram reforçadas por Ele pelo exemplo:

> levantou-se da mesa, depôs as suas vestes e,
> pegando duma toalha, cingiu-se com ela.
> Em seguida, deitou água numa bacia e

> começou a lavar os pés dos discípulos e a enxugá-los
> com a toalha com que estava cingido.
> (São João 13,4-5)

A minúcia do relato de cada ação de Nosso Senhor é impressionante, visto que são mencionadas nada menos que sete ações distintas: levantar, depor as vestes, pegar a toalha, cingir-se com ela, deitar água na bacia, lavar os pés e enxugá-los com a toalha. Alguém poderia imaginar um rei terreno, antes de retornar de uma província distante, executando um serviço humilde a um de seus súditos, mas nunca se poderia dizer que ele estaria fazendo isso porque estava prestes a voltar para a capital. Entretanto, Nosso Bendito Senhor é descrito aqui a lavar os pés dos discípulos porque haveria de voltar para o Pai. Ensinou a humildade por preceito, "todo aquele que se exaltar será humilhado, e todo aquele que se humilhar será exaltado" (São Lucas 14,11); por parábolas, como na história do fariseu e do publicano; pelo exemplo, como ao tomar a criança em seus braços; e agora por condescendência.

A cena era um resumo da Encarnação. Levantando-se do banquete celestial em união íntima de natureza com o Pai, depôs as vestes de glória, cingiu sua divindade da toalha da natureza humana que recebeu de Maria; derramou a tina da regeneração que é seu sangue derramado na Cruz para redimir os homens e começou a lavar as almas de seus discípulos e seguidores pelos méritos de sua morte, Ressurreição e Ascensão. São Paulo exprimiu isso de maneira belíssima:

> Sendo ele de condição divina,
> não se prevaleceu de sua igualdade com Deus,
> mas aniquilou-se a si mesmo,
> assumindo a condição de escravo
> e assemelhando-se aos homens.
> E, sendo exteriormente reconhecido como homem,
> humilhou-se ainda mais,
> tornando-se obediente até a morte, e morte de cruz.
> (Filipenses 2,6-8)

Os discípulos ficam sem ação, perdidos em perplexidade muda. Quando a humildade vem do Deus-homem como na ocasião, é óbvio que será pela humildade que os homens retornarão a Deus. Cada um teria tirado os pés da bacia não fosse o amor que invadia seus corações. Essa obra de condescendência procedeu em silêncio, até que o Senhor chegasse a Pedro, que sentiu intensamente a inversão de valores.

> Mas Pedro lhe disse: Senhor, queres lavar-me os pés!...
> (São João 13,6)

Pedro tinha dificuldade com a humilhação que a cruz demandava. Quando Nosso Senhor, em Cesareia de Filipe, disse que iria a Jerusalém para ser crucificado, Pedro protestou diante da repugnância de tal humilhação. O mesmo estado de espírito aparece novamente. Pedro combinava, por um lado, o reconhecimento verdadeiro do magistério de Nosso Senhor Santíssimo e, por outro, a resolução de que a glória deveria ser alcançada sem sofrimento. A lição mais difícil que esse homem confiante tinha de aprender era ainda ter algo a aprender. Há momentos em que o homem pode deixar correr sobre o rosto lágrimas penitentes, e as lágrimas de Pedro jorrariam em poucas horas. No entanto, tais lágrimas só são derramadas quando o homem deixa Nosso Senhor lavá-lo e purificá-lo do pecado. Então, Jesus disse a Pedro:

> O que faço não compreendes agora, mas compreendê-lo-ás em breve.
> (São João 13,6)

Pedro não pôde compreender tal amor e condescendência até a plena humilhação na Cruz ser coroada por Sua Ressurreição e pelo dom de Seu Espírito. Antes, ele exprobou a cruz; nesse momento, censurou o exemplo de humilhação que levou Nosso Senhor à cruz. O esclarecimento de muitos mistérios pertence ao futuro; agora, conhecemos somente em parte. Um homem pode fazer e dizer muitas coisas confusas para a mente de uma criança, quanto mais o homem é confundido pelas ações do Deus Infinito! O homem humilde esperará, pois é o último ato que coroa a peça.

O divino Mestre não partilhou o conhecimento com Pedro e depois pediu que se submetesse. Pediu que se submetesse, com a promessa de que tudo seria esclarecido mais tarde. A luz se tornou mais clara assim que ele a seguiu. Se tivesse dado as costas a ela, as trevas teriam aumentado. O Mestre lavou os pés do discípulo, embora Pedro ainda protestasse, como a mãe lava o rosto do filho ainda que a criança reclame. A mãe não espera o filho entender o que ela faz, mas completa a tarefa por amor. A árvore não compreende a poda, nem a terra compreende o arado, nem Pedro compreendia o mistério dessa grande humilhação, uma vez que disse com veemência:

> Jamais me lavarás os pés!...
> Respondeu-lhe Jesus: Se eu não tos lavar,
> não terás parte comigo.
> (São João 13,8)

Nosso Senhor recordou a Pedro que a verdadeira humildade não deve objetar à Sua humilhação, mas, ao contrário, deve reconhecer a premência de libertar a humanidade do pecado. Por que se opor ao Filho de Deus lavar a sujeira externa dos pés quando Ele, que é Deus, já se humilhara para lavar a imundície das almas? Pedro ignorava a própria necessidade interna de redenção e tinha como pretexto reclamar a humilhação que era trivial, se comparada à encarnação. Era humilhação maior para o Verbo feito Carne cingir-se de uma toalha do que o fora ser envolto em faixas e posto em uma manjedoura?

Nosso Senhor prosseguiu a dizer para Pedro que a condição de comunhão, amizade e companheirismo com ele era ser lavado de maneira mais efetiva do que a lavagem dos pés. A recusa em aceitar a purificação divina é a exclusão da intimidade com Cristo. Não compreender que o amor divino significa sacrifício era apartar-se do Mestre. A ideia de não ter parte com Nosso Senhor o humilhou de maneira indescritível, por isso empenhou não só os pés, mas todo o seu ser ao Mestre:

> Senhor, não somente os pés, mas também as mãos e a cabeça.
> (São João 13,9)

Não só os pés estavam sujos, mas até mesmo os atos de suas mãos e os pensamentos de sua cabeça precisavam ser purificados. Em vez de persuadir-se de que o pecado não tinha importância e que um senso de culpa era anormal, Pedro, diante da Inocência, praticamente, bradou: "Impuro! Impuro!"

Quando Nosso Senhor terminou de lavar os pés dos apóstolos, pôs suas vestes, sentou-se e ensinou-lhes a lição de que, se Ele, que era o Senhor e Mestre, renunciara a Si mesmo e até à própria vida, então, eles, que eram seus discípulos, deveriam fazer o mesmo.

> Sabeis o que vos fiz?
> Vós me chamais Mestre e Senhor,
> e dizeis bem, porque eu o sou.
> Logo, se eu, vosso Senhor e Mestre,
> vos lavei os pés,
> também vós deveis lavar-vos os pés uns aos outros.
> Dei-vos o exemplo para que,
> como eu vos fiz, assim façais também vós.
> Em verdade, em verdade vos digo:
> o servo não é maior do que o seu Senhor,
> nem o enviado é maior do que aquele que o enviou.
> (São João 13,12-16)

Lavara os pés até mesmo de Judas! No entanto, embora cumprisse a tarefa de um escravo servil, ainda era "Mestre e Senhor". Vez alguma, enquanto esteve na terra, os apóstolos referiram-se a ele como Jesus, embora fosse o nome dado pelo anjo significando "salvador". Quando pediu por mais vocações para Sua missão, Ele lhes disse para orar ao "Senhor da messe" (São Mateus 9,38); quando pediu o burrico no domingo de Ramos, justificou o pedido ao dizer "O Senhor precisa dele" (São Lucas 19,31); quando planejou utilizar o cômodo superior, foi o "Senhor" que expressou essa necessidade (São Lucas 22,11-12). Os apóstolos também o chamavam de "Senhor", como Pedro o fez ao afogar-se, como Tiago e João o fizeram quando buscaram destruir os samaritanos, assim como o fariam poucos minutos depois ao perguntar "Sou eu, Senhor?" (São Mateus 26,22). Na Páscoa diriam "O Senhor ressuscitou". Tomé posteriormente o chamaria de "Senhor"; da mesma maneira o faria João ao reconhecer Nosso Senhor na praia.

Por outro lado, sempre que os evangelhos descrevem Nosso Senhor, referem-se a Ele como "Jesus"; por exemplo, "Jesus foi tentado pelo demônio" e "Jesus ensinou". Os evangelhos, escritos por inspiração do Espírito Santo, utilizaram o nome que se tornou demasiado glorioso quando forjou a salvação e ascendeu aos céus. Daí em diante, Seu nome, com frequência, é referido como "o Santo Nome de Jesus".

Por isso Deus o exaltou soberanamente
e lhe outorgou o nome
que está acima de todos os nomes,
para que ao nome de Jesus se dobre
todo joelho no céu, na terra e nos infernos.
E toda língua confesse,
para a glória de Deus Pai,
que Jesus Cristo é Senhor.
(Filipenses 2,9-11)

38

Judas

Um dia nasceu um bebê em Queriote. Os pais, ansiando pela promessa de um grande homem, chamaram-no de "Louvor". Amigos e parentes trouxeram presentes em tributo à nova vida que nasceu no mundo. Não muito longe dali, outro bebê nasceu na vila de Belém. Pastores e Sábios levaram presentes a esta Criança cujo nome era "Salvador". Muitos anos depois, o bebê de Belém encontrou o bebê de Queriote; Nosso Divino Senhor chamou Judas para ser apóstolo.

Era o único de Judá no grupo apostólico, enquanto todos os demais eram da Galileia. É bem provável que, por causa do talento para a administração comum entre os de sua região, Judas fosse naturalmente mais inclinado a ser o tesoureiro do grupo apostólico do que qualquer galileu. Usar um homem naquilo que ele faz de melhor é protegê-lo, se é que isso é possível, da apostasia e da insatisfação. Ao mesmo tempo, as tentações da vida muitas vezes vêm daquilo para o que se tem maior aptidão. Deve haver uma falha interna antes que haja uma externa. A única falha observada em Judas, ao menos no que diz respeito aos registros, era o pecado da avareza. Nele, esta era um tipo de pecado arraigado, pois, por causa dela, como de uma fonte suja, jorrava o pecado, de tão grande que era:

> Seria melhor para esse homem que jamais tivesse nascido!
> (São Mateus 26,24)

Uma leitura superficial da vida de Judas baseia o início da traição na noite da Última Ceia. Não é bem assim, pois o primeiro registro da traição encontra-se quando Nosso Bendito Senhor anunciou-se a Si mesmo como o Pão da Vida. O início e o fim do ato de traição de Judas estavam associados ao Cristo como o Pão da Vida. O primeiro conhecimento da traição não está quando Nosso Senhor instituiu o Memorial de Sua morte na Última Ceia, mas quando a prometeu no início de Sua vida pública. Nesse incidente da vida divina que se tornava alimento dos homens, estava inserido o primeiro registro da traição de Judas.

> Pois desde o princípio Jesus sabia
> quais eram os que não criam
> e quem o havia de trair.
> (São João 6,64)

O ponteiro do relógio já apontava a hora de Sua morte; a partir daquele momento, Nosso Bendito Senhor suportou a presença daquele que o haveria de trair. O anúncio do Pão da Vida era o início do desencanto de Judas; era de outro tipo de Reino que Nosso Senhor estava falando, diferente daquele que Judas esperava. Essa insatisfação de Judas deve ter aumentado enormemente no dia seguinte, quando descobriu que Nosso Bendito Senhor recusou-se a tornar-se rei e fugiu sozinho para as montanhas.

No sexto dia antes da Crucifixão, foi oferecida uma grande ceia em Betânia em que Marta foi servida e Lázaro esteve à mesa com Ele. Maria, percebendo o futuro melhor do que qualquer outro convidado e o quanto Ele estava próximo da morte, ungiu-O em preparação para o sepultamento. Quando viu o bálsamo sendo derramado, Judas imediatamente pôs um preço nele. Era a semana de estabelecer preços, pois em poucos dias ele avaliaria a vida de Nosso Senhor em trinta moedas de prata. Agora, avaliou o bálsamo em mais ou menos o salário de trezentos dias de trabalho, pois naquela época a média por um dia de trabalho era de um denário. Escreve São João:

> Mas Judas Iscariotes, um dos seus discípulos,
> aquele que o havia de trair, disse:
> Por que não se vendeu este bálsamo por trezentos denários
> e não se deu aos pobres?
> (São João 12,4-5)

Visto que a inveja é descrita como o tributo que a mediocridade paga ao gênio, muitos críticos podem ser descritos como homens fracassados. Judas era materialista demais para se preocupar com a beleza do ato. Não viu que algumas ofertas são tão sagradas que não se pode estimar-lhes o valor. De fato, era estreita a relação entre a cobiça e a traição contra Cristo. A última geralmente é a consequência da primeira. Judas sabia apenas que a traição ao Mestre estava próxima; Maria sabia que a morte do Mestre estava próxima.

Vestindo a máscara da caridade, Judas fingiu irritar-se com o desperdício de um perfume tão precioso, mas João contou o motivo dessa declaração:

> Dizia isso não porque ele se interessasse pelos pobres,
> mas porque era ladrão e, tendo a bolsa,
> furtava o que nela lançavam.
> (São João 12,6)

Enquanto Maria, em sua devoção, oferecia de maneira inconsciente honra ao morto, Judas, em seu egoísmo, provocava-lhe de maneira consciente a morte propriamente dita. Grande contraste entre a bolsa com dinheiro de Judas e o frasco de alabastro de Maria; entre as trinta moedas de prata e os trezentos denários; entre a verdadeira liberalidade e o interesse hipócrita pelos pobres. Judas tornou-se porta-voz de todos aqueles que pelos séculos protestariam contra a ornamentação do culto cristão e sentiriam que, quando o melhor do ouro ou das joias fossem dadas ao Deus que as criou, havia alguma ofensa aos pobres — não porque estivessem interessados nos pobres, mas porque tinham inveja daquela riqueza. É bem possível que, se tivesse os trezentos denários, Judas não os daria aos pobres.

Nosso Senhor rumava para o túmulo. Não haveria chance de ungir Seu corpo físico novamente, mas haveria uma chance de servir aos pobres. Quando Nosso Bendito Senhor mais uma vez falou abertamente de Sua morte, dizendo que Maria O estava ungindo para o sacrifício, Judas sabia que, se tinha de tirar proveito de sua associação com Jesus, teria de fazê-lo logo. Num cataclismo, algo há de ser salvo.

> Então um dos Doze, chamado Judas Iscariotes,
> foi ter com os príncipes dos sacerdotes e perguntou-lhes:
> Que quereis dar-me e eu vo-lo entregarei.
> Ajustaram com ele trinta moedas de prata.
> E desde aquele instante, procurava
> uma ocasião favorável para entregar Jesus.
> (São Mateus 26,14-16)

Oitocentos anos antes, Zacarias profetizara:

> Dai-me o meu salário, se o julgais bem,
> ou então retende-o!

> Eles pagaram-me apenas trinta moedas
> de prata pelo meu salário.
> (Zacarias 11,12)

Era simbólico que Nosso Senhor fosse vendido em troca do dinheiro do templo destinado à compra das vítimas dos sacrifícios; mais simbólico ainda era que Aquele que assumiu a forma de Servo fosse vendido ao preço de um escravo.

Enfim, na celebração da Páscoa, depois de repreender as ambições dos discípulos e ensinar humildade lavando-lhes os pés, Nosso Bendito Senhor anunciou a traição. Assim como a primeira cena do drama — quando o Pão da Vida foi prometido — marcou o início da traição, assim também agora o Cenáculo e o partir do pão marcavam seu final.

> Durante a ceia, disse:
> Em verdade vos digo:
> um de vós me há de trair.
> Com profunda aflição,
> cada um começou a perguntar:
> Sou eu, Senhor?
> (São Mateus 26,21-22)

Depois de lavar os pés dos apóstolos, sabendo que o traidor já estava entre eles, disse o Senhor:

> Ora, vós estais puros,
> mas nem todos!...
> (São João 13,10)

Uma coisa era ser *escolhido* como apóstolo; outra era ser *eleito* para a Salvação por meio da conformidade a suas obrigações. Entretanto, para que os apóstolos soubessem que esta heresia, cisma ou queda em suas fileiras não era inesperada, o Senhor citou o Salmo 40, a fim de mostrar que se tratava do cumprimento da profecia:

> Aquele que come o pão comigo
> levantou contra mim o seu calcanhar (Salmo 40,10).
> Desde já vo-lo digo, antes que aconteça,

> para que, quando acontecer,
> creiais e reconheçais quem sou eu.
> (São João 13,18-19)

A referência era ao que Davi sofreu nas mãos de Aquitofel, cuja deslealdade é agora revelada como figura daquilo que o Filho Real de Davi sofreria. A parte mais desprezível do corpo, o calcanhar, em ambos os exemplos foi descrito como infligindo a ferida. No livro de Gênesis, profetizou-se que o calcanhar da Semente da Mulher esmagaria a cabeça da serpente, ou o diabo. Parecia agora que o diabo teria por ora sua vingança, usando o calcanhar para infligir a ferida na semente da mulher — o Senhor. Em outra ocasião, disse Nosso Senhor:

> e os inimigos do homem serão
> as pessoas de sua própria casa.
> (São Mateus 10,36)

Somente alguém que sofreu tal traição dentro da própria casa pode ao menos entender a tristeza na alma do Salvador naquela noite. Todo bom exemplo, conselho, companheirismo e inspiração são inúteis para aqueles que desejam fazer o mal ou "vender-se" e tendem à destruição. Uma das expressões mais poderosas usadas nos lamentos de Nosso Senhor foi usada para descrever seu amor por Judas e a danação livremente escolhida por este:

> Dito isso, Jesus ficou perturbado em seu espírito
> e declarou abertamente:
> Em verdade, em verdade vos digo:
> um de vós me há de trair!...
> (São João 13,21)

O "um de vós" era alguém cujos pés o Senhor lavara, alguém a quem Ele chamou para o ofício apostólico de espalhar Sua Igreja por todo o mundo após a vinda de Seu Espírito, alguém cuja presença Ele suportou com tanta paciência que nenhum dos demais apóstolos sabia de quem se tratava.

> Os discípulos olhavam uns para os outros,
> sem saber de quem falava.
> (São João 13,22)

Judas deve ter sido bem esperto para ocultar sua torpeza e ganância do conhecimento dos 11. Nosso Senhor, por outro lado, deve ter tratado Judas com a mesma bondade amorosa dedicada aos demais, para manter oculto o pecado dele. Nada podia ter perturbado sua paz de alma mais do que saber que um deles desapontou o Príncipe da Paz.

> Com profunda aflição,
> cada um começou a perguntar:
> Sou eu, Senhor?
> (São Mateus 26,22)

Provavelmente, o único apóstolo que não perguntou "Sou eu?" foi João, pois naquele momento ele reclinava a cabeça sobre o peito de Nosso Divino Senhor. João sempre se orgulhou desse fato e descrevia a si mesmo como "aquele a quem Jesus amava". Pedro também, entretanto, possivelmente partilhava de alguma dúvida quanto a ser ele o traidor, pois pediu a João que perguntasse a Nosso Senhor "Quem é?". Quando perguntado, Nosso Senhor respondeu:

> É aquele a quem eu der o pão embebido.
> Em seguida, molhou o pão
> e deu-o a Judas, filho de Simão Iscariotes.
> (São João 13,26)

Em toda a primeira parte da ceia de Páscoa, tanto Nosso Senhor quanto Judas estiveram mergulhando as mãos na mesma travessa de vinho e frutos. O próprio fato de que Nosso Senhor escolheu o pão como símbolo da traição pode ter lembrado Judas do Pão prometido em Cafarnaum. Humanamente falando, era esperado que Nosso Senhor esbravejasse ao denunciar Judas, mas, ao contrário, numa última tentativa de salvá-lo, Jesus usou o pão da comunhão.

> Respondeu ele:
> Aquele que pôs comigo a mão no prato, esse me trairá.
> O Filho do Homem vai, como dele está escrito.
> Mas ai daquele homem por quem o Filho do Homem é traído!
> Seria melhor para esse homem que jamais tivesse nascido!
> (São Mateus 26,23-24)

Na presença da Divindade, ninguém pode ter certeza da própria inocência, e todos perguntam: "Sou eu?". Todo homem é um mistério para si mesmo, pois sabe que dentro de seu coração encontram-se, contidas e dormentes, serpentes que a qualquer momento podem picar o próximo com seu veneno, ou até mesmo a Deus. Um deles estava certo de ser o traidor, e, no entanto, ninguém estava certo de não o ser. No caso de Judas, embora Nosso Senhor revelasse o conhecimento da traição, ainda havia a determinação de fazer o mal. Não obstante a revelação do conhecimento do crime e do fato de que seu mal foi revelado, ele não se envergonhava de consumá-lo em toda a sua feiura. Alguns homens viram as costas ao horror de seus pecados, quando estes são postos às claras diante deles. Podem até recuar de "suas loucuras desmedidas" quando tal conduta é descrita como luxúria e imoralidade. Mas neste caso Judas via sua deslealdade descrita em toda a sua deformidade e praticamente disse na linguagem de Nietzsche: "Mal, sê o meu bem". Nosso Senhor deu um sinal a Judas. Em resposta à pergunta dos apóstolos — "Sou eu?" —, respondeu Jesus:

> É aquele a quem eu der o pão embebido.
> Em seguida, molhou o pão
> e deu-o a Judas,
> filho de Simão Iscariotes.
> (São João 13,26)

Judas estava livre para fazer o mal, como o comprova o remorso que mostrou posteriormente. Assim também Cristo estava livre para fazer dessa traição a condição de Sua Cruz. Os homens maus parecem ir contra a economia de Deus e ser um fio errante na tapeçaria da vida, mas todas se encaixam de alguma maneira no Plano Divino. O vento impetuoso sopra de céus escuros, e em algum lugar há um veleiro para domá-lo e usá-lo a serviço do homem.

Quando Nosso Senhor disse

> É aquele a quem eu der o pão embebido
> Aquele que pôs comigo a mão no prato,

Ele estava, na verdade, fazendo um gesto de amizade. Oferecer um bocado parece ter sido um antigo costume grego e oriental. Sócrates disse que, em todos os casos, dar um bocado ao próximo à mesa era uma marca de favor. Nosso Senhor manteve aberta a Judas a oportunidade de arrepender-se, como mais tarde o faria no Jardim do Getsêmani. Todavia, embora Nosso Senhor mantivesse a porta aberta, Judas não entraria. Ao contrário, entraria Satanás.

> Logo que ele o engoliu,
> Satanás entrou nele.
> Jesus disse-lhe, então:
> O que queres fazer, faze-o depressa.
> (São João 13,27)

Satanás só pode possuir vítimas voluntárias. A marca da graça e da amizade estendida pela Vítima deveria ter levado Judas ao arrependimento. O pão deve ter queimado seus lábios, como as trinta moedas de prata mais tarde queimariam suas mãos. Poucos minutos antes, as mãos do Filho de Deus tinham lavado os pés de Judas; agora, as mesmas mãos divinas tocam os lábios dele com um pedaço de pão; em poucas horas, os lábios de Judas beijarão os lábios de Nosso Senhor no ato final de traição. O Mediador Divino, sabendo tudo que lhe sobreviria, deu a ordem a Judas para que abrisse a cortina da tragédia do Calvário. O que Judas estivesse para fazer, que o fizesse logo. O Cordeiro de Deus estava pronto para o sacrifício.

A graça divina não identificou o traidor, pois Nosso Senhor escondeu dos apóstolos o fato de que o traidor era Judas. O mundo que ama divulgar escândalos — mesmo aqueles que não são verdadeiros — é aqui virado de cabeça para baixo, no fato de que até o que era verdadeiro foi ocultado. Quando os outros viram Judas sair, supuseram que era por causa de uma missão de caridade.

> Mas ninguém dos que estavam à mesa
> soube por que motivo lho dissera.
> Pois, como Judas tinha a bolsa,
> pensavam alguns que Jesus lhe falava:
> Compra aquilo de que temos necessidade para a festa.
> Ou: Dá alguma coisa aos pobres.
> (São João 13,28-29)

Judas, no entanto, em vez de sair para comprar, saíra para vender; não seria aos pobres que ele serviria, mas aos ricos responsáveis pelo tesouro do templo. Conquanto soubesse da má intenção de Judas, ainda assim Nosso Bendito Senhor agiu amavelmente, porque suportaria a ignomínia sozinho. Em muitos casos, Ele agiu como se os efeitos das ações dos outros Lhe fossem desconhecidos. Sabia que ressuscitaria Lázaro dos mortos, mesmo quando chorou. Sabia quem não cria Nele e quem o trairia, e isso não lhe endureceu o Sagrado Coração. Judas rejeitou o último apelo, e a partir desse momento só houve desespero em seu coração.

Judas saiu, "e era noite" — uma descrição muito adequada para uma obra das trevas. Talvez fosse um alívio estar longe da Luz do Mundo. A natureza às vezes está em simpatia e às vezes em discordância com nossas alegrias e pesares. O céu é sombrio e nublado quando há melancolia. A natureza combinava-se às más obras de Judas, pois quando este saiu não encontrou o sol sorridente de Deus, mas sim a escuridão da noite de Estige. Também se faria noite tenebrosa ao meio-dia, no momento da Crucifixão de Nosso Senhor.

> Logo que Judas saiu, Jesus disse:
> Agora é glorificado o Filho do Homem,
> e Deus é glorificado nele.
> (São João 13,31)

Sua morte não seria um martírio, uma desgraça nem uma consequência inevitável da traição. Quando o Pai falou de Seu Filho Divino no batismo no Jordão, Nosso Senhor não disse que Ele mesmo era glorificado; nem no Monte da Transfiguração, quando os céus se abriram mais uma vez, Ele falou disso, mas nessa Hora — quando Sua Alma enfrentou o pranto, Seu Corpo, o flagelo, Seu espírito, uma caricatura de justiça, Sua vontade, uma perversão da bondade — Ele agradeceu ao Pai. O Pai seria glorificado por Sua morte redentora, e Ele seria glorificado pelo Pai na Ressurreição e na Ascensão.

39

A DESPEDIDA DO AMANTE DIVINO

As palavras do Mestre fluíram com mais liberdade, uma vez que o constrangimento do traidor fora removido. Ademais, a partida de Judas para sua missão de traição pôs a Cruz a uma distância mensurável de Nosso Senhor. Ele agora falava aos apóstolos como se sentisse as traves dela. Se Sua morte seria gloriosa, havia de ser porque por meio dela aconteceria algo que não fora feito por Suas palavras, pelos milagres e pela cura dos enfermos. Durante toda a vida tentara comunicar Seu amor à humanidade, mas até que Seu corpo se partisse, como um vaso de alabastro, o perfume de Seu amor não impregnara o universo. Ele também dissera que, na cruz, Deus, o Pai, era glorificado. Isso se deu porque o Pai não poupou o próprio Filho, mas ofereceu-O para salvar o homem. Deu um novo significado a Sua morte, a saber, de sua Cruz irradiaria a compaixão e o perdão de Deus.

Nesse momento, dirigia-se aos apóstolos de dois modos diferentes: como um pai moribundo aos filhos e como um Senhor moribundo aos servos.

> Filhinhos meus, por um pouco apenas ainda estou convosco.
> (São João 13,33)

Aqui, falava em termos de profunda intimidade com aqueles que se reuniam ao seu redor, respondendo a perguntas infantis, uma após a outra, porque eram como crianças na compreensão de seu sacrifício. Empregou a analogia simples de uma estrada que eles não podiam trilhar no momento:

> para onde eu vou, vós não podeis ir.
> (São João 13,33)

Quando vissem as nuvens de glória envolvendo-O na Ascensão aos céus, saberiam por que não poderiam ir logo com Ele. Depois O seguiriam, mas primeiro precisavam da aprendizagem do Calvário e do Pentecostes. O pouco que os apóstolos compreendiam a respeito de Sua vida foi revelado pela pergunta de Pedro:

> Senhor, para onde vais?
> (São João 13,36)

Mesmo na curiosidade, revelou-se a bela personalidade de Pedro, pois não podia suportar a separação de seu Mestre. Nosso Senhor lhe respondeu:

> Para onde vou, não podes seguir-me agora,
> mas seguir-me-ás mais tarde.
> (São João 13,36)

Pedro ainda não estava preparado para a compreensão profunda da ressurreição. A hora do Salvador chegara, mas a de Pedro ainda não. Assim como no monte da Transfiguração Pedro teria a glória sem a morte, também agora teria a companhia do Mestre divino nos céus sem a cruz. Mais tarde, Pedro considerou a resposta de Nosso Senhor sobre segui-lo como uma reflexão acerca de sua coragem e fidelidade. Então, fez outro pedido, e declarou sua bravura:

> Senhor, por que te não posso seguir agora?
> Darei a minha vida por ti!
> (São João 13,37)

O sentimento de Pedro, naquele segundo, era o de seguir seu Mestre, mas, quando a oportunidade se apresentasse, ele não estaria no Calvário. Ao perscrutar o coração de Pedro, Nosso Senhor previu o que aconteceria quando houvesse uma chance de segui-Lo.

> Darás a tua vida por mim!...
> Em verdade, em verdade te digo:
> não cantará o galo até que me negues três vezes.
> (São João 13,38)

A mente onipotente de Nosso Senhor retratou a queda daquele a quem chamara de "pedra". No entanto, após a vinda de Seu Espírito, Pedro O seguiria. O significado disso está preservado em uma bela lenda, que retrata Pedro fugindo da perseguição de Nero em Roma. Pedro encontrou o Senhor na Via Appia e disse-Lhe: "Senhor, para onde vais?". Nosso Senhor Bendito respondeu: "Vou a Roma ser crucificado novamente". Pedro voltou a Roma e foi crucificado no local onde hoje está a Basílica de São Pedro. O Sagrado Coração, agora, olhava para além das horas tenebrosas, quando ele, apóstolos e sucessores seriam um com Ele em espírito. Se houve algum momento calculado para tirar o pensamento do futuro, foi esse terrível momento presente. Entretanto, já que havia falado da unidade entre os apóstolos consigo pela eucaristia, retomaria o tema com a imagem da videira e dos ramos. A unidade de que Ele falava não era do tipo que existia naquele momento, pois em uma hora todos O abandonariam e fugiriam. Antes, era a unidade que seria consumada por intermédio de Sua glorificação. A imagem da videira que empregou era muito familiar no Antigo Testamento. Israel era chamado de videira, a videira que fora tirada do Egito; Isaías falou de Deus como aquele que plantou a vinha escolhida; Jeremias e Oseias lamentaram e queixaram-se de que ela não produzia mais frutos. Assim como Nosso Senhor, em contraste com o maná que fora dado por Moisés, chamou a Si mesmo de "verdadeiro pão"; em contraste com as luzes brilhantes da festa dos Tabernáculos, denominou-Se "verdadeira luz"; em contraste com o templo construído por mãos humanas, denominou-Se "templo de Deus"; agora, em contraste com a videira de Israel, disse:

> Eu sou a videira verdadeira,
> e meu Pai é o agricultor.
> (São João 15,1)

Essa unidade entre Ele e os seguidores do novo Israel seria como a unidade da vinha e dos ramos; a mesma seiva de graça que jorrava através dele jorraria neles:

> Eu sou a videira; vós, os ramos.
> Quem permanecer em mim e eu nele,
> esse dá muito fruto;
> porque sem mim nada podeis fazer.
> (São João 15,5)

Separado Dele, nenhum homem é melhor que um ramo separado da videira, ressequido e morto. O ramo pode ter cachos, mas não os produz;

só Cristo os produz. Ao encaminhar-se para a morte, disse que viveram e que viveriam Nele. Viu além da cruz e afirmou que a vitalidade e a energia viriam Dele, e o relacionamento entre eles seria orgânico, não mecânico. Viu aqueles que professavam ser unidos externamente a Ele, mas que, não obstante, internamente, seriam apartados; viu os que precisariam de mais purificação do Pai por meio da cruz, falando em termos de uma faca que poda e corta.

> Todo ramo que não der fruto em mim, ele o cortará;
> e podará todo o que der fruto, para que produza mais fruto.
> (São João 15,1-2)

O ideal da nova comunidade é a santidade, Aquele que possui a faca é o Pai Celeste. O objeto da poda não é o castigo, mas a correção e a perfeição — salvo nos casos inúteis: esses são excomungados da vinha. Quando Nosso Senhor chamou os apóstolos pela primeira vez, recordou-lhes de que todos deveriam sofrer por Sua causa. Ao encaminhar-Se para a cruz, deu-lhes uma nova compreensão da mensagem anterior de que deveriam tomar a cruz diariamente e segui-Lo. A unidade com Ele não viria apenas por conhecer seus ensinamentos, mas, principalmente, pelo cultivo do divino, por podar em si mesmos tudo o que não fosse divino:

> Se alguém não permanecer em mim
> será lançado fora, como o ramo.
> Ele secará e hão de ajuntá-lo
> e lançá-lo ao fogo, e queimar-se-á.
> (São João 15,6)

Um dos efeitos da autodisciplina para intensificar essa união entre eles e o próprio Cristo seria a alegria. A abnegação não traz tristeza, mas felicidade.

> Disse-vos essas coisas
> para que a minha alegria esteja em vós,
> e a vossa alegria seja completa.
> (São João 15,11)

Falou de alegria a poucas horas do beijo de Judas; mas a alegria que expressava não era na expectativa do sofrimento, mas, antes, a alegria da absoluta e completa submissão ao Pai em amor pela humanidade. Assim como há um tipo de alegria em dar um presente precioso a um amigo, da mesma maneira, há alegria em dar a vida pela humanidade. Aquela alegria do autossacrifício seria deles, se guardassem os mandamentos como mandamentos do Pai. Os infelizes apóstolos, que viam o sonho de um reino puramente terreno esvanecer-se, não podiam compreender suas palavras de alegria; só entenderiam mais tarde, quando o Espírito viesse sobre eles. Imediatamente após o Pentecostes, ao se postarem diante do mesmo conselho que condenou Cristo, seus corações estariam muito felizes porque, como ramos, foram podados para se tornarem um com a videira.

> Eles saíram da sala do Grande Conselho,
> cheios de alegria, por terem sido achados dignos
> de sofrer afrontas pelo nome de Jesus.
> (Atos dos Apóstolos 5,41)

Além da alegria, um segundo efeito da união com Ele seria o amor.

> Este é o meu mandamento:
> amai-vos uns aos outros, como eu vos amo.
> Ninguém tem maior amor do que aquele
> que dá a sua vida por seus amigos.
> (São João 15,12-13)

Amor é a relação normal dos ramos entre si, pois todos estão enraizados na videira. Não haveria limites ao Seu amor. Certa vez, Pedro pôs um limite ao amor ao perguntar quantas vezes deveria perdoar. Seriam sete? Nosso Senhor disse-lhe setenta vezes sete, o que sugeria uma infinidade, e negou qualquer cálculo matemático. Não devem existir limites ao amor mútuo, pois todos devem perguntar-se: qual foi o limite do amor do Cristo? Não tinha limites, pois Ele veio para entregar a própria vida.

Aqui, mais uma vez, falou do propósito de Sua vinda, a saber, a redenção. A cruz é o principal. O caráter voluntário dela é enfatizado quando Ele disse que entregou a vida; ninguém Lhe tiraria isso. Seu amor seria como o calor do sol: os que estivessem mais próximos seriam aquecidos e felizes; os mais distantes ainda reconheceriam sua luz.

Somente ao morrer por outrem poderia demonstrar seu amor. Sua morte não seria como a morte de um homem por amor de outro, ou como a do soldado por seu país, pois o homem que salva o outro deve, por fim, morrer de algum modo. Ainda que grande o sacrifício, esse seria um pagamento prematuro de uma dívida que havia de ser paga. Entretanto, no caso de Nosso Senhor, Ele não precisava, de modo algum, morrer. Ninguém poderia tirar-Lhe a vida. Embora chamasse aqueles pelos quais morreu de "amigos", a amizade era toda de Sua parte, e não da nossa, pois, como pecadores, somos inimigos. Paulo, mais tarde, expressou bem isso ao dizer que Ele morreu por nós enquanto éramos ainda pecadores (Romanos 5,8).

Os pecadores podem demonstrar amor uns pelos outros ao tomar para si uma punição merecida por alguém. Nosso Senhor, todavia, não só tomava para Si a punição, como também a culpa como se fosse Sua. Ademais, a morte que estava prestes a sofrer seria bem diferente da morte dos mártires por sua causa, já que esses tinham o exemplo da morte do Cristo e a expectativa da glória prometida. Entretanto, morrer em uma cruz sem um olhar de piedade, estar cercado de uma multidão que lhe fazia troça, e morrer sem ser obrigado a morrer — esse foi o auge do amor. Os apóstolos não podiam compreender tal profundidade de afeição, mas, posteriormente, compreenderiam. Pedro, que na ocasião nada entendia a respeito do amor sacrificial, mais tarde, ao ver suas ovelhas caminharem para a morte sob a perseguição dos romanos, lhes diria:

> Com efeito, é coisa agradável a Deus sofrer contrariedades e padecer injustamente, por motivo de consciência para com Deus.
> Que mérito teria alguém se suportasse pacientemente os açoites
> por ter praticado o mal?
> Ao contrário, se é por ter feito o bem que sois maltratados, e se o suportardes pacientemente, isto é coisa agradável aos olhos de Deus.
> Ora, é para isto que fostes chamados.
> Também Cristo padeceu por vós,
> deixando-vos exemplo para que sigais os seus passos.
> (1 São Pedro 2,19-21)

João também faria uma paráfrase do que ouviu naquela noite, ao inclinar-se sobre o coração de Cristo:

> Nisto temos conhecido o amor:
> (Jesus) deu sua vida por nós.
> Também nós outros devemos dar a nossa vida
> pelos nossos irmãos.
> (1 São João 3,16)

O ÓDIO DO MUNDO

Depois de terminar o discurso sobre a unidade existente entre Ele e os apóstolos, Nosso Senhor passou ao próximo assunto que logicamente se seguia, a saber, a separação daqueles que não partilhavam de Seu Espírito e de Sua vida. Referia-se não só à condição de oposição que existiria entre seus seguidores e o mundo imediatamente após Sua partida dele, mas, antes, a uma condição permanente e inevitável. O contraste era entre a grande massa de renegados e descrentes que se recusariam a aceitá-Lo e os que seriam unidos a Ele como ramos à videira. Não falou de um universo físico ou do cosmo, mas de um espírito, um *zeitgeist*, uma unidade das forças do mal contra as forças do bem. As bem-aventuranças puseram-No em oposição imediata ao mundo e, assim, prepararam-No para a Cruz. Agora Ele os advertia de que também teriam uma cruz, se realmente fossem Seus discípulos. Não ter cruz torna a pessoa suspeita de não possuir a marca indelével de ser um dos Seus:

> Se o mundo vos odeia,
> sabei que me odiou a mim antes que a vós.
> Se fôsseis do mundo,
> o mundo vos amaria como sendo seus.
> Como, porém, não sois do mundo,
> mas do mundo vos escolhi,
> por isso o mundo vos odeia.
> (São João 15,18-19)

Sete vezes durante esse discurso sobre o mundo, Ele empregou a palavra "ódio" — um testemunho solene da obstinação e hostilidade do mundo. O mundo ama o mundano; mas, para preservar seus códigos, práticas e modismos mentais, deve odiar o que não é deste mundo ou o divino. Fossem os apóstolos ou algum de Seus seguidores ingressarem em algum culto ao Sol ou seita oriental, será que seriam odiados? Não, porque o mundo conhece os seus. Fossem um com o Cristo, a seguir rigorosamente Seus mandamentos, seriam odiados? Sim, porque "do mundo vos escolhi". Naquele momento, os apóstolos não podiam compreender esse ódio; mesmo depois da ressurreição não foram molestados e puderam voltar às suas redes e barcos. Entretanto, uma vez que Ele subiu aos céus e enviou Seu Espírito, experimentariam toda a malignidade do ódio do mundo. Tiago, que ouviu essas palavras na Última Ceia, mais tarde as repetiria com conhecimento e experiência:

> Adúlteros, não sabeis que o amor do mundo é abominado por Deus?
> Todo aquele que quer ser amigo do mundo constitui-se inimigo de Deus.
> (São Tiago 4,4)

João também recordaria seu povo de que o mundo era antagônico a Cristo.

> Não ameis o mundo nem as coisas do mundo.
> Se alguém ama o mundo, não está nele o amor do Pai.
> (1 São João 2, 15)

Nosso Senhor, então, explicou-lhes que o mundo não os odiaria como O odiou, mas os odiaria *por causa* Dele. Nenhum servo pode ser maior que seu senhor. Seriam perseguidos por causa de Seu nome:

> Mas vos farão tudo isso por causa do meu nome, porque não conhecem aquele que me enviou.
> (São João 15,21)

Nosso Senhor não deu esperanças de converter a todos no mundo; as multidões seriam mais conquistadas pelo espírito do mundo do que por Ele. Partilhar de Sua vida era partilhar de Seu destino. O mundo odiaria Seus seguidores, não por conta do mal em suas vidas, mas, precisamente, pela ausência do mal, ou melhor, por sua bondade. A bondade não gera ódio, mas dá oportunidade para a manifestação do ódio. Quanto mais santa e pura a vida, mais atrairá a malignidade e o ódio. Só a mediocridade sobrevive. A inocência perfeita deve ser crucificada no mundo onde ainda existe o mal. Assim como o olho doente teme a luz, da mesma maneira, a consciência má teme a bondade que a reprova. O ódio do mundo não é inocente nem sem culpa:

> Se eu não viesse e não lhes tivesse falado,
> não teriam pecado;
> mas agora não há desculpa para o seu pecado.
> Aquele que me odeia, odeia também a meu Pai.
> Se eu não tivesse feito entre eles obras,
> como nenhum outro fez, não teriam pecado;
> mas agora as viram e odiaram a mim e a meu Pai.
> Mas foi para que se cumpra a palavra
> que está escrita na sua lei:
> Odiaram-me sem motivo (Salmo 34,19; 68,5).
> (São João 15,22-25)

O ódio pelo Cristo revelou o ódio pelo Pai. O mal não tem capital próprio, é um parasita que repousa no bem. O ódio puro tira suas forças do contato com o bem; faz o inferno começar na terra, mas não o faz terminar aqui. Seu Evangelho, disse, iria, de certo modo, agravar o pecado dos homens por fazer-lhes rejeitá-Lo voluntariamente. Se houve pecado e mal ao longo da história; se houve Cains que mataram Abéis; gentios que perseguiram judeus; Sauis que buscaram matar Davis, tudo isso era insignificante comparado ao que Nosso Senhor falava sobre o mal monstruoso que estava prestes a Lhe acontecer. Ensinara que havia graus de punição dispensados aos que estavam perdidos; agora, acrescentou que a gradação seria determinada pelo grau de luz contra o qual pecaram. Sua vinda trouxera ao mundo um novo padrão de medida. Haveria mais tolerância com Sodoma e Gomorra no dia do Juízo do que com Cafarnaum, pois esta se voltara contra o Rei dos reis e Senhor dos senhores.

Esse espírito de inimizade contra Ele não permaneceria somente enquanto vivesse ou enquanto os apóstolos vivessem, mas enquanto durasse o tempo. Quando Alexandre morreu, ninguém ergueu punhos cerrados diante de seu túmulo; o ódio ao tirano perece com o tirano. Ninguém odeia Buda; ele está morto. O ódio ao Cristo, contudo, permaneceria vivo, porque Ele vive — "o mesmo, ontem, hoje e para sempre". Ser advertido era ser precavido.

> Virá a hora em que todo aquele que
> vos tirar a vida julgará prestar culto a Deus.
> (São João 16,2)

De censuras maldizentes os homens passariam até mesmo a tirar a vida de Seus seguidores. E assim o fariam convencidos de que agiam religiosamente, como faziam os escribas e os fariseus, e também como Paulo o fez antes da conversão. O que previu para Seus seguidores veio a acontecer: Mateus sofreu o martírio pela espada na Etiópia; Marcos foi arrastado pelas ruas de Alexandria até a morte; Lucas foi enforcado em uma oliveira na Grécia; Pedro, crucificado em Roma de cabeça para baixo; Tiago foi decapitado em Jerusalém; Tiago Menor foi lançado do pináculo do templo e, ao chão, espancado até a morte; Filipe foi enforcado em um pilar na Frígia; Bartolomeu foi esfolado vivo; André foi atado a uma cruz e pregou aos perseguidores até a morte; Tomé teve o corpo perfurado; Judas Tadeu foi morto por flechas; Matias primeiro foi apedrejado e depois decapitado. É muito provável que no momento desses acontecimentos tenham recordado as palavras de Nosso Senhor na Última Ceia:

> Disse-vos, porém, essas palavras para que,
> quando chegar a hora, vos lembreis de que vo-lo anunciei.
> (São João 16,4)

O conselho que dava aos apóstolos sobre a expectativa da cruz e das próprias vidas era uma prova de que a cruz era primordial para Si mesmo. Para os seguidores não prometeu nenhuma imunidade ao mal neste mundo, mas a vitória sobre o mal:

> Referi-vos essas coisas para que tenhais a paz em mim.
> No mundo haveis de ter aflições.
> Coragem! Eu venci o mundo.
> (São João 16,33)

Desfrutar a paz não era inconsistente com a duração da tribulação. A paz está na alma e vem da união com Cristo, ainda que o corpo possa sentir dor. Provações, tribulação, angústia e ansiedade são permitidos por aquele que dá a paz.

O Espírito

O próximo assunto que ocupou a atenção do Salvador na noite de sua agonia foi o Espírito Santo. O profeta Ezequiel há muito previra que um espírito novo seria dado ao mundo:

> Dar-vos-ei um coração novo e
> em vós porei um espírito novo;

> tirar-vos-ei do peito o coração de pedra e
> dar-vos-ei um coração de carne.
> Dentro de vós meterei meu espírito,
> fazendo com que obedeçais às minhas leis e
> sigais e observeis os meus preceitos.
> (Ezequiel 36,26-27)

O corpo de Adão foi feito quando Deus soprou-lhe o espírito de vida. O tabernáculo de Israel e o templo tiveram de ser construídos antes que a *Shekinah* e a glória de Deus viessem tomar posse deles; portanto, tinha de haver uma renovação dentro do homem como condição para o próprio Espírito de Deus nele habitar. Com a vinda de Cristo, começou a cumprir-se a profecia de Ezequiel. O Espírito exercera um papel muito importante na vida do Cristo. João Batista predissera duas coisas sobre Ele: primeiro, que era o cordeiro de Deus que tiraria os pecados do mundo e, a outra, que batizaria os discípulos com o Espírito Santo e com fogo. O derramamento de sangue era para o pecador; o dom do Espírito era para os seguidores obedientes e amorosos. Quando Nosso Senhor foi batizado no rio Jordão, o Espírito Santo veio sobre Ele. Foi batizado no Espírito; *mas deveria sofrer antes de dar o Espírito aos outros*. Por isso que, na noite em que começou Sua paixão, falou mais profundamente do Espírito. Na conversa com a mulher no poço disse que chegaria o tempo em que os verdadeiros adoradores adorariam:

> o Pai em espírito e verdade.
> (São João 4,23)

Suas palavras "em Espírito" não significavam um contraste entre uma religião interna ou sentimental em comparação às observâncias exteriores, mas, sim, um contraste entre uma adoração inspirada pelo Espírito de Deus oposta a um espírito puramente natural. "Em verdade" não significa "sincera e honestamente", mas, antes, em Cristo, que é o Verbo ou a Verdade de Deus. Mais tarde, quando Nosso Senhor Bendito prometeu dar Seu corpo e sangue sob a aparência de pão e vinho, sugeriu que deveria primeiro ascender aos céus antes de ser dado o Espírito.

> Que será, quando virdes subir o Filho do Homem
> para onde ele estava antes?...

> O espírito é que vivifica, a carne de nada serve.
> As palavras que vos tenho dito são espírito e vida.
> (São João 6, 62-63)

Principiou por dizer-lhes que Sua morte aconteceria no dia seguinte; não O veriam mais com os olhos da carne. Ainda transcorreria mais um tempo, a saber, o intervalo entre a morte e a ressurreição quando O veriam, com os olhos do corpo, glorificado. Sua perda, assegurou-lhes, seria compensada por uma bênção maior que a sua presença na carne. Os apóstolos não conseguiam entender o que ele dizia a respeito do breve intervalo entre sua morte e Ressurreição, durante o qual seus olhos seriam turvados.

> Ainda um pouco de tempo, e já me não vereis;
> e depois mais um pouco de tempo, e me tornareis a ver,
> porque vou para junto do Pai.
> (São João 16,16)

Rebaixou-se à mentalidade dos apóstolos, pois a principal preocupação deles era o que Lhe aconteceria. No entanto, dentro de duas horas teriam uma compreensão melhor dessas palavras, pois nesse intervalo os apóstolos, momentaneamente, perderiam o Mestre de vista, depois de Sua prisão. Porque Nosso Senhor disse que iria para o Pai, os apóstolos estavam em extrema confusão, pois isso significava afastar-se deles. Disseram:

> Não sabemos o que ele quer dizer.
> (São João 16,18)

Jesus sabia que estavam ansiosos para questioná-lo mais a respeito desse ponto. O pesar e o assombro não eram apenas porque Ele dissera que estava prestes a deixá-los, mas também por conta da frustração de suas esperanças, pois vislumbravam a instituição de algum tipo de reino messiânico terreno. Ele lhes assegurara que, embora estivessem cabisbaixos pelo pesar, a hora seria breve, longa o bastante para Ele provar Seu poder sobre a morte e ir ao Pai. Quando passasse pela hora, eles ficariam tristes, ao passo que os inimigos ou o mundo se rejubilariam. O mundo acreditaria que Ele se fora para sempre. A dor dos escolhidos, entretanto, seria transitória, pois a cruz deve vir antes da coroa.

> Em verdade, em verdade vos digo:
> haveis de lamentar e chorar,
> mas o mundo se há de alegrar.
> E haveis de estar tristes,
> mas a vossa tristeza se há de transformar em alegria.
> (São João 16,20)

A passagem do pranto à alegria é simbolizada pela analogia das dores e alegrias da maternidade:

> Quando a mulher está para dar à luz,
> sofre porque veio a sua hora.
> Mas, depois que deu à luz a criança,
> já não se lembra da aflição,
> por causa da alegria que sente
> de haver nascido um homem no mundo.
> Assim também vós:
> sem dúvida, agora estais tristes,
> mas hei de ver-vos outra vez,
> e o vosso coração se alegrará
> e ninguém vos tirará a vossa alegria.
> (São João 16,21-22)

A Providência, de maneira sábia, ordenara que as dores da mãe fossem compensadas pela alegria do filho. Do mesmo modo, as aflições da cruz são precursoras das alegrias da ressurreição. Deve haver comunhão nos sofrimentos do Cristo antes que haja comunhão na Sua glória. No momento, tinham tristeza porque não mais O veriam na carne, mas a alegria deles viria por um despertar espiritual, e essa alegria teria um caráter permanente que o mundo não poderia tirar.

A natureza dessa alegria suprema que seria a deles foi explicada pelo Salvador em termos de um Consolador ou Paráclito que enviaria.

> E eu rogarei ao Pai, e ele vos dará outro Paráclito,
> para que fique eternamente convosco.
> É o Espírito da Verdade, que o mundo não pode receber,
> porque não o vê nem o conhece, mas vós o conhecereis,
> porque permanecerá convosco e estará em vós.

> Não vos deixarei órfãos. Voltarei a vós.
> Ainda um pouco de tempo e o mundo já não me verá.
> Vós, porém, me tornareis a ver, porque eu vivo e vós vivereis.
> Naquele dia conhecereis que estou em meu Pai,
> e vós em mim e eu em vós.
> (São João 14,16-20)

Haveria outro Consolador, ou outro "que fique eternamente convosco". "Outro" não é uma diferença em qualidade, mas, sim, uma distinção de pessoas. Ele lhes fora o Consolador; estava ao lado deles; fora um com eles e na Sua presença ganharam força e coragem, mas o problema é que agora Ele iria embora e lhes prometera outro Consolador ou Advogado. Assim como Ele seria o advogado com Deus nos céus, da mesma maneira o Espírito que habitaria neles advogaria a causa de Deus na terra e deles seria o defensor. O segredo Divino que lhes confiou é que a perda lhes traria a bênção maior da vinda do Espírito. O Pai fizera uma revelação dupla de si mesmo: o Filho era sua imagem que caminhava entre os homens, recordando-lhes o original divino e modelo ao qual seriam restaurados. No Espírito, o Pai e o Filho enviariam um poder divino que neles residiria e faria de seus corpos templos.

Era melhor que Ele partisse, pois seu retorno ao Pai era a condição da vinda do Espírito. *Se permanecesse entre eles, teria sido apenas um exemplo a ser imitado; se os deixasse e enviasse o Espírito, seria uma vida autêntica a ser vivida.*

> Entretanto, digo-vos a verdade:
> convém a vós que eu vá!
> Porque, se eu não for,
> o Paráclito não virá a vós;
> mas se eu for, vo-lo enviarei.
> (São João 16,7)

O retorno de Sua natureza humana em glória aos céus era uma preliminar necessária à missão do Espírito. Sua ida não seria uma perda, mas um ganho. Assim como a queda do primeiro homem foi a queda de sua descendência, da mesma maneira, a Ascensão do Filho do Homem seria a ascensão de todos os que estivessem ligados a Ele. Sua morte expiatória era a condição para receber o Espírito de Deus. Se não partisse, ou seja, caso não morresse, nada seria feito; os judeus permaneceriam como estavam, os pagãos persistiriam na cegueira e todos estariam sob o pecado e a morte. A presença corpórea tinha de ser removida para que a presença espiritual pudesse acontecer. Sua presença contínua sobre a terra significaria uma presença local; a descida do Espírito indicaria que Ele poderia estar no meio de todos os homens que se incorporassem a Ele.

A presença permanente do Espírito significaria mais do que a presença física entre eles. Desde que Nosso Senhor esteve com eles na terra, Sua influência não foi, nem de longe, interior; mas, quando enviasse o Espírito, a influência irradiaria de fora; aqueles que a possuíssem teriam o Espírito de Jesus Cristo na terra.

Haveria uma dupla glorificação de si mesmo: uma por intermédio do Pai, e outra por intermédio do Espírito. Uma ocorreria nos céus; a outra, na terra. Por uma seria glorificado no próprio Deus e, por outra, é glorificado em todos os que Nele creem:

> Ele me glorificará, porque receberá do que é meu,
> e vo-lo anunciará.
> Tudo o que o Pai possui é meu.
> Por isso, disse: Há de receber do que é meu,
> e vo-lo anunciará.
> (São João 16,14-15)

Seria glorificado quando Sua natureza humana estivesse sentada à direita do Pai. Entretanto, Sua glória espiritual celeste não poderia ser verdadeiramente apreendida a menos que enviasse o Espírito revelador da glória de Cristo ao habitar e agir dentro deles. Embora conhecessem Cristo na carne, agora estavam seguros de que não mais O conheceriam.

A obediência foi descrita como condição necessária para a recepção do Espírito:

> Se me amais, guardareis os meus mandamentos.
> E eu rogarei ao Pai, e ele vos dará outro Paráclito,
> para que fique eternamente convosco.
> (São João 14,15-16)

O Espírito veio a Cristo no rio Jordão após trinta anos de obediência ao Pai Celestial, a José, o pai adotivo, e à mãe. Seu segundo ato de obediência foi aceitar o mandamento do Pai de suportar a Cruz em resposta ao "dever" divino. Só depois da obediência o Espírito seria dado aos apóstolos. Assim como enviou o Espírito por conta da obediência ao Pai, Deus habitou o templo de Jerusalém porque obedeceram suas instruções ao construí-lo. Nos dois últimos capítulos do livro do Êxodo, por 18 vezes foi empregada a expressão de que tudo foi feito conforme o Senhor ordenara. Assim, portanto, Nosso Senhor Bendito preparou-se para tornar os corpos humanos templos do Seu Santo Espírito e também estabeleceu as mesmas condições de que obedecessem Seus mandamentos.

O próprio Pedro falaria disso imediatamente após o Pentecostes:

> Exaltado pela direita de Deus,
> havendo recebido do Pai o Espírito Santo prometido,
> derramou-o como vós vedes e ouvis.
> (Atos dos Apóstolos 2,33)

Em seguida, explicou que o Espírito lhes ensinaria novas verdades ao recordar-lhes as antigas, recordaria as antigas verdades ao ensinar as novas. Cristo comunicara uma forma de verdade seminal, mas não a plenitude. Quando enviou seu Espírito, a memória seria refrescada de modo extraordinário e a convicção da verdade suplantaria até mesmo o conhecimento preparatório.

> Mas o Paráclito, o Espírito Santo,
> que o Pai enviará em meu nome,
> ensinar-vos-á todas as coisas
> e vos recordará tudo o que vos tenho dito.
> (São João 14,26)

Assim como uma luz brilhou no Antigo Testamento pela vinda de Cristo, da mesma maneira uma luz brilhará na vida de Cristo pelo Espírito. A função fortalecedora do Espírito, portanto, entrou em conexão imediata com a função iluminadora de Cristo como Mestre. Os que voltam à forma pura do Evangelho se esquecem de que o Mestre do Evangelho, o próprio Cristo, falou de progressão, de evolução, de desvendar sua verdade por intermédio dos apóstolos. Assim como o Filho deu a conhecer o Pai, da mesma maneira o Espírito daria a conhecer o Filho; assim como o Filho glorificou o Pai, o Espírito, igualmente, glorificaria a Cristo. Foi, de fato, somente após a Ressurreição e a descida do Espírito Santo que os apóstolos recordaram as palavras que Ele lhes dissera e, também, compreenderam plenamente o significado da Cruz e da Ressurreição.

Havia duas árvores no jardim do Paraíso: a árvore da vida divina e a árvore do conhecimento do bem e do mal. Estava no plano de Deus que o homem permanecesse com Ele em comunhão com a árvore da vida que poderia comer e, portanto, viver para sempre. Satanás assegurou ao homem que o caminho da paz era por meio da árvore do conhecimento do bem e do mal. Entretanto, o homem esqueceu que o mal está nele, começa a tomar posse dele. Pelo caminho falso do conhecimento do bem e do mal, o homem foi levado à destruição. Agora, a árvore da vida é erigida no Calvário e novamente dada ao homem. A árvore da vida, assim, tornou-se não a árvore do conhecimento do bem e do mal, mas a árvore da própria verdade por intermédio do Espírito.

> Quando vier o Paráclito, o Espírito da Verdade,
> ensinar-vos-á toda a verdade,
> porque não falará por si mesmo,
> mas dirá o que ouvir,
> e anunciar-vos-á as coisas que virão.
> (São João 16,13)

Disse que o Espírito da Verdade que vem do Pai e Dele mesmo faria a verdade entrar na alma de maneira tal que iria torná-la uma realidade. A verdade natural está na superfície da alma, mas a verdade divina se encontra nas profundezas. Para conhecer o Pai, devemos conhecer o Filho; para conhecer o Filho, devemos ter o Espírito, pois o Espírito revelará o Filho que disse:

> Eu sou [...] a verdade.
> (São João 14,6)

Se toda a humanidade precisasse de um mestre, o homem há muito teria sido santo, pois teve mestres desde os sábios hindus até este exato momento. No entanto, é necessário mais que o espírito humano para tornar o homem santo, ou para conhecer a verdade; requer o Espírito da Verdade. As verdades humanas somente podem ser conhecidas ao serem vividas, e as verdades divinas podem ser vividas ao vivermos no Espírito.

Em sua promessa do Espírito, Nosso Senhor afirmou quatro verdades a respeito de si mesmo. Primeiro, disse que tinha "saído do Pai": em outras palavras, foi gerado desde toda a eternidade como o Verbo ou o Filho de Deus. Em seguida, disse: "vim ao mundo", referindo-se à encarnação e revelação de sua divindade aos homens. Em terceiro lugar, "deixo o mundo", que significa a rejeição que sofreu pelo mundo, os sofrimentos, a Paixão e a morte. Agora, disse aos apóstolos, "vou para o Pai", referindo-se à Sua Ressurreição dos mortos, Sua Ascensão ao Pai e à glória, e a Descida de Seu Espírito. O efeito dessas verdades básicas sobre o mundo agora ele começaria a elaborar.

A TRIPLA MISSÃO DO ESPÍRITO

> E, quando ele [o Paráclito] vier,
> convencerá o mundo a respeito
> do pecado, da justiça e do juízo.
> (São João 16,8)

Essa é a descrição da tripla vitória que o Espírito Santo terá sobre o mundo por intermédio dos apóstolos — uma vitória que não é física, mas moral. De um lado, haveria a verdade divina, de outro, o falso espírito do mundo. A missão do Espírito seria a de convencer e provar ao mundo o erro em três áreas: a visão do mundo de pecado, a visão do mundo de justiça e a visão do mundo de juízo.

> Convencerá o mundo a respeito do pecado,
> que consiste em não crer em mim.
> (São João 16,9)

A primeira convicção do Espírito, ou demonstração, seria a verdade de que o homem é pecador. O pecado nunca é totalmente compreendido em termos de uma violação da lei; o mal é revelado quando é visto o que faz a quem é amado. A incredulidade que gerou a crucifixão, portanto, tem o pecado em sua essência. O pecado, em plenitude, é a rejeição de Cristo. A via comum de ganhar os homens para a verdade é por algum apelo popular. Entretanto, o Espírito ganhará os homens para a verdade por convencê-los de sua pecaminosidade; ao fazê-lo, terá revelado o fato de Cristo ter sido, primeiro, um redentor ou salvador do pecado.

O ministério do Espírito condenaria o mundo de pecado a partir de outro ponto de vista, porque este se recusou a crer no Cristo. Pela incredulidade ou pela recusa em aceitar a libertação do pecado que Cristo trouxe, afirma-se o antagonismo ao divino. A própria incredulidade que os homens demonstram para com Ele revela onde está escondido o pecado. Nada, senão o Espírito, pode convencer o homem do pecado: a consciência não pode fazê-lo, pois, às vezes, pode ser abafada; a opinião pública não pode fazê-lo, pois, às vezes, justifica o pecado; mas o pecado mais grave de todos que o Espírito revelaria não seria a intemperança, a avareza ou a luxúria, mas a descrença em Cristo. É esse mesmo Espírito de Deus que torna o pecador não só consciente de seu estado, mas também o faz contrito e penitente quando aceita a redenção.

Rejeitar o redentor é preferir o mal ao bem. O crucifixo é uma autobiografia em que o homem pode ler a própria história, seja a própria salvação ou a própria condenação. Desde que o pecado passou a ser visto somente do ponto de vista psicológico, a Cruz de Cristo parece um exagero. A areia do deserto, o sangue de um animal ou a água podem muito bem purificar o homem. No entanto, uma vez que o pecado é visto à luz da Santidade Infinita, então somente a Cruz de Cristo pode igualar e satisfazer esse trágico horror.

A segunda acusação do Espírito relaciona-se com a justiça.

> Ele o convencerá a respeito da justiça,
> porque eu me vou para junto do meu Pai
> e vós já não me vereis.
> (São João 16,10)

À primeira vista, parece artificial ver como o Cristo poderia dizer que Sua Ascensão ao Pai não teria relação alguma com a retidão do coração. Entretanto, aqui, acrescentou algo ao que dissera sobre o pecado. Como o mundo, por vezes, vê o pecado somente como atos de transgressão e não de descrença, então, em muitas ocasiões vê justiça em atos de filantropia, mas não na justificação que o homem tem à direita do Pai por Cristo. Uma vez que Nosso Senhor ascenda aos céus, o Espírito demonstra como o mundo estava errado ao vê-lo como um criminoso e malfeitor. A Ascensão transforma todos os padrões de certo e errado do mundo. O fato de o Pai exaltá-lo à sua direita comprovaria que todas as acusações feitas a Ele eram falsas. O mundo foi injusto ao rejeitá-lo.

Uma vez que o homem esteja convencido da própria pecaminosidade, não pode estar convencido da própria justiça; uma vez convencido de que Cristo o salvou do pecado, então está convencido de que Cristo é a sua justiça. Entretanto, podemos falar de justiça para quem não é pecador. O fariseu diante do templo estava convencido da própria justiça; os líderes do templo que O condenaram à morte estavam convencidos da própria justiça. A Sexta-Feira Santa parece imputar o pecado ao Cristo e a justiça aos Seus juízes, mas o Pentecostes e a vinda do Espírito atribuiriam a justiça ao crucificado e o pecado aos juízes. Para aqueles que O rejeitaram, a justiça surgiria, um dia, como uma justiça terrível; para os pecadores que O aceitaram e aliaram-se à vida Dele, a justiça se mostraria misericórdia.

> Ele o convencerá a respeito do juízo,
> que consiste em que o príncipe deste mundo
> já está julgado e condenado.
> (São João 16,11)

A última das três convicções relaciona-se com o juízo. Quando o pecado e a justiça colidem, haverá o juízo em que o pecado será destruído. Quem está sendo julgado aqui é "o príncipe deste mundo" ou Satanás, o que governa este mundo. O julgamento do príncipe deste mundo foi realizado pela Cruz e Ressurreição, pois o mal nunca pode fazer nada mais poderoso do que matar a carne do Filho de Deus. Derrotado, nunca poderia ser novamente vitorioso. Adão e Eva, após o pecado, confrontaram-se com a justiça de Deus, e o julgamento foi a expulsão do Paraíso. No dilúvio, os pecados da humanidade foram confrontados com a santidade de Deus, e a inundação veio como juízo. Quando Israel saiu do Egito, o êxodo foi efetuado por um julgamento divino; portanto, quando é chegado o Espírito da Verdade, trará de volta para os corações e as mentes dos homens o juízo inerente à vida e à morte de Nosso Senhor e a vitória suprema sobre o mal. Pelos próprios olhos, o mundo não pode ser condenado, mas pode ser condenado aos olhos daqueles cuja visão foi purificada pela Cruz. O Espírito Santo revelaria aos homens a verdadeira natureza do grande drama que foi consumado na Cruz.

40

A oração do Senhor ao Pai

Um aviador, o comandante de um submarino ou um oficial no campo costumam enviar a seus superiores a mensagem lacônica: "missão cumprida". Nosso Bendito Senhor tinha dito Sua última palavra ao mundo; operou milagres como sinal de Sua divindade; levou a cabo os negócios que o Pai lhe tinha dado para fazer. Era chegada a hora de dirigir ao Pai Celestial a oração sacerdotal de "missão cumprida". Em literatura alguma se encontra a simplicidade e a profundidade, a grandeza e o fervor desta última oração. Ele ensinou aos homens como orar o "Pai Nosso"; agora, diria "Meu Pai".

A oração estava baseada em sua consciência de mediador entre o Pai e a humanidade. Pela sétima vez, falou de Sua "Hora", que invariavelmente aludia a Sua morte e glorificação.

> Pai, é chegada a hora.
> Glorifica teu Filho, para que teu Filho glorifique a ti;
> e para que, pelo poder que lhe conferiste sobre toda criatura,
> ele dê a vida eterna a todos aqueles que lhe entregaste.
> Ora, a vida eterna consiste em que conheçam a ti,
> um só Deus verdadeiro, e a Jesus Cristo que enviaste.
> Eu te glorifiquei na terra.
> Terminei a obra que me deste para fazer.
> Agora, pois, Pai, glorifica-me junto de ti,
> concedendo-me a glória que tive junto de ti,
> antes que o mundo fosse criado.
> (São João 17,1-5)

Durante a Última Ceia, Nosso Bendito Senhor usou a palavra "Pai" 45 vezes. Até então, o mundo conhecera o Ser Supremo apenas como Deus. Agora, Ele enfatizava que Deus é *Pai*, por causa de Sua atitude paternal e de intimidade para com os homens; também anunciou que agora Ele, o Filho Divino, concluíra Sua missão temporal na terra, e Sua humanidade estava pronta para receber a glória celestial. Quando o Verbo se fez carne, houve um rebaixamento, um esvaziamento e uma submissão. O que pedia não era a glória de Sua natureza divina, pois esta nunca se perdeu, mas, sim, a glorificação de algo que Ele não tinha antes de vir a este mundo, a saber, a glorificação da natureza humana recebida de Maria. Sua natureza humana tinha o direito à glória por causa da união com Ele mesmo. Em seguida, disse aos discípulos no caminho de Emaús:

> Porventura não era necessário
> que Cristo sofresse essas coisas
> e assim entrasse na sua glória?
> (São Lucas 24,26)

O Senhor definiu a vida eterna como conhecer o Pai e Seu Filho Divino, Jesus Cristo. Não bastava saber da existência de Deus conforme provada pela razão; essa, de fato, é a base da religião natural, mas a vida eterna vem tão somente do conhecimento de Jesus Cristo. O mais notável nessa afirmação de que Ele é a vida eterna é que ela foi pronunciada a 18 horas de Sua morte. O Pai, disse o Senhor, foi glorificado indiretamente em Seu sofrimento mortal. Isso aconteceu pelo cumprimento da missão do Pai de redimir a humanidade. Por toda a história, a mente do homem voltou-se para Deus, mas havia apenas conjeturas de qual era a vontade de Deus. Jesus disse aqui que tinha um plano antes de vir, e falou dele como concluído antes de ser crucificado, tal era Seu desejo de obedecer ao Pai. Nenhum jovem de 33 anos que já viveu podia dizer: "Recebi uma ordem de Deus e a cumpri". Mas aqui estava a afirmação de que o último fio tinha sido traçado na tapeçaria da providência. Ele era o "Cordeiro de Deus imolado desde a fundação do mundo" pela vontade divina. Havia chegado, então, a "hora" ou o momento da execução daquela vontade. Com ela, Ele pediu ao Pai que tomasse Sua natureza humana na glória da majestade preexistente da divindade.

A autoridade dos apóstolos

A parte seguinte da oração falava da relação entre o Pai, o Filho e os apóstolos; tinha a ver com a autoridade destes.

> Manifestei o teu nome aos homens que do mundo me deste.
> Eram teus e deste-mos e guardaram a tua palavra.
> Agora eles reconheceram que todas as coisas que me deste procedem de ti.
> Porque eu lhes transmiti as palavras que tu me confiaste
> e eles as receberam e reconheceram verdadeiramente que saí de ti,
> e creram que tu me enviaste.
> Por eles é que eu rogo.
> Não rogo pelo mundo, mas por aqueles que me deste, porque são teus.
> (São João 17,6-9)

Deus não é só poder ou um vago Motor imóvel, como Aristóteles o concebia; é um Pai amorosíssimo que não é inteiramente conhecido e compreendido senão por Seu Filho. A seguir, Jesus descreveu os apóstolos em quem Sua Presença foi sentida: foram separados do mundo que estava tomado de incredulidade, mas eram propriedade do Pai. Todos aqueles que se tornaram Seus Seguidores, disse, são dádivas do Pai. Ele os manteve como o Pastor as ovelhas, ensinou-os como um mestre aos discípulos, curou-os como um médico os pacientes. O Pai mergulhou a mão todo-poderosa nessa massa pecaminosa da humanidade e separou dela homens do mundo; colocou-os então nos braços de Seu Divino Filho, que, por sua vez, deu-lhes poder de levar adiante Sua obra, falar em Seu Nome e aplicar os méritos de Sua Redenção.

Nosso Divino Senhor observa aqui a continuidade da missão — do Pai até Ele e Dele aos apóstolos. Qualquer outro corpo de homens que possa, em cinquenta, cem ou quinhentos anos, ler algo que um dos evangelistas escreveu depois de Sua morte careceria daquele contato direto essencial para a comunicação do poder divino. Crendo que o Pai enviara o Filho e que eles se sentaram com o Filho feito carne, podiam agora atestar o fato de que Ele os enviara. A Cruz haveria de estar sobre seus ombros como estava nos ombros do Senhor; Ele foi caluniado, e eles também seriam vilipendiados. Se partilhassem do espírito do mundo, e não do Espírito que o Senhor lhes daria, seriam amados pelo mundo.

Depois de pedir que os apóstolos permanecessem em amor, Nosso Senhor pediu ao Pai que fossem livrados do mal. Disse que estava deixando o mundo, mas que eles permaneceriam nele, embora o mundo os odiasse do mesmo modo como O crucificariam. Eles, e todos os que se uniriam a Ele por intermédio do corpo apostólico, haveriam de estar *no* mundo, mas não seriam *do* mundo. Nosso Senhor não pediu ao Pai que fossem poupados de doença, de escárnio ou de acusações falsas; pediu apenas que fossem preservados do pecado. Os ataques materiais exteriores deveriam ser enfrentados pela resistência espiritual interior. Uma vez que haviam de ser ridicularizados pelo mundo, o Senhor estava pedindo que resistissem por amor ao Seu nome. Não havia escapismo. O mundo diria: "Se aceitais a Cristo, então sois escapistas". Mas Cristo disse que, se fugimos Dele, é que somos escapistas. Ele mesmo deu o golpe de misericórdia na acusação de que Sua religião era um escape. No monte das beatitudes, disse a seus seguidores que se considerassem felizes se fossem perseguidos; agora, dizia-lhes que tinham de ser coparticipantes do ódio que Ele mesmo sofria. A Cruz não é nenhum "escape"; é um fardo — "um jugo suave e um fardo leve" (São Mateus 11,30).

Viver em meio à contaminação do mundo e ao mesmo tempo imune a ela é algo impossível sem a graça. Agora, o pedido ao Pai era que os santificasse.

> Não peço que os tires do mundo,
> mas sim que os preserves do mal.
> Eles não são do mundo,
> como também eu não sou do mundo.
> Santifica-os pela verdade.
> A tua palavra é a verdade.
> (São João 17,15-17)

No Antigo Testamento, aqueles que serviam a Deus tinham de ser santos.

> Farás uma lâmina de ouro puro na qual gravarás,
> como num sinete, Santidade a Javé.
> Prendê-la-ás com uma fita de púrpura violeta na frente do turbante.
> Estará na fronte de Aarão, que levará assim a carga das faltas cometidas pelos israelitas,
> na ocasião de algumas santas ofertas que possam apresentar:
> estará continuamente na sua fronte,
> para que os israelitas sejam aceitos pelo Senhor.
> (Êxodo 28,36-38)

A santidade, outrora evidenciada pela insígnia na fronte sacerdotal, agora estaria no coração por meio do Espírito que Santifica. Não bastava que fossem santos; tinham de ser "santificados pela verdade". Assim como a luz do sol purifica o corpo de doenças, assim também Sua verdade, disse Ele, santificava a alma e a preservava do mal.

A santidade há de ter um fundamento filosófico e teológico, a saber, a verdade divina; de outra sorte, é sentimentalismo e emocionalismo. Muitos diriam mais tarde: "Queremos religião, mas sem credos". É como dizer que queremos cura, mas sem medicina; música, mas sem as suas regras; história, mas sem documentos. Religião é de fato uma vida, mas provém da verdade, e não pode dela se apartar. Diz-se que pouco importa em que você crê; tudo depende de como você age. Isso é uma tolice psicológica, pois o homem age com base em suas crenças. Nosso Senhor pôs a verdade ou a fé Nele em primeiro lugar; em seguida vêm a santificação e as boas obras. Aqui, no entanto, a verdade não era um ideal vago, mas uma pessoa. A verdade agora era amável, porque só uma pessoa é amável. A santidade se torna a resposta do coração à verdade divina e a sua graça ilimitada à humanidade. Então Nosso Senhor acrescentou que, como Ele fora enviado para cumprir os negócios do Pai, assim eles, santificados pelo Espírito de santidade, seriam enviados por toda a terra como Seus embaixadores.

> Como tu me enviaste ao mundo,
> também eu os enviei ao mundo.
> (São João 17,18)

Quando o Verbo se fez carne, a natureza humana que estava unida a Ele foi santificada e consagrada a Deus. Agora, Ele pedia que aqueles que agiriam em seu nome fossem tão dedicados a Ele segundo suas respectivas naturezas assim como Ele se dedicara a Deus conforme a própria natureza. No dia seguinte, por causa deles, Ele se ofereceria na Cruz para comprar-lhes a dedicação à santidade. Mais eficaz do que as vítimas da Lei antiga com todas as suas sombras e figuras, o holocausto de Cristo providenciou-lhes uma santificação autêntica:

> Santifico-me por eles para que também
> eles sejam santificados pela verdade.
> (São João 17,19)

Ele não reteve nada; tudo que era em Corpo, Sangue, Alma e Divindade sacrificou por eles em total rendição. Onde Seu Sangue, aquele do

Cordeiro de Deus, fosse aspergido, ali estaria Seu Espírito e santificação. Ninguém O conduziria ao matadouro. Oferecer-se-ia "por causa deles", a fim de ser-lhes a fonte da vida. Então, tanto aquele que santificava quanto os que foram santificados seriam um. Os pecados do mundo foram transferidos para Ele, e a Cruz foi o resultado; Sua santidade e santificação foram transferidas aos apóstolos e àqueles que, por meio deles, creriam no Senhor. São Paulo parafrasearia essa ideia em sua epístola aos coríntios.

> Aquele que não conheceu o pecado,
> Deus o fez pecado por nós,
> para que nele nós nos tornássemos justiça de Deus.
> (2 Coríntios 5,21)

A oração pelos fiéis

A terceira parte de Sua oração foi por aqueles que através dos séculos creriam nele por causa dos apóstolos:

> Não rogo somente por eles,
> mas também por aqueles que por sua palavra hão de crer em mim.
> Para que todos sejam um, assim como tu, Pai,
> estás em mim e eu em ti, para que também eles estejam em nós
> e o mundo creia que tu me enviaste.
> Dei-lhes a glória que me deste,
> para que sejam um, como nós somos um:
> eu neles e tu em mim, para que sejam perfeitos na unidade
> e o mundo reconheça que me enviaste
> e os amaste, como amaste a mim.
> (São João 17,20-23)

As preocupações mais profundas de Seu Sagrado Coração abarcavam as dimensões do universo, assim o tempo como o espaço. Ele não teria unido apenas os apóstolos em amor Consigo, mas também faria de todas as almas crentes, por meio do ministério apostólico, um com Ele. A unidade com o Senhor não seria global e confusa, mas íntima e pessoal, pois Ele disse: "Chamo minhas ovelhas pelo nome". Embora estivesse agora se dirigindo apenas a 11 homens, tinha em mente todos os milhões que mais tarde viriam a crer

Nele por meio destes homens e de seus sucessores. O vínculo de unidade deve existir entre os crentes e o Senhor, com base naquela unidade mais elevada que há entre o Senhor e o Pai. Visto que o Pai e Ele são um no Espírito, em poucos minutos Ele lhes contaria que este Espírito haveria de vir sobre eles para fazer deles verdadeiramente um. Chamou a esse Espírito de "Espírito da verdade", isto é, Seu Espírito. Assim como o corpo é um porque tem alma, assim também a humanidade deve ser uma quando tem o mesmo Espírito que faz do Pai e do Filho um no céu. A unidade que os crentes tinham de ter com Ele havia de ser intermediada pelos apóstolos. Então, concluiu essa parte da oração por santidade e unidade de Seu Corpo Místico com as seguintes palavras:

> Pai, quero que, onde eu estou,
> estejam comigo aqueles que me deste,
> para que vejam a minha glória que me concedeste,
> porque me amaste antes da criação do mundo.
> Pai justo, o mundo não te conheceu, mas eu te conheci,
> e estes sabem que tu me enviaste.
> Manifestei-lhes o teu nome, e ainda hei de lho manifestar,
> para que o amor com que me amaste esteja neles, e eu neles.
> (São João 17,24-26)

Aquele que agora disse que completara Sua obra terrena designou seus seguidores como uma comunidade, ou uma fraternidade. No início da oração, Ele tinha simplesmente invocado o Pai dizendo: "É por estes que oro". Agora, torna-se mais categórico e expressa Sua vontade: "Este é meu desejo, Pai". Reconheceu que essa unidade seria completa e perfeitamente alcançada apenas na glória e na eternidade. Todos os membros de Seu Corpo Místico um dia veriam essa glória quando estivessem com Ele; então seria revelada a glória que Ele tinha antes que "o verbo se fizesse carne e habitasse entre nós", a glória que era Dele "antes da fundação do mundo".

No Pai Nosso, que Ele ensinou aos homens, havia sete petições. No "Meu Pai", também havia sete petições, e faziam referência aos apóstolos que eram o fundamento de Seu Reino na terra. Primeiro, sua união contínua com Ele; segundo, a alegria deles como resultado dessa união; terceiro, a proteção do mal; quarto, a santificação na verdade que é Ele mesmo; quinto, a unidade de uns com os outros; sexto, que enfim fossem um com Ele; e, sétimo, que percebessem Sua glória.

41

A AGONIA NO JARDIM

Registrada na história de Nosso Senhor há somente uma vez em que Ele cantou, e isso foi depois da Última Ceia quando partiu para a morte no Jardim do Getsêmani:

> Terminado o canto dos Salmos,
> saíram para o monte das Oliveiras.
> (São Marcos 14,26)

Os cativos na Babilônia penduravam as harpas nos salgueiros, pois não podiam levar uma canção que provinha de seus corações para uma terra estrangeira. Um cordeiro dócil não abre a boca ao ser levado ao abate, mas o verdadeiro cordeiro de Deus cantou de alegria diante da perspectiva da redenção do mundo. Então, veio a grande advertência de que todos poderiam ter, Nele, a confiança abalada.

A "Hora", sobre a qual muitas vezes falara, aproximava-se depressa; quando chegasse, ficariam escandalizados: se Ele era Deus, por que haveria de sofrer?

> Esta noite serei para todos vós
> uma ocasião de queda.
> (São Mateus 26,31)

Aquele que seria a pedra angular da fé dos apóstolos nos dias seguintes nesse momento os advertia de que também seria a pedra de tropeço. Denominou-Se "o bom pastor" e, agora, era a hora de dar a vida por Suas ovelhas. Remontando a séculos de profecias, lhes citava, nesse momento, o que predissera Zacarias:

> Fere o pastor, que as ovelhas sejam dispersas
> (Zacarias 13,7)

Para ser um Salvador, Cristo deveria ser um sacrifício. Era isso o que os escandalizaria. Na verdade, uma hora depois, todos os apóstolos O abandonaram e partiram. No entanto, já que nunca falou de Sua Paixão sem predizer a Ressurreição, imediatamente acrescentou palavras que eles não compreendiam:

> Mas, depois da minha Ressurreição,
> eu vos precederei na Galileia.
> (São Mateus 26,32)

Tal promessa nunca fora feita antes: um morto marcando um encontro com os amigos depois de três dias na sepultura. Embora a ovelha pudesse abandonar o pastor, o pastor encontraria a ovelha. Como Adão perdeu a herança da união com Deus em um jardim, da mesma maneira Nosso Senhor Bendito inaugurava a restauração em um jardim. O Éden e o Getsêmani foram os dois jardins em torno dos quais girou o destino da humanidade. No Éden, Adão pecou; no Getsêmani, Cristo tomou sobre Si os pecados da humanidade. No Éden, Adão escondeu-se de Deus; no Getsêmani, Cristo intercedeu junto ao Pai; no Éden, Deus procurou por Adão em seu pecado de rebelião; no Getsêmani, o novo Adão procurou o Pai, submeteu-Se e resignou-Se. No Éden, uma espada foi empunhada para evitar a entrada no jardim e, assim, a imortalização do mal; no Getsêmani, a espada seria posta na bainha.

O jardim chamava-se Getsêmani por conta da presença de uma prensa de azeitonas. Não foi a primeira vez que Nosso Senhor esteve nesse jardim.

> Jesus ia frequentemente para lá com os seus discípulos.
> (São João 18,2)

Além disso, muitas vezes passava as noites lá:

> Durante o dia Jesus ensinava no templo e,
> à tarde, saía para passar a noite
> no monte chamado das Oliveiras.
> (São Lucas 21,37)

Judas já tinha dado andamento a seu negócio escuso de traição. Oito dos apóstolos foram deixados perto da entrada do Getsêmani; os outros três,

Pedro, Tiago e João, que foram os companheiros de Jesus quando Ele ressuscitou a filha de Jairo e quando Sua face resplandeceu como o sol no Monte da Transfiguração, foram com o Senhor para o jardim. É como se, naquela última luta no vale das sombras, Sua alma humana ansiasse pela presença daqueles que mais O amavam. Por parte dos apóstolos, estavam fortalecidos pelo escândalo de Sua morte, já que tinham visto a prefiguração de Sua glória na Transfiguração. Ao entrar no jardim, Ele lhes disse:

> Assentai-vos aqui, enquanto eu vou ali orar.
> (São Mateus 26,36)

Começando a ficar "consternado e angustiado", disse aos três apóstolos:

> Minha alma está triste até a morte.
> Ficai aqui e vigiai comigo.
> (São Mateus 26,38)

Isaías profetizara que recairia sobre Ele a iniquidade de todos. No cumprimento dessa profecia, experimentou a morte por todos os homens, suportando a culpa como se fosse própria. Dois elementos estavam inseparavelmente unidos — carregar a culpa e obedecer sem pecado. Prostrado com a face por terra, nesse momento rezava ao Pai Celestial:

> Meu Pai, se é possível, afasta de mim este cálice!
> Todavia não se faça o que eu quero,
> mas sim o que tu queres.
> (São Mateus 26,39)

Suas duas naturezas, a divina e a humana, estavam ambas encerradas nessa prece. Ele e o Pai eram um; não era o "Nosso Pai", mas o "Meu Pai". Inquebrantável era a consciência do amor do Pai, mas, por outro lado, Sua natureza humana recuou da morte como uma penalidade pelo pecado. A contração natural da alma humana diante da punição merecida pelo pecado era dominada pela submissão divina à vontade do Pai. O "não" ao cálice da Paixão era humano; o "sim" à vontade divina era a superação da relutância humana ao sofrimento por conta da redenção. Tomar o cálice amargo do sofrimento humano que expia o pecado e adoçá-lo com gotículas de "Deus assim o quer" é o sinal Daquele que sofreu em nome do homem e, ainda assim, Aquele cujo sofrimento tinha valor infinito, porque era Deus bem como homem.

Essa cena é envolta por um halo de mistério que nenhuma mente humana pode adequadamente penetrar. Podemos tentar adivinhar, de modo vago, o horror psicológico dos progressivos estágios de medo, ansiedade e pesar que O prostraram antes que um único golpe tivesse sido dado. Dizem que os soldados temem muito mais a morte antes da hora zero de um ataque do que no calor da batalha. A luta ativa tira o medo da morte que se faz presente quando a contemplamos sem agir. Entretanto, há algo mais profundo na antecipação tranquila da contenda vindoura que acresceu sofrimento mental a Nosso Senhor. É bem provável que a agonia no jardim tenha Lhe custado muito mais sofrimento que a dor física da crucifixão, e, talvez, tenha levado Sua alma a regiões muito mais sombrias que em qualquer outro momento da Paixão, com a possível exceção do momento na cruz em que bradou:

> Meu Deus, meu Deus, por que me abandonaste?
> (São Mateus 27,46)

Seus sofrimentos mentais eram muito diferentes dos sofrimentos de um simples homem, porque além de possuir inteligência humana, Ele também era dotado de inteligência divina. Ademais, tinha um organismo físico que era tão perfeito quanto pode ser um organismo humano; portanto, era muito mais sensível à dor que nossa natureza humana, que foi calejada por emoções brutas e por experiências malignas.

Essa agonia pode ser retratada de maneira débil ao percebermos que há diferentes graus de dor em vários níveis das criações. Os humanos muitas vezes exageram a dor dos animais ao pensar que estes sofrem como os humanos. O motivo por que não sofrem de maneira tão intensa quanto os humanos é que não têm intelecto. Cada pulsação de dor animal é separada e distinta e não está relacionada a nenhuma outra pulsação. No entanto, quando o homem sofre uma dor, volta ao passado de sua memória intelectual, acresce todas as dores anteriores e as faz recair sobre si, dizendo: "Esta é a terceira semana de agonia" ou "este é o sétimo ano em que sofro". Ao resumir todos os golpes anteriores do martelo da dor, faz da centésima pancada algo misto em si, com a intensidade multiplicada pelos 99 golpes anteriores. Isso o animal não pode fazer. Por essa razão o homem sofre mais que as feras.

Além disso, a mente humana não só pode fazer o passado enfrentar o presente, como pode olhar adiante e fazer o futuro enfrentar o presente. O homem não somente pode dizer "sofri essa agonia por sete anos", como também "as perspectivas são de que sofrerei por mais sete anos". A mente humana alcança o futuro indefinido e traz para si toda essa agonia imaginada que, para isso, ainda está armazenada e a adiciona ao momento presente de dor. Por essa habilidade mental, não só de se lançar em um amontoado de sofrimentos contínuos do passado, como também de se postar sob a pilha de torturas futuras imaginadas, o homem pode sofrer muito mais que qualquer animal. O homem se impregna do que aconteceu e do que acontecerá. É por isso que, quando prestamos assistência ao doente, em geral, tentamos distraí-lo, interrompendo a continuidade de sua dor e fazendo-o relaxar a mente, o que torna menos provável que aumente a agonia.

Entretanto, no caso de Nosso Senhor, há duas diferenças que devem ser mencionadas. Primeiro, o que predominava em sua mente não era a dor física, mas a dor moral ou o pecado. Havia, de fato, o medo natural da morte que deveria ter por Sua natureza humana; mas não era esse medo vulgar que dominava Sua agonia. Era algo muito mais mortal que a morte. Era o fardo do mistério do pecado do mundo que repousava em Seu coração. Segundo, em acréscimo ao Seu intelecto humano que se desenvolvera pela experiência, tinha o intelecto infinito de Deus que conhecia todas as coisas e via o passado e o futuro como presente.

Pobres humanos, tão acostumados ao pecado que não percebem seu horror. O inocente compreende o horror do pecado muito melhor que o pecador. A única coisa com a qual o homem nunca aprende nada por experiência é o pecado. Um pecador se torna infectado pelo pecado. Torna-se parte dele, de modo que pode até acreditar ser virtuoso, assim como os febris podem crer estar bem. Somente o virtuoso, que está fora da corrente do pecado, pode olhar para o mal como um médico olha para a doença, pode compreender o total horror do pecado.

O que Nosso Senhor contemplou em Sua agonia não foi somente o esbofetear dos soldados e o amarrar das mãos e dos pés a uma haste de contradição, mas, sim, o fardo terrível do pecado do mundo e o fato de o mundo estar prestes a desprezar Seu Pai ao rejeitá-Lo, o Filho Divino. O que é o mal senão a exaltação da vontade própria diante da vontade amorosa de Deus; o desejo de ser um deus para si mesmo; acusar Sua sabedoria de bobagem e Seu amor de desejo de ternura? Ele não retrocedeu do rijo leito da Cruz, mas do quinhão do mundo de construí-lo. Queria que o mundo deixasse de cometer o ato mais perverso de pecado perpetrado pelos filhos dos homens — matar a Bondade Suprema, a Verdade e o Amor.

Grandes personagens e grandes almas são como montanhas — atraem as tempestades. Sobre suas cabeças irrompem trovões; em volta dos topos expostos lampejam os raios e a aparente ira de Deus. Aqui, no momento, estava a alma mais solitária, mais triste que já viveu neste mundo, o próprio Senhor. Maior que todos os homens, ao redor de sua fronte pareciam castigar as próprias tormentas de iniquidade. Ali estava toda a história do mundo resumida em um átimo, o conflito da vontade de Deus e da vontade do homem.

Está além da capacidade humana perceber como Deus sentiu a oposição das vontades humanas. Talvez o mais próximo disso seja quando os pais sentem a estranheza do poder da vontade obstinada de seus filhos ao rechaçar e desprezar a advertência, o amor, a esperança ou o medo da punição. Uma capacidade demasiado forte que reside em um corpo tão diminuto e em uma mente tão infantil; ainda assim, esse é um quadro débil dos homens quando pecam voluntariamente. O que é o pecado para a alma senão um princípio de sabedoria e uma fonte de felicidade apartados a realizar fins próprios como se não houvesse Deus? O anticristo nada mais é do que o pleno crescimento sem obstáculos da vontade própria.

Esse foi o momento em que Nosso Senhor Bendito, em obediência à vontade do Pai, tomou sobre si as iniquidades de todo o mundo e se tornou o portador do pecado. Sentiu toda a agonia e a tortura daqueles que negam a culpa ou o pecado com impunidade e não fazem penitência. Foi o prelúdio da terrível deserção que teve de suportar e que faria justiça ao Pai ao pagar o débito que nos era devido: ser tratado como um pecador. Foi castigado como pecador muito embora não houvesse pecado Nele — isso que Lhe causara agonia, a maior que o mundo já viu.

Assim como os sofredores olham para o passado e para o futuro, da mesma forma olhou o Redentor para o passado e para todos os pecados já cometidos; também olhou para o futuro, para todos os pecados que seriam cometidos até o Juízo Final. Não foram as pancadas de dor passadas que trouxe ao presente, mas, sim, cada ato mau deliberado e cada pensamento degradante oculto. Ali estava o pecado de Adão, quando, como o cabeça da humanidade, perdeu para todos os homens a herança da graça de Deus; ali estava Caim, escarlate, na mortalha do sangue de seu irmão; ali estavam as abominações de Sodoma e Gomorra; ali estava o esquecimento de seu próprio povo, que se prostrou diante de falsos deuses; ali estava a ignorância dos pagãos, que se rebelaram até contra a lei natural; todos os pecados ali estavam: os pecados cometidos no país que fizeram toda a natureza enrubescer; os pecados cometidos na cidade, na fétida atmosfera citadina pecaminosa; os pecados dos anciãos, que deveriam ter passado da idade de pecar; os pecados cometidos nas sombras, onde pensavam não penetrar os olhos de Deus; os pecados cometidos à luz, que faziam tremer até os perversos; pecados deveras horríveis para mencionar, pecados demasiado terríveis para nomear: Pecado! Pecado! Pecado!

Uma vez que Sua mente pura e sem pecado trouxe toda a iniquidade do passado para a alma como se Sua fosse, agora alcançava o futuro. Viu que Sua vinda ao mundo com o intento de salvar os homens intensificaria o ódio de alguns a Deus; viu as traições dos futuros Judas; os pecados de heresia que lacerariam o corpo místico de Cristo; os pecados dos comunistas, que não podiam forçar Deus a sair do céu, mas que expulsariam seus embaixadores da terra; viu o rompimento dos votos matrimoniais, as mentiras, as calúnias, os adultérios, os assassinatos, as apostasias — todos esses crimes foram lançados em Suas mãos, como se os tivesse cometido. Desejos malignos foram postos em seu coração como se Ele mesmo os tivesse gerado. Mentiras e cismas jaziam em sua mente, como se Ele mesmo os tivesse concebido. As blasfêmias pareciam estar em Seus lábios, como se as tivesse proferido. De Norte a Sul, Leste a Oeste, o miasma nauseabundo dos pecados do mundo avançava em Sua direção como uma enxurrada; como um Sansão, recebeu e atraiu todo o pecado do mundo sobre Si como se fosse culpado, pagando a dívida em nosso nome, a fim de que pudéssemos, mais uma vez, ter acesso ao Pai. Estava, por assim dizer, preparando-Se mentalmente para o grande sacrifício, a lançar sobre Sua alma sem pecado os pecados de um mundo criminoso. Para a maioria dos homens, o fardo do pecado é tão natural quanto as roupas que vestem, mas, para Ele, o toque daquilo que os homens tomam tão facilmente para si era a mais certeira agonia.

Entre os pecados do passado que arrastou para Sua alma como se Dele fossem e os pecados futuros que O fizeram ponderar a utilidade da morte — *Quae utilitas in sanguine meo* —, estava o horror do presente.

Encontrou os apóstolos adormecidos por três vezes. Homens preocupados com a luta contra os poderes das trevas não podiam dormir — mas esses homens adormeceram. Não é de espantar, então, com a culpa acumulada de todas as eras pendendo sobre Si como uma peste, que Sua natureza corpórea padecesse. Assim como um pai em agonia pagará a dívida de um filho rebelde, nesse momento sentia a culpa em tal grau que o sangue esvaiu de Seu corpo, sangue que verteu como contas carmesins por sobre as raízes das oliveiras do Getsêmani, gerando o primeiro rosário da redenção. Não foi a dor física que Lhe causou a agonia da alma; mas o completo pesar da rebelião contra Deus que gerava a dor corpórea. Há muito se observou que a resina que exsuda da árvore sem corte é sempre a melhor. Aqui, as melhores porções jorraram quando não havia açoite, cravos nem feridas. Sem lancetar, mas por mera voluntariedade do sofrimento de Cristo, o sangue jorrou livremente.

O pecado está no sangue. Todo médico sabe disso; mesmo os transeuntes podem atestar. A embriaguez está nos olhos, no rosto inchado. A avareza está escrita nas mãos e nos lábios. A luxúria está escrita no olhar. Não há libertino, criminoso, fanático ou pervertido que não tenha esse ódio ou inveja inscritos em cada milímetro do corpo, em cada passagem e viela do sangue e em cada célula do cérebro.

Já que o pecado está no sangue, este deve ser derramado. Como Nosso Senhor desejou que o derramamento do sangue de bodes e animais devesse prefigurar a própria expiação, da mesma maneira desejou mais ainda que os pecadores nunca mais derramassem sangue algum em guerras ou por ódio, mas tão somente invocassem Seu Precioso Sangue agora derramado em redenção. Já que todos os pecados precisam de expiação, o homem moderno, em vez de pedir o perdão no Sangue de Cristo, derrama o sangue dos próprios irmãos em guerras obscenas. Toda a vermelhidão da terra não cessará até que o homem em plena consciência de seus pecados comece a invocar para si, em paz e em perdão, o sangue redentor de Cristo, o Filho do Deus Vivo.

Toda alma pode, ao menos vagamente, compreender a natureza da batalha que ocorreu à luz do luar no Jardim do Getsêmani. Todo coração sabe algo a esse respeito. Ninguém jamais chegou aos vinte anos — para não dizer aos quarenta, aos cinquenta, ou aos setenta anos de vida — sem refletir, com algum grau de seriedade, sobre si mesmo e sobre o mundo que o cerca e sem experimentar a tensão terrível causada pela alma em pecado. Erros e tolices não se apagam da memória; pílulas para dormir não os silenciam; psicanalistas não podem explicá-los. O brilho da juventude pode fazê-los desvanecer em contornos tênues, mas há tempos de silêncio — ao ficar doente, acamado, em noites insones, no mar aberto, em momentos de quietude, na inocência no rosto de uma criança —, quando esses pecados, como espectros ou fantasmas, ardem com inexorável fulgor em nossas consciências. Sua força pode não ser percebida em um momento de paixão, mas a consciência aguarda o momento e, em alguma hora, em algum lugar, terá de suportar sua força intransigente e ver nascer um temor na alma que a deve fazer voltar novamente a Deus. Ainda que possam ser terríveis as agonias e torturas de uma única alma, elas são apenas uma gota no oceano da culpa da humanidade que o Salvador sentiu como Sua no jardim.

Ao encontrar os apóstolos dormindo pela terceira vez, o salvador não perguntou de novo se podiam velar por uma hora com ele; mais terrível que qualquer reprimenda foi a autorização, digna de nota, para dormir:

> Dormi agora e repousai!
> Chegou a hora: o Filho do Homem
> vai ser entregue nas mãos dos pecadores...
> (São Mateus 26,45)

Os seguidores cansados foram autorizados a dormir até o último momento. Sua compaixão não era mais necessária; enquanto os amigos dormiam, os inimigos conspiravam. É possível que tenha havido um intervalo entre Ele os descobrir adormecidos e a chegada de Judas e os soldados. Nesse momento, podiam continuar a dormir. A "Hora" a que tinha ansiosamente aspirado era, agora, iminente. À distância, estava o ruído dos passos pesados dos soldados romanos, os passos irregulares e apressados da multidão e das autoridades do templo com um traidor à frente.

> Levantai-vos, vamos!
> Aquele que me trai está perto daqui.
> (São Mateus 26,46)

42

O BEIJO PEÇONHENTO

A PRISÃO NO JARDIM

Aquele que havia libertado Lázaro das ataduras da morte submetia-se agora à morte. Judas conduziu um grupo de guardas dos chefes dos sacerdotes e fariseus, que empunhavam lanternas, archotes e armas. Judeus e gentios uniram-se na prisão de Cristo. Embora fosse lua cheia, Judas teve de dar aos soldados romanos um sinal para que conhecessem Nosso Senhor; o sinal foi um beijo. Antes, contudo, que os archotes procurassem a Luz do Mundo, o Bom Pastor foi ao encontro deles.

Judas estivera muitas vezes com Nosso Senhor naquele jardim, aonde o Mestre levava os discípulos para orar; portanto, ele sabia onde encontrá-Lo. Os maiores traidores são os criados na santa fraternidade de Cristo e de Sua Igreja. Só eles sabem onde encontrar Cristo depois do cair da noite.

São João, que estava no jardim naquela noite e presenciou toda a cena, disse que nada do que aconteceu pegou Nosso Senhor de surpresa:

> Como Jesus soubesse tudo o que havia de lhe acontecer, adiantou-se [...]
> (São João 18,4)

Adão escondeu-se de Deus no Jardim do Éden; Deus agora procurava os filhos de Adão no Jardim do Getsêmani. Com plena consciência de todas as profecias do Antigo Testamento a Seu respeito como Cordeiro de Deus e como oferta voluntária pelo pecado, Ele adiantou-se em rendição. Dirigindo-se com majestade imponente à multidão que se juntou com espadas e pedras nas mãos, desafiou-os a nomear Aquele a quem buscavam:

> A quem buscais?
> Responderam: A Jesus de Nazaré.
> (São João 18,4-5)

Não disseram "A ti" ou "Tu és aquele que buscamos". Era evidente que não O reconheceram nem mesmo sob a lua cheia. Foi por isso, também, que tinham combinado previamente com Judas um sinal pelo qual O conheceriam — o beijo. É curioso que aqueles que estão empenhados no mal não conseguem reconhecer a Divindade nem mesmo quando ela se põe bem diante deles. A Luz pode brilhar nas trevas, mas as trevas não a compreendem. É necessário mais que lanternas e lua cheia para perceber a Luz do Mundo. Como explicou São Paulo:

> Se o nosso Evangelho ainda estiver encoberto,
> está encoberto para aqueles que se perdem,
> para os incrédulos, cujas inteligências o deus deste mundo obcecou
> a tal ponto que não percebem a luz do Evangelho,
> onde resplandece a glória de Cristo, que é a imagem de Deus.
> (2 Coríntios 4,3-4)

E então lhes disse: "Eu sou Jesus de Nazaré". Sobreveio-lhes um terror paralisante, recuaram e caíram por terra. A humanidade dele nunca se separou da Divindade, assim como a Cruz nunca se separou da Ressurreição. Um momento antes, passara por grande agonia; agora, resplandecia a majestade de Sua Divindade. Noutra ocasião, os oficiais que foram prendê-lo acabaram presos pelas palavras Dele; os que seriam captores retrocederam, pois nenhum deles, como disse Jesus, tiraria Sua vida; Ele a entregaria por Si mesmo. Mil anos antes, o salmista previra esse incidente, que aconteceu figurativamente a Davi:

> Quando os malvados me atacam
> para me devorar vivo,
> são eles, meus adversários e inimigos,
> que resvalam e caem.
> (Salmo 26,2)

Quando teve um vislumbre de Deus, Isaías disse que estava "perdido"; e Moisés não conseguiu olhar a face de Deus. E agora a Divindade, habitando um corpo humano prestes a ser entregue à morte, reluziu para lançar os soldados e a turba numa massa disforme. Nunca há humilhação sem sinal de glória. Quando se humilhou para pedir a uma mulher da rua um pouco de água, Ele prometeu dar água da vida; quando dormiu, exausto, num barco, despertou para ordenar ventos e mares. Agora, enquanto se entregava nas mãos dos homens, ali reluziu Sua glória. Ele podia ter fugido, com os soldados e Seus inimigos caídos por terra, mas esta era a "Hora" em que o Amor se fez cativo a fim de tornar o homem livre.

O autossacrifício não busca vingança. Judas e os outros não tinham poder para capturá-lo a menos que Ele livremente se entregasse em suas mãos. Ao dar poder aos inimigos para que se levantassem, Ele, como o Bom Pastor, tinha uma única preocupação — Suas ovelhas:

> Se é, pois, a mim que buscais,
> deixai ir estes.
> (São João 18,8)

Ele havia de seguir sozinho rumo ao sacrifício. O Antigo Testamento ordenava que o sumo sacerdote estivesse sozinho quando da oferta do sacrifício:

> Ninguém esteja na tenda de reunião
> quando Aarão entrar para fazer a expiação
> no santuário até que saia.
> Fará assim a expiação por si mesmo,
> pela sua família e por toda a assembleia de Israel.
> (Levítico 16,17)

Esta era Sua hora, mas não a hora dos apóstolos. Mais tarde, eles sofreriam e morreriam em nome do Senhor, mas por ora não conseguiriam compreender a Redenção até que o Espírito os tivesse iluminado. Ele passaria pela prensa de vinho sozinho. Os apóstolos ainda não estavam em condições espirituais de morrer com Ele; dentro em pouco, todos o abandonariam. Ademais, não podiam sofrer por Cristo até que este primeiro sofresse por aqueles. Todo o propósito de Sua morte redentora, em certo sentido, era dizer a todos os homens "deixai ir estes".

Ao adentrar o jardim, o Salvador pedira a Pedro, Tiago e João que "orassem e vigiassem". Pedro agora decidira trocar a oração pela ação. Tomando uma das duas espadas que trazia consigo, feriu Malco, o servo do sumo sacerdote. Como espadachim, Pedro era um ótimo pescador, pois o melhor que conseguiu fazer, em seu intento desgovernado, foi cortar a orelha de Malco. Conquanto o zelo de Pedro fosse sincero, bem-intencionado e impulsivo, ainda assim estava equivocado na escolha dos meios. Nosso Bendito Senhor primeiro tocou a orelha do homem ferido e o curou; depois, voltando-se a Pedro, disse:

> Enfia a tua espada na bainha!
> Não hei de beber eu o cálice
> que o Pai me deu?
> (São João 18,11)

Aqui contrastamos a espada e o cálice; a espada vence pela violência, o cálice, pela submissão. Não a impaciência do violento, mas a paciência dos santos haveria de ser Seu modo de ganhar almas. Amiúde, referiu-Se a Sua Paixão e morte com a analogia de um "cálice", como quando perguntou a Tiago e João se podiam beber do cálice de Sua Paixão. Agora, o Senhor fala do cálice não como vindo de Judas, nem do Sinédrio, nem dos judeus, nem de Pilatos ou de Herodes, mas do Pai Celestial. O cálice continha a vontade do Pai, segundo a qual, por amor aos homens, Jesus havia de oferecer a própria vida a fim de restaurar-lhes uma vez mais a filiação divina. Tampouco dizia que pesava sobre Ele a sentença de ter de sofrer Sua Paixão, mas, antes, que Ele Mesmo, por amor, não podia agir de outro modo. "Não beberei deste cálice?" Ademais, aqueles que arbitrária e presunçosamente recorreram à violência, disse Nosso Senhor a Pedro, sofreriam dessa mesma violência. A vingança traz sua própria punição. Corpos podem ser conquistados com espadas desembainhadas, mas as mesmas espadas em geral se voltam contra aqueles que as empunham:

> porque todos aqueles que usarem da espada,
> pela espada morrerão.
> (São Mateus 26,52)

Essa era a única lição humana comprovada pela história. Pedro ainda tinha de aprender que Aquele que parecia fraco era verdadeiramente Deus; que, se desejasse, podia invocar em Seu auxílio um exército maior que qualquer um que já se viu nesta terra:

> Crês tu que não posso invocar meu Pai
> e ele não me enviaria imediatamente
> mais de 12 legiões de anjos?
> (São Mateus 26,53)

Ele usou o termo romano "legião". Fora preso pelo que se chamava uma coorte, ou a décima parte de uma legião (que continha cerca de seis mil homens). Se quisesse, podia ter chamado em sua ajuda 12 vezes seis mil para livrá-Lo de Seus inimigos. Se houvesse um apelo à força, a espadinha de Pedro seria reduzida à insignificância em comparação às hostes celestiais sob as ordens do grande Comandante. Mas a recusa a invocar os anjos não foi uma rendição involuntária ao destino, nem a submissão à dor a fim de ser purificado. Antes, foi uma abdicação tranquila de alguns de Seus direitos; uma abstinência voluntária do uso de uma força superior por causa dos outros, uma liberdade permanente com pleno poder de ir embora, e ainda assim uma submissão por amor à humanidade — eis um sacrifício fora do comum.

Voltando-se para a multidão sedenta de sangue, disse:

> Saístes armados de espadas e porretes para prender-me,
> como se eu fosse um malfeitor.
> Entretanto, todos os dias estava eu sentado entre vós
> ensinando no templo e não me prendestes.
> Mas tudo isto aconteceu porque era necessário
> que se cumprissem os oráculos dos profetas.
> (São Mateus 26,55-56)

Mas o que haviam profetizado os profetas? Para citar apenas um, Isaías previu como Ele seria contado entre os transgressores por Seus inimigos.

> porque ele próprio deu sua vida,
> e deixou-se colocar entre os criminosos,
> tomando sobre si os pecados de muitos homens,
> e intercedendo pelos culpados.
> (Isaías 53,12)

> Foi maltratado e resignou-se;
> não abriu a boca, como um cordeiro
> que se conduz ao matadouro,
> e uma ovelha muda nas mãos do tosquiador.
> (Ele não abriu a boca.)
> (Isaías 53,7)

Olhando além de todas as causas secundárias, tais como Pilatos e Anás, romanos e judeus, Nosso Senhor não via inimigos a serem combatidos pela espada, mas um cálice oferecido pelo Pai. O Amor era o motivo e a origem do sacrifício. Como Ele disse:

> Com efeito, de tal modo Deus amou o mundo,
> que lhe deu seu Filho único,
> para que todo o que nele crer não pereça,
> mas tenha a vida eterna.
> (São João 3,16)

O pecado exigia expiação ou reparação. Sendo homem, Ele podia agir em nome do homem; sendo Deus, Sua Redenção pelo pecado teria valor infinito. Sua natureza humana tornou-o suscetível à dor e à morte e, portanto, capaz de oferecer-se a si mesmo como sacrifício; no entanto, tinha de ser sem pecado, se não Ele mesmo careceria de Redenção. O Cordeiro usado no sacrifício tinha de ser "sem defeito". O amor do Cordeiro tinha de ser voluntário; obrigar o Cordeiro de Deus a sofrer seria o ápice da injustiça. Daí a afirmação de poder no momento em que se entregou nas mãos deles. O que Deus permitia era tanto Sua vontade quanto Sua ordem. Nosso Senhor recusou-se a ver a mão de Seus inimigos em Sua morte, passando imediatamente à ideia do cálice que o Pai Lhe deu. Ele descansava nesse amor, embora o cálice fosse amargo, pois Dele haveria de vir o bem.

Ao entregar-Se nas mãos deles, cumpriu-se o que Nosso Senhor previu acerca dos apóstolos:

> Então os discípulos o abandonaram e fugiram.
> (São Mateus 26,56)

Pedro, que desembainhara a espada na defesa contra o cálice, fugiu. Mais tarde, acompanhava a cena a uma distância segura. João também seguia às escondidas por trás da turba, para aparecer depois na casa do sumo sacerdote. Judas, porém, permaneceu para ouvir a palavra "Hora", que o Mestre havia pronunciado pela primeira vez em Caná:

> mas esta é a vossa hora e do poder das trevas.
> (São Lucas 22,53)

Muitas vezes, o Senhor disse a Seus inimigos e a Herodes que não podiam fazer nada com Ele até que Sua "Hora" tivesse chegado. Agora, anunciou-a; era a hora em que o mal podia apagar a Luz do Mundo. O mal tem sua hora; Deus tem Seu dia. Aquele que foi envolto em panos e posto numa manjedoura quando assumiu a natureza humana em Belém estava agora prestes a ser atado com cordas e posto numa Cruz. Noutra ocasião, quando Seus inimigos tentaram prendê-Lo, Ele os prendeu com a força de Suas palavras; agora Ele se sujeitava à prisão porque havia chegado a Hora. Os apóstolos, ouvindo o retinir das correntes e vendo o brilho das espadas, esqueceram-se de toda a glória do Messias, abandonaram-no e fugiram. O Sumo Sacerdote havia de oferecer o sacrifício sozinho.

43

O JULGAMENTO RELIGIOSO

Nosso Senhor Santíssimo tinha duas naturezas: divina e humana. Ambas estavam sendo julgadas, e por acusações totalmente diferentes. Assim se cumpria a profecia de Simeão de que Ele era um "alvo de contradições" (São Lucas 2,34). Os juízes não conseguiam concordar quanto a por que Ele deveria morrer; só concordavam que deveria morrer. Os juízes religiosos, Anás e Caifás, criam-No culpado por ser demasiado divino; os juízes políticos, Pilatos e Herodes, criam-No culpado por ser demasiado humano. Diante de um era muito espiritual; diante do outro, muito mundano; diante de um era muito celestial; diante do outro, muito terreno. Daquele dia em diante Sua Igreja também seria condenada com acusações contraditórias, da parte de alguns por ser divina demais, da parte de outros por ser humana demais. Condenado por acusações contraditórias, foi sentenciado ao símbolo de contradição que é a cruz.

Se Nosso Senhor tivesse sido apanhado no templo ou apedrejado nas muitas ocasiões em que os inimigos se prepararam para fazê-lo, as várias profecias a respeito do sacrifício indicado como Cordeiro de Deus não se teriam cumprido. Quando, antes, os fariseus disseram-Lhe que Herodes planejava matá-Lo, Nosso Senhor disse que não Se entregaria à morte na Galileia, mas em Jerusalém. Ademais, Ele lhes disse que nenhum homem podia tirar-Lhe a vida; Ele mesmo a daria.

Entretanto, no jardim, quando

> os discípulos o abandonaram e fugiram
> (São Mateus 26,56)

Ele disse aos sumos sacerdotes:

> esta é a vossa hora e do poder das trevas.
> (São Lucas 22,53)

Quis dizer que, quando ensinava publicamente, viajando pela Judeia e pela Galileia, ninguém nunca pôs as mãos Nele nem foram bem-sucedidos a lançar-Lhe do precipício em Nazaré. No entanto, o mal tinha sua hora, a hora de que tantas vezes falara. Nessa hora, Deus deu ao mal o poder de alcançar um triunfo momentâneo que, ao cego espiritual, pareceria ter chegado à vitória. As mãos dos perversos estão atadas até que Deus permita que operem e não podem controlar o golpe um momento após Deus ordená-los parar. Os poderes das trevas não podem tocar a propriedade de Jó nem sua pessoa até que Deus permita; nem podem evitar o retorno da prosperidade de Jó quando Deus a desejou. Assim também, nessa hora, as trevas teriam um poder que seria impotente na Ressurreição.

Os soldados O ataram e O levaram. Talvez um dos motivos de assim procederem tenha sido porque Judas dera ordens de que o amarrassem com força. Além disso, o tipo dos sofrimentos de Cristo foi predito em Isaac, quando Abraão, ao preparar-se para oferecer o filho a Deus como sacrifício, indicou tal contenção forçada:

> e amarrou Isaac, seu filho [...]
> (Gênesis 22,9)

Então, eles o levaram embora; Ele não foi conduzido ou arrastado por conta de Sua submissão voluntária. Como profetizou Isaías, Ele seria *levado* como um cordeiro ao abate. Como o novo Jeremias, o Homem de Dores foi acorrentado por Seu testemunho da verdade.

O trajeto escolhido foi ao longo do riacho de Cedron, depois atravessaram o "Portão das Ovelhas", que ficava próximo ao templo e por onde passavam os animais para o sacrifício. Foi conduzido primeiro a Anás, que era sogro de Caifás, o sumo sacerdote daquele ano. Visto que os romanos estavam exercendo autoridade no país, é provável que um sumo sacerdote fosse eleito todo ano; Anás, contudo, era realmente uma personalidade eminente na época, muito embora Caifás estivesse presidindo o Sinédrio naquele momento.

Uma vez que ambos eram os representantes do poder religioso, o primeiro julgamento foi baseado na religião. Anás tinha cinco filhos, e aprendemos de outra fonte que estes tinham tendas no templo e estavam entre os compradores e vendedores expulsos por Nosso Senhor quando Ele expurgou o templo. De Anás, Cristo foi levado a Caifás. A lei antiga ordenava que todo animal sacrificado pelos pecados do povo fosse conduzido diante do sacerdote. Assim, Cristo, o representante do sacerdócio do Espírito, é conduzido diante de Caifás, o representante do sacerdócio da carne. Foi esse mesmo Caifás quem disse:

> Convém que um só homem morra em lugar do povo.
> (São João 18,14)

Estava evidente, portanto, que ele e o Sinédrio tinham decidido a respeito da morte de Cristo antes de acontecer o julgamento. Julgamentos noturnos do Sinédrio eram ilegais, mas, no desejo insano de se livrar de Cristo, mesmo assim ele ocorreu. Ainda que não tivessem direito de realizar a execução capital, manteve, contudo, o poder de instituir os julgamentos. Ao começar:

> O sumo sacerdote indagou de Jesus
> acerca dos seus discípulos e da sua doutrina.
> (São João 18,19)

Visto que Caifás já havia determinado que Nosso Senhor deveria morrer, não tinha a intenção de aprender nada; ao contrário, buscava encontrar alguma desculpa para a injustiça planejada. As primeiras perguntas foram sobre a organização de Cristo e dos seguidores, a qual o Sinédrio temia como ameaça à própria posição, pois antes os fariseus tinham relatado:

> Vede! Nada adiantamos!
> Reparai que todo mundo corre após ele!
> (São João 12,19)

O juiz não estava muito preocupado com os nomes dos seguidores de Cristo, bem como com o número; o propósito desse interrogatório era arrancar Dele uma resposta apropriada para a condenação. O questionamento a respeito de Sua doutrina tinha como objetivo descobrir se Ele era o cabeça de uma sociedade secreta ou se pregava alguma novidade ou heresia.

Nosso Senhor percebeu a astúcia por trás das perguntas e, com absoluto destemor nascido da inocência, respondeu que sua doutrina era conhecida do povo e aqueles que O ouviram poderiam dar testemunho. Não tinha nada oculto, nenhuma quinta coluna, nenhuma doutrina que fosse para poucos. Não havia segredo a respeito de Sua doutrina; todos a ouviram, pois Ele pregava em público.

> Falei publicamente ao mundo.
> Ensinei na sinagoga e no templo,
> onde se reúnem os judeus,
> e nada falei às ocultas.
> Por que me perguntas?
> Pergunta àqueles que ouviram o que lhes disse.
> Estes sabem o que ensinei.
> (São João 18,20-21)

Cristo falou ao *mundo*, bem como aos judeus. Não testemunharia em causa própria; todos sabiam o que Ele ensinou. Caifás apenas fingia ignorar aquilo que era de conhecimento geral. O Sinédrio já não havia excomungado qualquer um que acreditasse no Cristo? Em Sua humildade, Ele não pediu que os mudos, os coxos, os cegos e os leprosos fossem chamados, mas, antes, aqueles que o ouviram. As autoridades do templo há muito já haviam voltado as costas para o povo; agora Ele ordenou que convocassem aqueles a quem haviam desprezado. Contra esse isolamento aristocrático entre a função e o povo, Cristo pôs Sua doutrina e Seus seguidores. Foi o primeiro beneplácito cristão lançado acerca da opinião do homem das ruas. Assim, em resposta ao duplo questionamento, Ele respondeu o primeiro ao apelar para o homem comum e, ao segundo, ao afirmar que o livro de Seu ensinamento nunca fora fechado, estava aberto a todos.

Quando Nosso Senhor respondeu dessa maneira, um dos guardas que estava próximo a Ele golpeou-O com a palma da mão e disse:

> É assim que respondes ao sumo sacerdote?
> (São João 18,22)

Foi a mão de Malco, aquele cuja orelha foi curada pelo Salvador havia uma hora ou menos? De qualquer modo, foi o primeiro golpe desferido ao corpo do Salvador — um golpe sem reprimenda dos juízes. Assim, Caifás e a corte realmente puseram o Cristo fora da esfera da lei. Para escapar ao conteúdo da mensagem, o soldado criticou a forma — uma reação comum à religião. Aqueles que não têm capacidade de criticar o Cristo recorrem à violência. Tornaram-No um fora da lei. Com total brandura, Nosso Senhor lhe respondeu:

> Se falei mal, prova-o,
> mas se falei bem, por que me bates?
> (São João 18,23)

Com um sopro, Nosso Senhor poderia ter lançado o agressor na eternidade, mas já que tinha de ser ferido pelas transgressões dos homens e ofendido por suas iniquidades, aceitaria aquele primeiro golpe com paciência. Entretanto, ao mesmo tempo, ordenou o testemunho do homem contra Ele, se possível de modo que pudesse ter uma razão para a violência. Nosso Senhor certa vez disse que, quando golpeados, deveríamos dar a outra face. Ele o fez? Sim! Deu todo o corpo para ser crucificado.

Não conseguindo convencê-Lo a confessar Sua doutrina ou de Seus discípulos, agora esperavam conseguir pelo falso testemunho:

> Enquanto isso, os príncipes dos sacerdotes
> e todo o conselho procuravam um falso testemunho contra Jesus,
> a fim de o levarem à morte.
> Mas não o conseguiram,
> embora se apresentassem muitas falsas testemunhas.
> (São Mateus 26,59-60)

Nesse momento, ansiosos por condená-Lo à morte em vez de julgá-Lo com justiça, convocaram falsas testemunhas, que se contradiziam. Por fim, apresentaram-se duas testemunhas com declarações conflitantes. Uma delas O citava, dizendo:

> Ouvimo-lo dizer: Eu destruirei este templo,
> feito por mãos de homens,
> e em três dias edificarei outro,
> que não será feito por mãos de homens.
> (São Marcos 14,58)

Essas palavras eram uma perversão daquilo que Nosso Senhor dissera no início do ministério público ao referir-se àquilo que agora começava a acontecer. Depois de expulsar os vendilhões do templo, os fariseus Lhe pediram um sinal de Sua autoridade. Nosso Senhor, ao referir-Se ao templo de Seu corpo, disse:

> Destruí vós este templo, e eu o reerguerei em três dias.
> (São João 2,19)

Agora as falsas testemunhas afirmavam que Jesus dissera que Ele destruiria o templo; mas o que realmente disse foi que eles O destruiriam e o templo seria o Seu corpo, que acabara de receber um golpe violento. O templo terreno receberia o golpe pelas mãos dos romanos, no governo de Tito. Ele não disse "Destruirei", mas, antes, "Destruí vós". Nem mesmo disse "Construirei outro", mas "eu o reerguerei", referindo-Se à Ressurreição. A distorção do que dissera, não obstante, era um testemunho do propósito de Sua vinda e a instituição, nas mentes deles, de Sua Cruz e glória. Assim como o côncavo e o convexo em um círculo são feitos por uma mesma linha, da mesma maneira a maldade voluntária e o sofrimento voluntário estão unidos. Os propósitos divinos agora serão realizados como o foram em José, Sua prefiguração, que disse aos irmãos que o venderam que eram mal-intencionados, mas que daquilo Deus faria brotar o bem. Em Sua entrega nas mãos do mal, Judas entregou Nosso Senhor aos judeus, os judeus O entregaram aos gentios e os gentios O crucificaram. No entanto, no outro lado desse quadro, Nosso Senhor disse que o Pai entregara o Filho em resgate de muitos. Desse modo, as ações malignas, mas livres, dos homens são revogadas por Deus, que pode tornar a queda em uma *felix culpa*, uma "culpa feliz".

O Verbo Encarnado estava sem palavras durante o falso testemunho. Caifás, irritado porque frustrado pelas contradições, exclamou:

> Por Deus vivo, conjuro-te que nos digas se és o Cristo, o Filho de Deus.
> (São Mateus 26,63)

Caifás dirigiu-se a Nosso Senhor em sua função de sumo sacerdote ou ministro de Deus e colocou Cristo sob juramento para responder. Caifás não perguntou sobre a destruição do templo nem sobre seus discípulos. A pergunta foi: seria Ele o Cristo ou o Messias; seria Ele o Filho de Deus, revestido do poder divino, seria Ele o Verbo feito Carne? Seria Ele o verdadeiro Deus, que em tempos variados e de maneiras diversas falou-nos pelos profetas, nesses últimos dias falara por intermédio de Seu Filho (Hebreus 1,1-2)? És o Filho de Deus? Jesus abriu a boca e proferiu três palavras:

> Eu o sou.
> (São Marcos 14,62)

Com consciência sublime e dignidade majestática, Ele respondeu ser o Messias e o Filho do Deus Vivo. Havia uma alusão oculta ao nome pelo qual

Deus revelara-se a Moisés. Então, passando da natureza divina à natureza humana, acrescentou:

> Além disso, eu vos declaro que
> vereis doravante o Filho do Homem
> sentar-se à direita do Todo-poderoso,
> e voltar sobre as nuvens do céu.
> (São Mateus 26,64)

Primeiro, afirmou Sua divindade, depois Sua humanidade; mas ambas com o pronome pessoal "Eu". Na hora em que as maiores indignidades recaíram sobre Ele, deu testemunho de estar à direita do Pai, de onde viria no último dia. Entretanto, Se sentaria à direita do Pai e ascenderia aos céus; se tinha de haver uma segunda vinda, seria para colocar na balança a recepção das almas à Sua primeira vinda, "Sua existência humilde na terra". Nosso Senhor também se referia ao Salmo 109, que previa a exaltação do Filho de Deus após a humilhação, quando poria os inimigos sob escabelo de Seus pés. Apesar da certa condenação que se apresentava, permitiu Sua glória refulgir entre a injustiça civil ao proclamar o Seu triunfo, Seu Reino e o fato de que julgaria o mundo. O salmista já tinha profetizado o que Ele disse, e Daniel, com maior clareza, havia predito:

> Olhando sempre a visão noturna,
> vi um ser, semelhante ao filho do homem,
> vir sobre as nuvens do céu:
> dirigiu-se para o lado do ancião,
> diante de quem foi conduzido.
> A ele foram dados império, glória e realeza,
> e todos os povos, todas as nações
> e os povos de todas as línguas serviram-no.
> Seu domínio será eterno;
> nunca cessará e o seu reino jamais será destruído.
> (Daniel 7,13-14)

Anos depois desse julgamento, quando Estêvão foi martirizado e abatido sob o peso das pedras, viu o que Cristo nesse momento disse a Caifás:

> Eis que vejo, disse ele, os céus abertos e
> o Filho do Homem, de pé, à direita de Deus.
> (Atos dos Apóstolos 7,56)

Irrompeu uma tempestade sobre Sua cabeça enquanto o Sinédrio O ouviu admitir a própria divindade. O relógio estava para bater às 12 horas; o primeiro julgamento terminou assim que o sumo sacerdote proferiu a decisão de que Ele era culpado por blasfêmia:

> A estas palavras, o sumo sacerdote
> rasgou suas vestes, exclamando:
> Que necessidade temos ainda de testemunhas?
> Acabastes de ouvir a blasfêmia!
> (São Mateus 26,65)

Era costume que os hebreus rasgassem as vestes como manifestação de grande pesar e dor, assim como Jacó rasgou a veste ao receber notícias da morte de seu filho José, e como Davi rasgou as roupas ao ouvir sobre a morte de Saul. Ao rasgar as vestes, Caifás, na verdade, despia-se do sacerdócio, punha fim ao sacerdócio de Aarão, abrindo caminho para o sacerdócio de Melquisedec. As vestimentas do sacerdote foram laceradas e destruídas pelas mãos do próprio sumo sacerdote, mas o véu do templo seria rasgado pelas mãos de Deus. Caifás rasgou as vestes de baixo a cima, como de costume; Deus rasgou o véu de cima a baixo, pois nenhum homem tinha parte nisso. Caifás agora pergunta ao Sinédrio:

> Que necessidade temos ainda de testemunhas?
> Acabastes de ouvir a blasfêmia!
> Qual o vosso parecer?
> Eles responderam: Merece a morte!
> (São Mateus 26,65-66)

A conclusão foi rapidamente alcançada; o prisioneiro havia blasfemado contra Deus. A própria vida deveria experimentar a morte. Sua morte, contudo, fora determinada exatamente porque proclamara Sua divindade eterna. Caifás, antes, dissera que seria útil um homem morrer antes que os romanos, mais do que nunca, tomassem a nação. Nesse momento, ele e o Sinédrio assumiram posição diversa; saindo do utilitário para o jurídico, argumentaram que Sua morte era necessária para preservar a unidade espiritual entre Deus e Seu povo. O Sinédrio livrou-se da responsabilidade pela acusação ao invocar Deus contra Deus.

Condenado como blasfemo, todas as coisas eram permitidas, pois Ele não tinha direitos.

> Cuspiram-lhe então na face,
> bateram-lhe com os punhos e deram-lhe tapas,
> dizendo: Adivinha, ó Cristo: quem te bateu?
> (São Mateus 26,67-68)

Cobriram-Lhe a face e, então, cerraram a luz do céu; ainda assim, ao cobrir Seus olhos, cegaram a si mesmos. O véu estava, na verdade, nos próprios corações, não nos olhos do Cristo. Aqueles que tinham tanto orgulho do templo terreno, agora, esbofeteavam o templo celeste, pois Nele habitava a plenitude da divindade (Colossenses 2,9). Utilizaram o título "Cristo" de maneira sarcástica; mas estavam mais certos do que imaginavam, visto que Ele era o Messias, o ungido de Deus.

Caifás obtivera o que queria, a saber, prender o Cristo por Suas palavras blasfemas, pois alegara ser, por natureza, o Filho de Deus. Questionava-se se Ele era ou não o Messias e o Filho de Deus, prenunciado pelos profetas. Era Cristo, o Profeta, portanto, Quem estava sendo julgado diante de Caifás; seria Cristo, o Rei, Quem seria julgado diante de Pilatos; e seria Cristo, o Sacerdote, quem seria renegado na Cruz ao oferecer a vida em sacrifício. Em cada momento, Seu ofício seria escarnecido. Aqui, o escárnio foi dirigido a Cristo, o Profeta, em cumprimento à profecia de Isaías:

> Aos que me feriam, apresentei as espáduas,
> e as faces àqueles que me arrancavam a barba;
> não desviei o rosto dos ultrajes e dos escarros.
> (Isaías 50,6)

O julgamento religioso havia terminado. O Filho de Deus foi culpado de blasfêmia; a Ressurreição e a Vida foram sentenciadas ao túmulo; o Sumo Sacerdote eterno foi condenado "pelo sumo sacerdote daquele ano". Nesse momento, o Sinédrio escarnecia Dele; a seguir seria o Império Romano e, depois, na Cruz, a junção dos dois. Nesse momento em que o Sinédrio O condenara culpado, seguiu os procedimentos para entregá-Lo a Pilatos, crendo que ele, que por si só tinha autoridade para levar Cristo à morte, o faria sem hesitar. A profecia de que Ele seria entregue aos gentios agora se cumprira. No entanto, assim como Judas trouxe para si a morte que preparara para o Cristo, Caifás, igualmente, ao decidir enviar o Cristo à morte por temor dos romanos, apenas preparou a destruição final da cidade de Jerusalém e do templo. Assim como o povo entregou Cristo aos romanos, eles foram, mais tarde, entregues ao poder de Roma.

44

As negações de Pedro

Quando Nosso Senhor foi preso, Pedro seguiu-O à distância; João estava com ele. Ambos foram à casa de Anás e Caifás, onde Nosso Senhor foi julgado. A casa do sumo sacerdote, onde se deu o julgamento, era, como muitas casas orientais, construída em torno de um pátio quadrangular, ao qual se adentrava por uma passagem da parte da frente da casa. Essa passagem ou arcada era um pórtico fechado para a rua por um portão pesado. O portão, na ocasião, era guardado por uma criada do sumo sacerdote. O interior do pátio ao qual a passagem levava era pavimentado com lajotas e a céu aberto. A noite estava fria, pois era início de abril. Pedro já tinha decepcionado o Senhor no jardim, quando dormiu; agora, tinha uma chance de reparar sua falta. Mas o perigo espreitava Pedro, em primeiro lugar por causa da autoconfiança exagerada na própria lealdade. Conquanto um profeta antigo tivesse dito que as ovelhas seriam dispersas, Pedro sentia que, porque lhe foram dadas as chaves do Reino do Céu, podia estar isento de tal colapso. Um segundo perigo era sua falha anterior, quando foi exortado a "vigiar e orar". Não vigiou, pois caiu no sono; não orou, pois substituiu a espiritualidade pelo ativismo ao brandir a espada. Um terceiro perigo era que a distância física que ele guardava de Cristo fosse um símbolo da distância espiritual que os separava. Qualquer distância do sol da justiça é escuridão.

Quando entrou no pátio, Pedro começou a aquecer-se perto do fogo. À luz das chamas, a criada que lhe permitira entrar pôde ver melhor o seu rosto. Se o desafio à lealdade de Pedro viesse de uma espada ou de um homem, possivelmente ele teria sido mais forte; mas, impedido pelo orgulho, uma moça mostrou-se mais forte que o presunçoso Pedro. O plano de Cristo era vencer pelo sofrimento; o plano de Pedro era vencer pela resistência. Mas neste caso havia uma oposição pouco óbvia. Pego desprevenido pela criada, fez a primeira negação. A criada disse-lhe:

> Também tu estavas com Jesus, o Galileu.
> (São Mateus 26,69)

A todos em volta do fogo, Pedro respondeu:

> Não sei o que dizes.
> (São Mateus 26,70)

Pedro começou a sentir-se incomodado com o que lhe parecia um holofote de chamas que lhe examinava a alma assim como o rosto; desse modo, afastou-se um pouco em direção ao pórtico. Ansioso para escapar de olhares inquiridores e línguas mexeriqueiras, sentiu-se mais seguro ao abrigo da escuridão do pórtico. A mesma criada, ou talvez outra, foi até ali, afirmando que ele estivera com Jesus de Nazaré; Pedro negou mais uma vez, agora fazendo um juramento:

> Eu nem conheço tal homem.
> (São Mateus 26,72)

Aquele que desembainhara a espada em defesa do Mestre poucas horas antes agora negava Aquele a quem tentara defender. Aquele que chamara seu Mestre de "Filho do Deus vivo" agora o chama de "homem".

Passou mais algum tempo, e seu Salvador foi acusado de blasfêmia e entregue à brutalidade dos carrascos; Pedro, no entanto, ainda estava cercado. Embora fosse meia-noite, ou mais, a multidão provavelmente aumentava com as notícias do julgamento de Nosso Bendito Senhor. Entre aqueles que estavam por ali havia um parente de Malco, que se lembrou claramente de que Pedro cortara a orelha de seu familiar no jardim e que o Senhor a curou. Pedro, o tempo todo desejando esconder o nervosismo e fingir mais do que nunca que não conhecia o homem, ficou evidentemente loquaz; e isso o entregou. Seu sotaque provinciano mostrou que era um galileu; era de conhecimento público que a maioria dos seguidores de Nosso Senhor provinham dessa região, desprovida do dialeto polido da Judeia e de Jerusalém. Havia certos sons guturais que os galileus não conseguiam pronunciar, e imediatamente um dos circunstantes disse:

> Sim, tu és daqueles;
> teu modo de falar te dá a conhecer.
> (São Mateus 26,73)

Pedro fizera um juramento; e dessa vez:

> Pedro então começou a fazer imprecações,
> jurando que nem sequer conhecia tal homem.
> (São Mateus 26,74)

Neste momento, Pedro estava enfurecido, então invocou o Deus Onipotente como testemunha de sua reiterada mentira. Há quem se pergunte se não houve um tipo de reversão a seus dias de pescador; talvez quando sua rede se embaraçava no Mar da Galileia, ele perdesse as estribeiras e começasse a blasfemar. Em todo caso, agora ele jurava a fim de convencer os incrédulos.

Memórias do passado o atropelaram. O Senhor o chamara de "bem-aventurado" quando lhe dera as chaves do Reino do Céu e permitira que visse Sua glória na Transfiguração. Agora, na madrugada fria como a consciência da culpa instalada em sua alma, ouviu um som inesperado:

> [...] cantou o galo.
> (São Mateus 26,74)

Até a natureza protestou contra a negação de Cristo. Então, como o clarão de um raio, lembrou-se das palavras ditas por Jesus:

> Antes que o galo cante,
> negar-me-ás três vezes.
> (São Mateus 26,75)

Neste momento, Nosso Bendito Senhor foi retirado da flagelação, com o rosto coberto de cusparadas:

> Voltando-se o Senhor, olhou para Pedro.
> (São Lucas 22,61)

Ainda que estivesse vergonhosamente preso, os olhos do Mestre buscaram os olhos de Pedro com compaixão ilimitada. Não disse nada; só olhou. O olhar provavelmente refrescou a memória de Pedro e despertou-lhe o amor. Pedro podia negar o "homem", mas Deus continuaria a amar o homem Pedro. O próprio fato de que o Senhor teve de se virar para olhar significava que Pedro voltara as costas ao Senhor. O cervo ferido estava buscando a mata fechada para sangrar sozinho, mas o Senhor veio arrancar a flecha do coração ferido de Pedro.

> [Pedro] saiu dali e chorou amargamente.
> (São Lucas 22,62)

Pedro agora estava tomado de arrependimento, assim como Judas, em poucas horas, estaria tomado de remorso. O pesar de Pedro foi causado pelo pensamento do pecado propriamente dito ou de ter ferido a Pessoa de Deus. O arrependimento não diz respeito às consequências; o remorso, no entanto, é inspirado sobretudo pelo temor das consequências. A mesma graça estendida àquele que O negou seria estendida àquele que O pregaria na Cruz e ao ladrão penitente que pediria perdão. Pedro de fato não negou que Cristo era o Filho de Deus; negou conhecer "o homem", ou que fosse um de Seus discípulos. Mas decepcionou o Mestre. E, ainda assim, sabendo de tudo, o Filho de Deus fez de Pedro, que conheceu o pecado, e não João, a Rocha sobre a qual edificou Sua Igreja, a fim de que os pecadores e os fracos jamais caíssem em desespero.

45

O julgamento perante Pilatos

O julgamento de Cristo, o Profeta, havia terminado; agora tinha início o julgamento de Cristo, o Rei. Os juízes religiosos acharam Nosso Senhor demasiado divino porque chamara a Si mesmo Deus; nesse momento, os juízes civis condená-Lo-iam por ser demasiado humano. Quando um tribunal superior ouve um caso apresentado por um tribunal inferior há continuidade nas acusações. Os juízes religiosos não tinham poder de vida e morte, visto que os romanos conquistaram o território. Era de se esperar, portanto, que, quando Nosso Senhor Bendito fosse levado diante do tribunal superior de Pilatos, a mesmíssima acusação Lhe seria feita, a saber, blasfêmia. A aprovação e a sentença de morte requeriam, contudo, o selo de Pilatos. Havia duas maneiras pelas quais o Sinédrio poderia obter isso: Pilatos aceitar o julgamento da corte religiosa ou iniciar um novo julgamento na corte civil dos conquistadores. O segundo foi o método escolhido, e isso foi bem sensato. O Sinédrio sabia muito bem que Pilatos riria deles, caso dissessem que Cristo era culpado de blasfêmia. Os judeus tinham o seu Deus, Pilatos tinha os seus deuses. Além disso, essa era uma acusação puramente religiosa, e Pilatos devolveria o caso ao tribunal judaico sem sentenciar Cristo à morte.

Para compreender a relação entre o conquistado e o conquistador, devemos dizer uma palavra a respeito de Pilatos e do ódio que os judeus tinham por ele. Sexto procurador romano da Judeia desde a conquista, Pilatos manteve seu posto por uns dez anos durante o reinado do Imperador Tibério. Sua conduta arbitrária e, por vezes, cruel acarretara repetidos levantes de judeus, reprimidos com medidas violentas. O povo de Jerusalém o desprezava não só porque era representante do imperador romano e não era da raça deles, mas também porque fez pintar retratos do imperador e os levou, à noite, para serem expostos no templo. Pilatos ameaçava matar os judeus com espadas caso protestassem contra esse ato, mas os judeus ofereceram seus pescoços a Pilatos e reclamaram com Tibério. O resultado foi a remoção de tais representações. Foi Herodes Antipas quem levou a petição dos judeus a Tibério. Essa pode ser a razão do atrito que existia entre Pilatos e Herodes.

Outro motivo pelo qual Pilatos era odiado foi o confisco de alguns fundos do tesouro, que usou para construir um aqueduto. Alguns judeus da Galileia foram assassinados em um distúrbio durante a construção, e pode ter sido durante algum desses tumultos que Barrabás tenha sido preso como líder dos agitadores, além de ladrão. Pilatos tinha de ser muito cauteloso com seu posto em Roma, já que Roma, numa ocasião, deixara de apoiá-lo na ação contra os judeus.

Pela manhã, bem cedo, todos os membros do Sinédrio — dentre eles os sacerdotes, anciãos e escribas — decidiram levar Cristo a Pilatos e pedir Sua sentença de morte. Os sacerdotes estavam indignados com o que Ele dissera de si mesmo como o Cordeiro de Deus; os anciãos estavam ofendidos porque, em oposição ao tradicionalismo rígido, Ele afirmou que era o Verbo de Deus; os escribas O odiavam porque Ele se opôs à letra da Palavra e prometeu que o Espírito a iluminaria. Após terminar os planos para levá-Lo à morte:

> Ligaram-no e o levaram ao governador Pilatos.
> (São Mateus 27,2)

Diversas vezes Nosso Senhor foi atado, quando O capturaram pela primeira vez e quando O levaram ao tribunal de Anás e Caifás. Colocá-Lo em correntes para Pilatos ver daria a impressão de que Ele cometera um crime terrível. Levá-Lo a Pilatos foi um dos pontos de inflexão da Paixão, pois cumpriu a profecia que Nosso Senhor mencionara:

> Ele será entregue aos pagãos.
> Hão de escarnecer dele, ultrajá-lo, desprezá-lo;
> bater-lhe-ão com varas e o farão morrer;
> e ao terceiro dia ressurgirá.
> (São Lucas 18,32-33)

O Sinédrio O levou porque rejeitaram a promessa de salvação que veio do Messias; agora cabia aos gentios decidir o que deveriam fazer; se rejeitariam o Rei como o Sinédrio rejeitara o Profeta. A grande muralha entre judeus e gentios, por fim, foi derrubada, já que ambos O condenaram à morte. Como escreveu São Paulo:

> ele que de dois povos fez um só,
> destruindo o muro de inimizade que os separava,
> abolindo na própria carne a lei,
> os preceitos e as prescrições [...].
> (Efésios 2,14)

Assim, a responsabilidade por Sua morte não podia ser posta sobre qualquer povo, mas sobre toda a humanidade:

> o mundo inteiro seja reconhecido culpado diante de Deus.
> (Romanos 3,19)

O Sinédrio — que tinha escrúpulos de utilizar o dinheiro de Judas que comprara sangue — também tinha escrúpulos de entrar na casa de um gentio, nesse caso, de Pilatos. Ao levar o prisioneiro divino a Pilatos, havia uma coisa que as consciências sensíveis dos membros do Sinédrio temiam — a impureza. Pilatos era um gentio; entrar em seu pretório os macularia de tal modo que não poderiam celebrar a Páscoa. Tinham de se manter puros para derramar o sangue inocente do cordeiro pascal. Por isso preferiram derramar o sangue inocente do Cordeiro de Deus em vez de cruzar a soleira do gentio. Certa vez, Nosso Senhor chamara os fariseus de "sepulcros caiados", porque, como as tumbas pintadas de branco, estavam limpos por fora, mas, no interior, cheios de ossadas de homens mortos. O julgamento agora se cumpriria em contaminação pavorosa com a carne incircuncisa enquanto viviam com os corações não circuncidados. Havia outros escrúpulos também; se entrassem em uma casa em que todo o fermento não tivesse sido removido, não poderiam participar da Páscoa.

Quando os funcionários do Sinédrio chegaram ao pretório (ou a casa do governador), Pilatos saiu para encontrá-los, pois sabia que se considerariam impuros se forçados a entrar. Seguindo a tradição romana de respeito à lei, declarou que não daria a sentença a menos que as provas demonstrassem que o acusado era culpado. Então, perguntou ao Sinédrio:

> Que acusação trazeis contra este homem?
> (São João 18,29)

Para conquistar a boa vontade de Pilatos, convidaram-no a confiar no juízo que já haviam pronunciado. Ademais, asseguraram-lhe que, por certo, não fariam nada contra um inocente:

> Se este não fosse malfeitor, não o teríamos entregue a ti.
> (São João 18,30)

Nada foi dito a respeito da blasfêmia. Sabiam que a acusação seria inútil diante de um gentio, um conquistador, aquele que desprezavam; assim, utilizaram o termo geral "malfeitor". E aqui estavam mais certos do que imaginavam, pois Cristo era, de fato, um malfeitor, ou aquele que "portava os pecados de muitos".

Pilatos, sabendo que a posição deles diante de Roma não era a de proteger sua autoridade e sem querer lidar com o caso, disse-lhes que O julgassem segundo a própria lei. Entretanto, responderam que não tinham poder de enviar homem algum à morte — o que, de fato, era verdade, já que esse poder pertencia a Roma. Além disso, não ousavam mandar à morte quem quer que fosse no dia festivo em que sacrificavam o cordeiro pascal.

Nesse momento fizeram três acusações a Nosso Senhor para forçar Pilatos a ouvir o caso:

> Temos encontrado este homem
> excitando o povo à revolta,
> proibindo pagar imposto ao imperador
> e dizendo-se Messias e rei.
> (São Lucas 23,2)

Ainda sem mencionar a blasfêmia, a acusação agora era sedição; Cristo não era patriota, Ele era demasiado mundano; era demasiado político. Ele era anti-César, anti-Roma. Em suma, era um enganador que induzia o povo a seguir outra direção que a ditada por Roma. Em segundo lugar, impelia as pessoas a não pagar os tributos ao rei ou a César. Em terceiro lugar, punha-se como um rei rival a Pilatos — o que era um abuso de majestade. Os romanos, diziam, deveriam estar vigilantes a esse arrivista político. Falaram até de "lealdade de nosso povo" a Roma, ao passo que seus corações realmente menosprezavam Pilatos e Roma.

Cada palavra era uma mentira. Se Cristo fosse um líder da insubordinação ou se tivesse qualquer sinal de insurreição relacionado com Seu nome, Pilatos teria ouvido algo a esse respeito. Igualmente o teria ouvido e desconfiado Herodes, mas nunca ouvira a menor reclamação Dele antes. Quanto à acusação de ter deixado de pagar tributo a César, há pouco tempo, quando tentaram apanhá-Lo nessa armadilha no templo, Ele dissera ao povo "dai a

César o que é de César". A terceira acusação — de que era rei — não foi a de que Se fizera rei dos judeus, mas, antes, de que Ele era um rei que desafiava César. Isso também era uma mentira, porque, quando as pessoas buscaram torná-Lo essa espécie de rei, Ele partiu sozinho para as montanhas.

Pilatos desconfiou da sinceridade deles, porque sabia quanto os judeus odiavam a ele e a César. Entretanto, uma acusação o preocupava um pouco. Seria o prisioneiro que estava diante dele um rei? Pilatos convocou Nosso Senhor a entrar na casa. Uma vez no salão dos julgamentos, Pilatos perguntou:

> És tu o rei dos judeus?
> (São João 18,33)

A acusação não era apenas de ser rei. Pilatos sabia que se Cristo estivesse se designando como um rei antagonista aos romanos, os gentios estariam ali para testemunhar contra Ele. Então, perguntou se Ele era o rei dos judeus. Nosso Senhor, em resposta à pergunta, penetrou na consciência de Pilatos; perguntou-lhe se estava dizendo aquilo porque suas suspeitas surgiram pela falsa acusação dos inimigos. Pilatos esperava uma resposta direta. Nosso Senhor, nesse momento, tornou clara a distinção que tinha de ser feita entre a realeza política e a religiosa; a realeza política, que era o único interesse que Pilatos tinha naquele caso, o Mestre rejeitou; a realeza religiosa, que significava Ele ser o Messias, Nosso Senhor admitiu. Para o cético Pilatos, Nosso Senhor Santíssimo tinha de tornar claro que Seu Reino não era um reino terreno obtido pelo poder militar; mas, em vez disso, um reino espiritual a ser instituído na verdade. Só teria súditos morais, não políticos. Reinaria nos corações, não nos exércitos.

> O meu Reino não é deste mundo.
> Se o meu Reino fosse deste mundo,
> os meus súditos certamente teriam pelejado
> para que eu não fosse entregue aos judeus.
> Mas o meu Reino não é deste mundo.
> (São João 18,36)

A preocupação de Pilatos a respeito de uma provocação ao poderio romano estava, no momento, atenuada. O Reino de Cristo não era deste mundo, portanto, Ele não era como Judas, o Galileu, filho de Ezequias, que liderara uma rebelião contra Roma, poucas décadas antes, ao incitar o povo a não pagar impostos. Pilatos deve ter ouvido na noite anterior, quando Pedro argumentara com a espada, que Nosso Senhor repreendera o portador da arma e curara o homem ferido. Se o Reino Dele fosse deste mundo, Nosso Senhor argumentara, precisaria do auxílio de exércitos de homens, mas um reino celeste bastava-se, pois Seu poder provinha do alto. Seu reino estava no mundo, mas não era do mundo.

A atitude quieta e digna Daquele que estava diante de Pilatos, tão impotente, amarrado com cordas — a face marcada pelo espancamento depois do primeiro julgamento, a afirmação de que Seu Reino não era deste mundo, de que Ele tinha servos que não usam espada, de que instituiria um reino sem batalhas —, tudo isso intrigou Pilatos, que modificou a pergunta. Da primeira vez, Pilatos perguntou "És tu o rei dos judeus?"; agora, perguntou:

> És, portanto, rei?
> (São João 18,37)

O julgamento religioso centrou-se no Cristo Profeta, o Messias, o Filho de Deus. O julgamento civil revolveu em torno da realeza. É de estranhar como os gentios estavam associados ao Cristo sob o título real! Os Magos na natividade perguntaram onde o rei havia nascido; foi o édito imperial de César que cumpriu a profecia de Miqueias de que Ele nasceria em Belém.

Pilatos, satisfeito por Cristo não ser um antagonista político, pasmo, espicaçou um pouco mais fundo o mistério de sua pretensão real. Nosso Senhor, já tendo confessado Seu estado real, reconheceu a inferência que Pilatos esboçou com um pouco de desdém e respondeu:

> Sim, eu sou rei.
> É para dar testemunho da verdade
> que nasci e vim ao mundo.
> Todo o que é da verdade ouve a minha voz.
> (São João 18,37)

Durante toda a vida de Nosso Senhor, Ele falou de Si mesmo como o que veio a este mundo; essa foi a única vez em que falou de ter nascido. Nascer de uma mulher é um fato, vir ao mundo é outro. Entretanto, Ele imediatamente fez seguir essa referência de Seu nascimento humano com a reafirmação de que tinha vindo a este mundo. Quando disse que nasceu, reconhecia Sua origem temporal como Filho do Homem; quando disse que veio a este mundo, afirmou Sua divindade. Ademais, Ele, que veio dos céus, veio dar testemunho, o que significa morrer pela verdade. Ele estabeleceu a condição moral da descoberta da verdade e afirmou que não era apenas uma jornada intelectual; o que descobriu, em parte, aprofundou o comportamento moral. Nesse sentido, certa vez Nosso Senhor disse que Suas ovelhas conheciam Sua voz. É evidente que Pilatos captou a ideia de que a conduta moral tinha alguma relação com a descoberta da verdade; portanto, recorreu ao pragmatismo e ao utilitarismo, ao perguntar com escárnio:

> Que é a verdade?...
> (São João 18,38)

Então, voltou as costas à verdade — melhor, não a ela, mas a Ele, que era a verdade. Ainda restou ver que a tolerância à verdade e ao erro em um golpe de inteligência leva à intolerância e à perseguição: "O que é a verdade?", quando escarnecida, é seguida de uma segunda ironia, "O que é a justiça?". Uma mente indulgente, quando isso significa indiferença ao certo e ao errado, termina, por fim, em ódio ao correto. Ele, tão tolerante ao erro a ponto de negar a Verdade Absoluta, era aquele que crucificaria a Verdade. Foi o juiz religioso quem o desafiou: "conjuro-te"; mas o juiz secular perguntou "O que é a verdade?". Aquele que estava nas vestes do sumo sacerdote recorreu a Deus para repudiar as coisas que são de Deus; o que trajava a toga romana professava apenas ceticismo e dúvida.

Quando Nosso Senhor disse que todos os que eram da verdade ouviriam Sua voz, anunciou a lei segundo a qual a verdade assimila tudo o que lhe é próprio. Admitira a mesma ideia a Nicodemos:

> Porquanto todo aquele que faz o mal odeia a luz
> e não vem para a luz,
> para que as suas obras não sejam reprovadas.
> Mas aquele que pratica a verdade, vem para a luz.
> Torna-se assim claro que as suas obras são feitas em Deus.
> (São João 3,20-21)

Se, portanto, o impulso para a verdade estava em Pilatos, ele saberia que a própria verdade estava diante dele; se esse impulso não estivesse nele, sentenciaria Cristo à morte.

Pilatos era um daqueles que acreditava que a verdade não era objetiva, mas subjetiva; que cada homem determinava para si o que era verdadeiro. É erro frequente dos homens práticos, tais como ele, ver a busca pela verdade objetiva como uma teorização inútil. O ceticismo não é uma posição intelectual; é uma posição moral, no sentido de ser determinado nem tanto pela razão, mas pelo modo como a pessoa age e se comporta. O desejo de Pilatos de salvar Jesus se devia a uma espécie de liberalismo que combinava descrença na Verdade Absoluta a uma falta de vontade um tanto benevolente de perturbar tais sonhadores e suas superstições. Pilatos perguntou "O que é a verdade?" para a única pessoa em todo o mundo que lhe poderia responder plenamente.

Nesse momento, Pilatos dava início à primeira das várias tentativas de resgatar Cristo, tais como a declaração de Sua inocência, a escolha entre prisioneiros, a flagelação, o apelo à compaixão, a mudança de juízes. Pilatos não compreendeu como alguém poderia morrer pela verdade e, naturalmente, não podia compreender como a própria Verdade poderia morrer pelos que erraram. Após voltar as costas para o *Lógos Encarnado*, apresentou às pessoas do lado de fora sua convicção de que o prisioneiro diante dele era inocente.

> Não acho nele crime algum.
> (São João 18,38)

Se não havia Nele falta, Pilatos deveria libertá-Lo. Ao ouvir a declaração do governador de Roma de que o prisioneiro era inocente, os membros do Sinédrio ficaram mais violentos ao acusá-Lo de rebelde e revolucionário:

> Ele revoluciona o povo ensinando por toda a Judeia,
> a começar da Galileia até aqui.
> (São Lucas 23,5)

O interesse supremo de Pilatos era a paz no Estado; por isso o interesse supremo do Sinédrio era provar que Cristo era um perturbador da paz. Logo que Pilatos ouviu a palavra "galileu", viu um modo de fugir do julgamento de Cristo... Como o Sinédrio mudara a acusação de blasfêmia para sedição, então Pilatos transferiria a jurisdição do julgamento para aquele que detinha o poder na Galileia.

Herodes, por razão da Páscoa, estava no momento em Jerusalém. Ainda que ele e Herodes fossem inimigos, Pilatos, mesmo assim, estava ansioso para passar a ele a responsabilidade de absolver ou condenar Cristo.

O julgamento perante Herodes

Esse Herodes era Herodes Antipas, filho de Herodes, o Grande, que assassinara todas as crianças do sexo masculino com menos de dois anos em Belém. A família de Herodes era indumeia, ou seja, descendentes de Esaú, o pai de Edom. Foi a descendência de Esaú que pareceu levar adiante a inimizade com descendência de Jacó. Herodes Antipas era tio de Herodes Agripa, que, mais tarde, assassinou o apóstolo Tiago e assassinaria Pedro, se este não tivesse sido libertado milagrosamente da prisão. Herodes era um homem sensual, mundano; matara João Batista porque este o havia censurado por divorciar-se da mulher e viver com a esposa do próprio irmão. Herodes tinha uma consciência inquieta, não porque assassinara o precursor do Cristo, mas porque sua superstição o fizera acreditar que João Batista ressuscitara e estava assombrando sua alma.

Quando Nosso Senhor foi levado diante de Herodes:

> Herodes alegrou-se muito em ver Jesus,
> pois de longo tempo desejava vê-lo,
> por ter ouvido falar dele muitas coisas,
> e esperava presenciar algum milagre operado por ele.
> (São Lucas 23,8)

O Salvador que nunca havia operado um milagre em proveito próprio certamente não o faria para libertar-Se. No entanto, o tetrarca frívolo, que via o prisioneiro como uma audiência veria um malabarista, ansiava por um breve momento de mágica. Como saduceu, ele não acreditava em vida futura e, como um homem dedicado à licenciosidade, identificava religião com mágica. Herodes era o tipo de homem que tinha curiosidade acerca da religião, estudava, lia e, às vezes, a conhecia bem, mas mantinha todos os vícios. É por isso que fez muitas perguntas a Nosso Senhor. Embora os escribas e os sumos sacerdotes tenham se juntado a Herodes ao incitar Nosso Senhor, Ele recusou-Se a falar com Herodes. Só teria aumentado a culpa do leviano moral. A tentação de aceitar todos os reinos do mundo ao fazer concessões à cruz apresentava-se, mais uma vez, ao Salvador. Pilatos poderia ter ganhado — e Herodes também, com uma palavra —, mas Ele recusou-se a falar. Advertira a respeito da pregação para os insinceros no Sermão da Montanha:

> Não lanceis aos cães as coisas santas,
> não atireis aos porcos as vossas pérolas,
> para que não as calquem com os seus pés,
> e, voltando-se contra vós, vos despedacem.
> (São Mateus 7,6)

A religião não deve ser dada a todos, mas somente àqueles que são "da verdade". Muito embora Herodes estivesse feliz ao ver Nosso Senhor, sua alegria não surgiu por motivos nobres de arrependimento. Por isso, o Cristo, que falou ao ladrão penitente, a Madalena e a Judas, não falaria ao rei galileu, pois a consciência de Herodes estava morta. Ele estava muito familiarizado com a religião. Queria milagres, não como motivos para crer, mas para deleitar a curiosidade. Sua alma estava tão cega por atrativos, incluindo até mesmo o de João Batista, que mais um atrativo só teria aprofundado sua culpa. Não foi a alma pedindo salvação que Herodes ofereceu ao Senhor, mas somente o ânimo dado a interesses. Dessa maneira, o Senhor da palavra não deu uma só palavra ao mundano. O Livro de Provérbios expressa muito bem a atitude divina perante Herodes:

> Então me chamarão, mas não responderei;
> procurar-me-ão, mas não atenderei.
> Porque detestam a ciência
> sem lhe antepor o temor do Senhor.
> (Provérbios 1,28-29)

O silêncio de Nosso Senhor irritou tanto Herodes que seu orgulho insultado transformou-se em escárnio e zombaria:

> Herodes, com a sua guarda, tratou-o com desprezo,
> escarneceu dele, mandou revesti-lo
> de uma túnica branca e reenviou-o a Pilatos.
> (São Lucas 23,11)

A voz que ordenara que a cabeça de João Batista fosse dada à filha de Herodíades agora ordenava que as vestes alvas da humilhação envolvessem os ombros do prisioneiro. A túnica que Lhe foi dada provavelmente era uma túnica branca, em escárnio, por alegar ser rei. Todos os candidatos a cargos públicos em Roma usavam a *toga candida* ou a túnica branca, de onde provém a palavra "candidato". Assim, Herodes insinuou que o pretenso rei era merecedor de desprezo, embora a túnica fosse branca, sem querer, uma declaração de inocência.

Esse é o modo de agir do mundo para os que têm pequenos ódios a esconder por conta de um ódio maior. O nazismo e o comunismo se uniram por conta de um ódio comum a Deus; assim fizeram Pilatos e Herodes:

> Naquele mesmo dia, Pilatos e Herodes fizeram as pazes,
> pois antes eram inimigos um do outro.
> (São Lucas 23,12)

Farisaísmo e saduceísmo, que eram inimigos, uniram-se na crucifixão. A Cruz de Cristo uniu os amigos — isso é óbvio; mas a Cruz também uniu os inimigos. Os mundanos sempre descartam os ódios menores diante do ódio ao divino. É uma boa piada, esse prisioneiro coberto do próprio sangue, odiado por Seu próprio povo, afirmando ser rei. Herodes podia contar que Pilatos veria o humor disso. Quando Pilatos e ele, juntos, rissem a esse respeito, não seriam mais inimigos — mesmo quando o alvo do humor fosse Deus. A única vez em que o riso é maléfico é ao voltar-se contra Aquele que o criou. Podemos pensar se, assim como Herodes enviou o Prisioneiro Divino de volta a Pilatos para ser condenado, ele recordou que o Senhor dissera que morreria em Jerusalém, e não na Galileia. Depois da Ascensão e da vinda do Espírito Santo, quando Pedro e João seriam levados diante dos juízes por pregar Cristo e Cristo crucificado, aqueles que lhes acompanhavam enviaram a primeira prece da Igreja cristã. Nessa prece, esses dois juízes seriam mencionados em conjunto, de modo que judeus e gentios por todo o mundo que partilharam de Sua condenação partilharam ou partilhariam Sua redenção.

> Pois na verdade se uniram nesta cidade
> contra o vosso santo servo Jesus, que ungistes,
> Herodes e Pôncio Pilatos com as nações e com o povo de Israel,
> para executarem o que a vossa mão
> e o vosso conselho predeterminaram que se fizesse.
> Agora, pois, Senhor, olhai para as suas ameaças
> e concedei aos vossos servos que
> com todo o desassombro anunciem a vossa palavra.
> (Atos dos Apóstolos 4,27-29)

46

No rodapé da lista

Nesse ínterim, o que aconteceu a Judas? Só Judas sabia onde encontrar Nosso Senhor depois do ocaso. Os soldados não sabiam e, portanto, tinham de receber um sinal. Cristo foi entregue a mãos inimigas por um dos seus. Nem sempre o maior dano é causado pelos inimigos, mas por aqueles que foram criados em Sua associação sagrada. São as falhas dos de dentro que dão oportunidade aos inimigos que ainda estão fora. Os inimigos farão o trabalho sanguinário da Crucifixão, mas aqueles que tiveram fé e a perderam e estão aflitos para salvar a própria consciência destruindo a raiz da moralidade cometem o maior mal.

O ódio de Judas contra Nosso Bendito Senhor se devia ao contraste entre seu pecado e a virtude do Divino Mestre. Em *Otelo*, Iago diz sobre Cássio: "Ele tem na vida uma beleza cotidiana que me deixa horroroso". O desgosto de Judas consigo mesmo foi descarregado Naquele que o fazia sentir-se incomodado por Sua Bondade. O ódio à Divindade nem sempre resulta da incredulidade, mas com muita frequência é o efeito da anticredulidade. A consciência, Cristo e o dom da fé deixam os homens maus incomodados com o pecado. Sentem que, se pudessem expulsar Cristo da terra, seriam livres de "inibições morais". Esquecem-se de que são a própria natureza e a consciência que os fazem sentir-se assim. Incapazes de expulsar Deus dos céus, gostariam de expulsar Seus embaixadores da terra. Numa esfera menor, é por isso que muitos homens escarnecem da virtude — porque ela torna o vício desconfortável. Um semblante inocente é um julgamento. Judas era mais zeloso na causa dos inimigos do que o foi na causa de Nosso Senhor. Quando deixam a Cristo, os homens procuram redimir a própria reputação indo aos extremos.

A traição se deu com um beijo. Quando a perversidade quer destruir a virtude e quando o homem quer crucificar o Filho de Deus, sente-se a necessidade de prefaciar a obra do mal com alguma marca de afeição. Judas louvaria e negaria a Divindade com os mesmos lábios. Somente uma palavra voltou em resposta daquele beijo: "amigo". Foi a última vez que Nosso Senhor falou a Judas. Até esse momento, ele não era um traidor, mas um amigo. Tivera direito ao novilho cevado,[2] mas rejeitou-o.

> Judas, o traidor,
> vendo-o então condenado, tomado de remorsos,
> foi devolver aos príncipes dos sacerdotes
> e aos anciãos as trinta moedas de prata,
> dizendo-lhes: Pequei, entregando o sangue de um justo.
> (São Mateus 27,3)

Embora em inglês tenhamos tanto Pedro quanto Judas "arrependidos", as palavras gregas usadas no original são diferentes para Judas e Pedro. A palavra usada em relação a Judas significa apenas uma mudança de sentimento, um lamento pelas consequências, um desejo de desfazer o que foi feito. Esse tipo de "arrependimento" não pede perdão, pois até os demônios no inferno se arrependem das consequências de seu pecado de orgulho. A razão para essa traição a Cristo agora parecia claramente má e desprezível; o Messias político a quem ele esperava agora parecia inconcebível. Antes de um pecado ser cometido, o diabo trata-o como algo irrelevante; depois de cometido, o diabo torna-se um acusador, levando o culpado ao desespero e incitando-o a cometer crimes ainda piores. Evidentemente, o diabo "deixou-o por algum tempo", o que deu a Judas tempo de lamentar sua ação e devolver o dinheiro. Todavia, mais tarde, o diabo voltou a lançá-lo em desespero.

A condenação de Nosso Senhor causou um efeito duplo: um sobre Judas, outro sobre o chefe dos sacerdotes do Sinédrio. Em Judas, produziu o cativeiro de culpa pela agonia da consciência. As trinta moedas de prata na bolsa tornaram-se pesadas demais para ele; correu ao templo, sacou o dinheiro da bolsa e jogou-o no chão do Lugar Santo. Desfazer-se da própria recompensa da traição era um sinal de que não estava nem um pouco mais rico com o que ganhou e infinitamente mais pobre por causa do modo como o tinha ganhado.

Ninguém jamais negou a Cristo ou vendeu-O em troca de um prazer passageiro ou de uma recompensa momentânea sem perceber que se desfa-

---

2 | Alusão à parábola do Filho Pródigo, em que o pai recebe de volta o filho perdido e ordena que matem o "novilho cevado", para celebrar a reconciliação. Ver São Lucas 15,23. (N. T.)

zia Dele a um preço infinitamente irrisório em comparação a Seu verdadeiro valor. Judas parecia estar tirando grande vantagem quando fez a barganha. Depois, levou o dinheiro de volta ao templo e jogou as moedas de prata no chão, que caíram tilintando e rolando, porque já não queria mais aquilo por que barganhara. Tinha enganado a si mesmo. Os frutos do pecado nunca compensam a perda da graça. O dinheiro não servia para nada senão para comprar um campo de sangue.

Aqueles que a ele estavam associados no crime agora tentavam eximir-se da responsabilidade do ato conjunto. Uma das punições da cumplicidade no pecado é a recriminação mútua; sempre que se juntam para praticar o mal contra um homem bom, as pessoas acabam brigando entre si. Entretanto, no caso de Judas, encontramos o oposto da conduta usual do mau-caráter. Quanto maior o erro, maior é a relutância a admitir que foi algo injustificado. Homens maus, para parecerem inocentes, cumulam acusações de culpa sobre aqueles contra quem agiram. Se houvesse algo que teria justificado o pecado de Judas, ele decerto teria se apegado a isso e exagerado, a fim de encobrir sua perfídia e vergonha. Mas o próprio Judas declarou Nosso Senhor inocente. Aquele que outrora reclamara do desperdício do precioso bálsamo de Maria agora desperdiçava suas trinta moedas de prata, desfazendo-se delas. O dinheiro não podia ser dado aos pobres? Judas já não pensava neles. O dinheiro fica no templo, onde Judas o jogou. O chefe dos sacerdotes repudiava tanto a esse dinheiro quanto a Judas, seu instrumento miserável. Ele tentou jogar a responsabilidade sobre o Sinédrio; eles a jogaram de volta na sua cara. Sem confessar de modo algum a Divindade do Mestre, ele, no entanto, condenou-se a si mesmo. Assim como Caim perguntou "Sou eu guardador do meu irmão?", eles desdenhavam do próprio cúmplice.

O dinheiro, contudo, não podia permanecer no chão do templo, e assim o chefe dos sacerdotes juntou-o, dizendo:

> Não é permitido lançá-lo no tesouro sagrado,
> porque se trata de preço de sangue.
> Depois de haverem deliberado,
> compraram com aquela soma o campo do Oleiro,
> para que ali se fizesse um cemitério de estrangeiros.
> Esta é a razão por que aquele terreno é chamado,
> ainda hoje, Campo de Sangue.
> (São Mateus 27,6-8)

Os parceiros de conspiração de Judas estavam dispostos a discutir sobre o dinheiro, mas não acerca do homem inocente. Devem ter se regozijado com a confissão de Judas, mas descartaram-no como uma ferramenta inútil. Ele já não era mais desejado; tampouco o era o dinheiro, de modo que foi usado para comprar um campo de sangue.

Judas estava arrependido diante de si mesmo, mas não diante do Senhor. Estava desgostoso dos efeitos do pecado, mas não com o pecado. Tudo pode ser perdoado, exceto a recusa do perdão, assim como a vida pode perdoar tudo, menos a aceitação da morte. Seu remorso era apenas autodepreciação; e autodepreciação é suicídio. Odiar a si mesmo é o início do crime. Só é saudável quando associado ao amor a Deus. Arrepender-se diante de si mesmo não basta. A consciência fala mais baixo quando tem de falar mais alto. É uma lâmpada que às vezes se apaga nas trevas.

Quando um homem odeia a si mesmo pelo que fez e não se arrepende diante de Deus, às vezes ele pode bater no peito como que para apagar o pecado. Há um mundo de diferença entre bater no peito de repúdio de si e bater nele com o *mea culpa* com que alguém pede perdão. Às vezes, a autodepreciação pode tornar-se intensa a ponto de afetar a vida de um homem, e assim levá-lo ao suicídio. Embora a morte seja uma das penas do pecado original e algo universalmente pavoroso, ainda assim há quem corra a seus braços. Judas teve um alerta de consciência antes de pecar, mas a consciência torturada seguiu-se a ele e foi tão grande que não conseguiu suportar. Desceu pelo vale do Cédron — aquele vale com todas as suas associações sinistras. Em meio a rochas irregulares e entre árvores retorcidas e mirradas, estava tão desgostoso consigo que se esvaziaria de si. Tudo a seu redor parecia dizer-lhe que este era seu destino e seu fim. Nada parecia mais medonho a seus olhos do que a cúpula dourada do templo, que o lembrava do Templo de Deus que ele vendera; cada árvore parecia o madeiro ao qual ele sentenciara o sangue inocente; cada galho era um dedo acusador; o próprio monte em que estava tinha vista para o Calvário, onde Aquele a quem ele sentenciara à morte uniria céu e terra; mas ele agora os separaria tanto quanto estava a seu alcance. Lançando uma corda sobre o galho de uma árvore, enforcou-se, e explodiram-lhe as entranhas. Deus pode ser vendido, mas não pode ser comprado. Judas vendeu-O, mas seus colaboradores iníquos não O puderam comprar, pois Ele estava presente de novo em glória ressurreta na Páscoa.

Pode-se traçar um paralelo interessante entre Pedro e Judas. Há algumas semelhanças e também diferenças enormes. Primeiro, Nosso Senhor chamou-os ambos de "diabo". Chamou Pedro de "Satanás" quando este O repreendeu por dizer que seria crucificado; chamou Judas de diabo quando prometeu o Pão da Vida. Segundo, advertiu a ambos de que cairiam. Pedro disse que, mesmo que os outros negassem o Mestre, ele não o faria. Em seguida, foi avisado de que, naquela mesma noite, antes que o galo cantasse, O negaria três vezes. Judas, por sua vez, foi advertido quando Jesus ofereceu-lhe o pão embebido; e também lhe foi dito, em resposta a sua pergunta, que ele era o traidor. Terceiro, ambos negaram Nosso Senhor: Pedro às criadas durante a noite do julgamento; Judas, no jardim, quando entregou Nosso Senhor aos soldados. Quarto, Nosso Senhor tentou salvar a ambos: a Pedro, com um olhar; a Judas, ao dirigir-se a ele como "amigo". Quinto, ambos se arrependeram: Pedro saiu e chorou amargamente; Judas arrependeu-se, devolvendo as moedas de prata e afirmando a inocência de Nosso Senhor.

Por que, então, um está no topo da lista, e o outro no rodapé? Porque Pedro arrependeu-se diante do Senhor, e Judas, perante a si mesmo. A diferença era tão vasta quanto a teorreferência e a autorreferência: tão vasta quanto a diferença entre uma Cruz e um divã psicanalítico. Judas disse que "traíra sangue inocente", mas nunca desejou ser banhado por este sangue. Pedro sabia que tinha pecado e buscou redenção; Judas sabia que tinha cometido um equívoco e buscou um escape — o primeiro de uma longa fileira de escapistas da Cruz. O perdão divino pressupõe a liberdade humana, mas nunca a destrói. Há quem se pergunte se Judas, quando estava sob a árvore que lhe traria a morte, olhou em volta, para a árvore que podia lhe trazer vida. A respeito dessa diferença entre arrepender-se diante do Senhor e arrepender-se diante de si mesmo, como Pedro e Judas, respectivamente, São Paulo comentaria mais tarde com as seguintes palavras:

> De fato, a tristeza segundo Deus produz
> um arrependimento salutar de que ninguém se arrepende,
> enquanto a tristeza do mundo produz a morte.
> (2 Coríntios 7,10)

A tragédia da vida de Judas é que ele podia ter sido São Judas.

47

O SEGUNDO JULGAMENTO PERANTE PILATOS

Pilatos viu a multidão, e Nosso Senhor no meio dela, retornando do julgamento de Herodes e aproximando-se do palácio. É muito difícil lavar as mãos por Cristo. Obrigado a resumir o caso diante do povo, Pilatos voltou à primeira acusação de que Ele havia pervertido o povo e proclamou:

> Apresentastes-me este homem como agitador do povo,
> mas, interrogando-o eu diante de vós,
> não o achei culpado de nenhum dos crimes de que o acusais.
> Nem tampouco Herodes, pois no-lo devolveu.
> Portanto, ele nada fez que mereça a morte.
> (São Lucas 23,14-15)

Parecia que ambos os juízes estavam convencidos de que, independentemente do relato circulado, o prisioneiro não tinha culpa. Por uma segunda vez, Ele foi declarado inocente. Pilatos, sabendo que os judeus O tinham entregado por inveja, buscou outro meio para deixar de condená-Lo. O Sinédrio, na verdade, ofereceu uma desculpa ao recordá-lo de que na Páscoa havia o costume de libertar um prisioneiro. Naquele momento, há tempos na cadeia, estava um prisioneiro "notável", Barrabás. Esse homem era um líder clandestino judaico contra os romanos. Foi posto na cadeia por insubordinação e assassinato ao liderar uma revolução contra Roma.

Pilatos era muito inteligente; buscou confundir a questão ao escolher um prisioneiro que era culpado da mesmíssima acusação que apresentaram contra o Cristo, a saber, insubordinação contra César. Em poucos minutos, duas figuras se postaram diante da multidão no piso de mármore alvo do pretório. Pilatos estava sentado em uma plataforma suspensa rodeado pela guarda imperial. Barrabás, de um lado, pestanejava ao ver a luz do sol, que não tinha havia meses. Do outro lado estava Cristo. Dois homens acusados de revolução. Barrabás apelou às queixas nacionais, Cristo apelou à consciência. Soaram as trombetas. A ordem foi restaurada. Pilatos deu um passo adiante e dirigiu-se à multidão:

> Qual quereis que eu vos solte:
> Barrabás ou Jesus, que se chama Cristo?
> (São Mateus 27,17)

A pergunta de Pilatos tinha todo o ar de democracia e de livre eleição, mas era uma réplica barata. Ponderemos sua pergunta. Consideremos primeiro as pessoas a quem ele se dirigiu e, em seguida, a questão em si. As próprias pessoas não estavam inclinadas a mandar Nosso Senhor à morte. Por esse motivo, alguns demagogos:

> persuadiram o povo que pedisse a libertação de Barrabás e fizesse morrer Jesus.
> (São Mateus 27,20)

Há sempre uma ralé, um grupo de nanicos, negligentes e insensatos, dispostos a ficar à mercê desse tipo de retórica, chamada de "rameira das artes". As pessoas podem ser enganadas por falsos líderes; os mesmos que gritam "hosana" no domingo podem gritar "crucifica-O" na sexta-feira.

O que aconteceu na manhã da Sexta-Feira Santa foi que, mediante a ação de propagandistas, o povo se tornou massa. A democracia com consciência se torna "massocracia" com poder. Quando uma democracia perde o senso moral, imediatamente pode, pelo voto, afastar-se da democracia. Quando Pilatos perguntou

> Qual quereis que eu vos solte?
> (São Mateus 27,17)

estava realizando uma eleição democrática justa. Pressupunha que um voto significasse o direito de escolha entre a inocência e a culpa, a bondade e a maldade, entre o certo e o errado.

Em resposta à pergunta de Pilatos, a massa bradou:

> Barrabás.
> (São Mateus 27,22)

Pilatos quase não podia acreditar no que ouvia; Barrabás também não acreditava! Estava para ser libertado? Pela primeira vez, tomava consciência de que agora podia prosseguir com sua revolta. Voltou seu rosto emproado, abrasado, para o Nazareno. Pretendia medir o rival da cabeça aos pés, mas não ousou mais erguer o olhar. Havia algo em Seus olhos que perscrutavam a alma, como se o Nazareno estivesse realmente penalizado por que ele fora libertado.

> Todo o povo gritou a uma voz:
> À morte com este, e solta-nos Barrabás.
> (São Lucas 23,18)
>
> Pilatos falou-lhes outra vez:
> E que quereis que eu faça daquele a quem chamais o rei dos judeus?
> (São Marcos 15,12)
>
> Pilatos, porém, querendo soltar Jesus, falou-lhes de novo, mas eles vociferavam: Crucifica-o! Crucifica-o!
> (São Lucas 23,20-21)
>
> Pela terceira vez, Pilatos ainda interveio: Mas que mal fez ele, então?
> Não achei nele nada que mereça a morte; irei, portanto, castigá-lo e,
> depois, o soltarei.
> Mas eles instavam, reclamando em altas vozes que fosse crucificado,
> e os seus clamores recrudesciam.
> Pilatos pronunciou então a sentença que lhes satisfazia o desejo.
> Soltou-lhes aquele que eles reclamavam
> e que havia sido lançado ao cárcere por causa do homicídio e da revolta,
> e entregou Jesus à vontade deles.
> (São Lucas 23,22-25)

A maioria nem sempre está certa. A maioria está certa no campo do relativo, mas não no do absoluto. A maioria é um teste legítimo desde que o voto se baseie na consciência, e não na propaganda. A verdade não é vitoriosa quando somente os números se tornam decisivos. Os números por si podem eleger uma rainha da beleza, mas não a justiça. A beleza é uma questão de estética, mas a justiça não tem estética. O certo é certo ainda que ninguém esteja certo, e o errado ainda é errado mesmo que todos estejam errados. A primeira eleição da história do cristianismo estava errada!

Barrabás foi libertado por causa do Cristo, embora fosse uma liberdade política. Entretanto, isso foi um símbolo de que por Sua morte os homens seriam libertados. Ocorreu no período da Páscoa, quando o cordeiro foi substituído pelo povo e posto à morte em expiação dos pecados. O Salvador deveria sofrer e o pecador, ser libertado. O Livro do Êxodo proclamara que o pecador estava para ser redimido por um cordeiro, mas o Cordeiro não poderia ser redimido. O Salvador não poderia ser libertado, mas o pecador poderia.

Pilatos, ainda aflito para não condenar o Cristo, numa estranha mudança de opinião, disse:

> Por isso, soltá-lo-ei depois de o castigar.
> (São Lucas 23,16)

A flagelação era sempre infligida pelos romanos antes da crucifixão, mas esse castigo não era tal forma de punir. Como Lísias, mais tarde, não hesitou em flagelar Paulo sem ter uma ofensa comprovada, Pilatos, igualmente, infligiu uma punição na esperança de comover o povo. Naturalmente, isso não era surpresa para Nosso Senhor, que previra ser flagelado e crucificado. Até então Pilatos fizera três tentativas de libertar Nosso Senhor; uma ao declará-Lo inocente, outra, ao libertar um prisioneiro na Páscoa e a última ao flagelá-Lo.

A FLAGELAÇÃO

Pilatos tentou encontrar um equilíbrio entre satisfazer o Sinédrio e a própria consciência. No entanto, Pilatos estava errado ao pensar que o derramamento de sangue acalmaria seus ânimos e os enterneceria. Tais transigências diante da justiça raramente alcançam os fins. Se culpado, Pilatos deveria tê-Lo condenado à morte; se inocente, deveria tê-Lo libertado.

Nosso Senhor olhava adiante para dar Sua vida como resgate pelo pecado; descrevera-Se como possuidor de um batismo por meio do qual Ele seria batizado. João deu-Lhe um batismo de água, mas os soldados romanos agora Lhe davam Seu batismo de sangue. Depois de abrir a carne sacra com fendas violentas, vestiram-No com uma túnica púrpura que aderiu ao corpo ensanguentado. Em seguida, entrelaçaram uma coroa de espinhos, que colocaram em Sua cabeça. Como os soldados amaldiçoaram quando um dos espinhos espetou seus dedos, mas como zombaram quando a coroa de espinhos foi posta em Sua fronte! Então, escarneceram Dele e puseram um caniço em Suas mãos após espancar Sua cabeça. Ajoelharam-se diante dele em adoração fingida. Como profetizara Isaías:

> Em verdade, ele tomou sobre si nossas enfermidades
> e carregou os nossos sofrimentos:
> e nós o reputávamos como um castigado,
> ferido por Deus e humilhado.
> Mas ele foi castigado por nossos crimes,
> e esmagado por nossas iniquidades;
> o castigo que nos salva pesou sobre ele;
> fomos curados graças às suas chagas.
> (Isaías 53,4-5)

Depois da flagelação, Pilatos conduziu o Cristo ensanguentado diante da multidão e disse:

> Eis que vo-lo trago fora, para que saibais que
> não acho nele nenhum motivo de acusação [...]
> Eis o homem!
> (São João 19,4-5)

"Vede a espécie de homem que estais a acusar. Contemplai-o, não está ornado de arminho, não traz nenhuma coroa senão espinhos, nenhuma outra marca de realeza senão o sangue rubro e nenhum outro sinal de autoridade senão uma vara. Estai certos de que nunca mais assumirá o título de rei que Lhe custou tão caro. Esperei encontrar um lampejo de humanidade em vós, e foi por isso que me rendi a vossos desejos."

No entanto, os líderes do povo O viram e bradaram:

> Crucifica-o! Crucifica-o!

Pilatos disse:

> Tomai-o vós e crucificai-o, pois eu não acho nele culpa alguma.

O povo respondeu:

> Nós temos uma lei, e segundo essa lei ele deve morrer, porque se declarou Filho de Deus.
> (São João 19,6-7)

Pilatos disse que Ele era um "homem"; eles disseram "o Filho de Deus". Pilatos declarara que Ele era inocente perante a lei romana. Eles responderam que Ele era culpado perante a lei judaica. Quando Pilatos os ouviu chamando-O de "Filho de Deus"

> Estas palavras impressionaram Pilatos.
> (São João 19,8)

A superstição anda lado a lado com o ceticismo. Herodes não acreditava na ressurreição, não obstante, ao ouvir que Nosso Senhor pregava em seu território, pensou que Cristo fosse João Batista que ressuscitara dos mortos. Pilatos não acreditava que Ele fosse o Filho de Deus; não obstante, questionou-se a respeito desse Ser estranho diante de si que não dizia uma só palavra em defesa própria. Profundamente abalado e temeroso de que provavelmente Cristo fosse algum mensageiro dos deuses, Pilatos O chamou para dentro do pretório e Lhe disse:

> De onde és tu?
> (São João 19,9)

Pilatos não perguntou "Quem és?" ou "És o Filho de Deus?", mas "De onde és tu?". A origem galileia do Senhor não lhe interessava, pois já tinha enviado Cristo como galileu para Herodes. Percebeu que Ele era algo mais que um homem. Se fosse realmente dos céus não poderia crucificá-Lo, portanto, perguntou de maneira privada por Sua verdadeira origem. Pilatos já havia feito seis perguntas. Haveria ainda uma só por perguntar.

No entanto, Jesus recusou-se a responder à pergunta. Pilatos já havia dado as costas à verdade. Cinco vezes durante o julgamento Nosso Senhor manteve-Se em silêncio misterioso: diante do sumo sacerdote, do Sinédrio, de Herodes e duas vezes diante de Pilatos. O silêncio poderia significar que carregava os pecados do mundo e nada tinha a dizer em defesa própria. Quando falou, era como um pastor; ao calar-Se, era como uma "ovelha", como profetizado por Isaías:

> Foi maltratado e resignou-se; não abriu a boca,
> como um cordeiro que se conduz ao matadouro,
> e uma ovelha muda nas mãos do tosquiador.
> (Ele não abriu a boca.)
> (Isaías 53,7)

Pilatos tratara Cristo como objeto de especulação, pois não aproveitou a verdade diante de si. Para tais homens, não existe resposta dos céus. Nas profundezas de sua mente, Pilatos chegara à convicção de inocência, mas não agiu segundo ela. Portanto, Pilatos não merecia resposta e não recebeu resposta alguma. Perdeu o direito de qualquer outra revelação do Prisioneiro. Toda alma tem o dia da visitação, e Pilatos teve o seu.

Cláudia

Pode ter sido nesse momento que Cláudia, a mulher de Pilatos, enviou uma mensagem ao marido.

Cláudia era a filha mais nova de Júlia, filha de César Augusto. Júlia fora casada três vezes, a última com Tibério. Por conta da vida dissoluta, Júlia foi exilada quando concebeu Cláudia de um nobre romano. Quando Cláudia tinha 13 anos, Júlia a enviou para ser criada por Tibério. Aos 16, Pôncio Pilatos, ele mesmo de origem baixa, conheceu Cláudia e pediu a Tibério para casar-se com ela. Assim, Pilatos casou-se com a família do imperador, o que lhe assegurou o futuro político. Por força do casamento, Pilatos foi feito procurador da Judeia.

Os governadores romanos eram proibidos de levar as mulheres para as províncias. A maioria dos políticos estava feliz com isso, mas não Pilatos. O amor rompeu com a austera lei romana. Após Pilatos estar em Jerusalém por seis anos, mandou buscar Cláudia, que estava muito impaciente para encarar uma vida longe da capital do mundo, entre povos desconhecidos e estrangeiros.

É razoável concluir que Cláudia deve ter ouvido falar de Jesus, talvez por meio da serva judia que preparava o banho ou dos mordomos que traziam notícias a respeito Dele. Podia, na verdade, tê-Lo visto, pois a Fortaleza de Antônia, onde vivia, era perto do Templo de Jerusalém, e Jesus estava sempre lá.

Pode ter ouvido Sua mensagem e, já que "Nenhum homem falou como este homem", sua alma estava abalada. O próprio contraste entre Ele e Suas ideias e o mundo que ela conhecia e os pensamentos que ela tinha aprofundava Seus encantos. Como as mulheres de Jerusalém que viam Cláudia a observar através do postigo, que tentavam captar o brilho das pedras preciosas em suas mãos ou a marca de orgulho nas feições patrícias, podiam imaginar como eram profundos seus pensamentos, como era intenso seu pesar e profunda sua ânsia?

Havia uma submissão quase prussiana à lei entre os romanos. A nenhuma mulher era permitido interferir nos processos jurídicos, nem mesmo para dar uma sugestão a respeito de tais procedimentos. O que fez a entrada em cena de Cláudia mais memorável foi ela ter enviado uma mensagem ao marido, Pôncio Pilatos, no mesmo dia em que ele decidiria o caso mais importante de sua carreira e o único pelo qual seria lembrado — o julgamento de Nosso Senhor.

Enviar uma mensagem a um juiz enquanto estivesse no tribunal era uma ofensa sujeita a punição, e somente o horror do que ela viu que seria feito a moveu a fazê-lo.

> Enquanto estava sentado no tribunal,
> sua mulher lhe mandou dizer:
> Nada faças a esse justo.
> Fui hoje atormentada por um sonho que lhe diz respeito.
> (São Mateus 27,19)

Enquanto as mulheres de Israel estavam silentes, essa mulher pagã testemunhou a inocência de Jesus e pediu ao marido que lidasse com Ele de modo correto.

A mensagem de Cláudia é um resumo de tudo o que o cristianismo faria para a feminilidade pagã. Ela é a única mulher romana nos Evangelhos e é uma mulher de alta estirpe. Seu sonho resumiu os sonhos e anseios do mundo pagão, a esperança antiga por um homem justo — um Salvador.

O que era o sonho, não o sabemos, mas uma autora moderna, Gertrud von Le Fort, conjecturou a esse respeito. Na manhã da Sexta-Feira Santa, ao acordar, Cláudia pareceu ouvir vozes nas catacumbas dizendo: "padeceu sob Pôncio Pilatos"; então, depois, os templos romanos se transformaram em igrejas: "padeceu sob Pôncio Pilatos"; depois, uníssonas como o bramido do mar, as vozes se multiplicaram e entoaram nas igrejas que se erguiam como pináculos no céu: "padeceu sob Pôncio Pilatos". Entretanto, qualquer que tenha sido o sonho, a mulher intuitiva estava correta, o homem prático estava errado. Pilatos, ao ver que o Prisioneiro ainda estava silente, ficou cheio de raiva, pois se acostumara a ver o acusado rastejar de temor diante dele.

> Tu não me respondes?
> Não sabes que tenho poder para te soltar e para te crucificar?
> (São João 19,10)

Pilatos mencionou seu poder de libertar ou condenar. No entanto, se o Prisioneiro diante dele fosse inocente, Pilatos não tinha poder de crucificá-Lo; se fosse culpado, não tinha poder de libertá-Lo. O juiz é julgado, Nosso Senhor imediatamente falou, recordando Pilatos de que qualquer autoridade jurídica que tinha não provinha de César, mas de Deus. Pilatos se gabara da arbitrariedade de seu poder, mas Cristo referiu-Se a um poder que é delegado ao homem.

> Não terias poder algum sobre mim, se de cima não te fora dado.
> (São João 19,11)

O poder do qual Pilatos se vangloriava era "dado". Saiba ou não um governador, um rei ou um regente, todo poder terreno deriva do alto. "Por mim reinam os reis" (Provérbios 8,15), diz o Livro dos Provérbios. Entretanto, Nosso Senhor logo atribuiu maior pecado tanto a Judas quanto ao sumo sacerdote.

> Por isso, quem me entregou a ti tem pecado maior.
> (São João 19,11)

Pilatos, o Gentio, não sabia que seu poder vinha de Deus, mas Caifás sabia; da mesma maneira Judas o sabia. Esse conhecimento superior os tornou mais culpados que o romano. Pilatos pecou por ignorância; Caifás pecou contra o conhecimento, assim como Judas.

A CONDENAÇÃO

Essa repreensão ousada a Pilatos, recordando-o da dependência de Deus e acusando-o de um pecado menor, ainda que não menos real, perturbou os esforços de "libertá-Lo". Pilatos saiu para encontrar-se com a multidão e reafirmar a inocência do Prisioneiro. A turba, contudo, já tinha pronta uma resposta inteligente:

> Se o soltares, não és amigo do imperador,
> porque todo o que se faz rei
> se declara contra o imperador.
> (São João 19,12)

Pilatos estava apavorado! Caso libertasse o Prisioneiro, seria feita uma queixa para o imperador, já suspeitoso, de que ele era culpado de conspiração e traição. Se assim o fosse, perderia tanto a governança quanto a cabeça. Era muito estranho que a multidão que menosprezava César pelos massacres, por todo o mal que lhes fizera e por prostituir o templo, agora proclamasse que não tinham outro rei senão César. Ao proclamar César como rei, renunciavam à ideia de um Messias e faziam-se vassalos do império, preparando-se, assim, para que os exércitos romanos engolissem Jerusalém em uma geração. Os terrores de Tibério pareciam mais reais a Pilatos que a negação da justiça ao Cristo. No final, contudo, aqueles que temem mais aos homens que a Deus perdem aquilo que esperavam que os homens preservassem. Pilatos, mais tarde, foi deposto pelo imperador romano por uma queixa dos judeus — outro exemplo dos homens punidos pelos mesmos instrumentos em que confiaram. Quando Pilatos ouviu a ameaça de informar César acerca de sua parcialidade para com um homem a quem acusaram de ser inimigo de César, Pilatos sentou no trono da justiça. Apontando para o Prisioneiro coberto de sangue ressequido, coroado de espinhos e de capa escarlate, disse ao povo:

> Eis o vosso rei!
> Mas eles clamavam:
> Fora com ele! Fora com ele! Crucifica-o!
> (São João 19, 14-15)

Pilatos perguntou:

> Hei de crucificar o vosso rei?

E os sumos sacerdotes responderam:

> Não temos outro rei senão César!
> (São João 19,15)

E o rei levou em conta a palavra deles! Assim como outrora, nos dias de Samuel, rejeitaram o governo de Deus para ter um rei que Deus lhes deu com ira, assim também agora, ao rejeitar a realeza de Cristo, seriam atrelados à terra sob a realeza de César. Quando um criminoso era condenado à morte, era costume romano pegar uma vara longa, quebrá-la em duas partes e lançá-la aos pés do prisioneiro. Pilatos seguiu esse costume, e nos pedaços partidos do assoalho de mármore formou-se a figura de uma cruz.

Ibis ad crucem (Padecerás na cruz) era o édito romano, seguido pela ordem: *I, Lector, expedi crucem* (Vai, Leitor, prepara a cruz).

> Entregou-o então a eles para que fosse crucificado.
> (São João 19,16)

Na entrega do Prisioneiro para a crucifixão, Pilatos nunca poderia ter alegado ser impotente; um momento antes tinha se vangloriado de seu poder de condenar e libertar. Tampouco poderia desculpar-se com base na falta de coragem de opor-se aos que desejavam a morte de Cristo, pois pouco tempo depois, quando pediram que o sobrescrito na cruz fosse mudado, provou como podia ser obstinado. Pilatos fazia um papel duplo. Não desejava ofender aqueles a quem governava para que não fosse denunciado a César, mas também não desejava condenar sangue inocente.

A culpa pela crucifixão não deve ser atribuída a nenhuma nação, raça, povo ou indivíduo. O pecado foi a causa da crucifixão, e toda a humanidade herdou a infecção do pecado. Judeus e gentios partilharam a culpa, porém o mais importante é o Pai Celestial também tê-Lo libertado da morte, e ambos, judeus e gentios, partilham os frutos da redenção:

> Aquele que não poupou seu próprio Filho,
> mas que por todos nós o entregou.
> (Romanos 8,32)

Pilatos, então:

> Fez com que lhe trouxessem água,
> lavou as mãos diante do povo e disse:

> Sou inocente do sangue deste homem.
> Isto é lá convosco!
> (São Mateus 27,24)

Pilatos, por certo, não tinha consciência do rito misterioso ordenado por Moisés. As pessoas que viram Pilatos declarar-se inocente devem ter pensado nisso. Moisés ordenara:

> Então todos os anciãos da cidade encontrada mais próxima do cadáver
> lavarão suas mãos sobre a novilha cuja nuca quebraram no vale,
> e dirão estas palavras:
> Nossas mãos não derramaram este sangue, nem o viram os nossos olhos.
> Ó Senhor, perdoai o vosso povo de Israel que resgatasses.
> Não lhe imputeis o sangue inocente.
> Assim será o homicídio expiado por eles.
> E desse modo tirarás do meio de ti o sangue inocente,
> e farás o que é reto aos olhos do Senhor.
> (Deuteronômio 21,6-9)

Nesse momento, o papel foi revertido. Foi Pilatos que se declarou inocente; foram os seguidores de Moisés que fizeram o oposto. A cerimônia prefigurava ser feito inocente pelo sangue, que era a maneira de o Cristo morrer. Pilatos, no entanto, buscou a inocência na água assim como Maomé a buscou na areia. Edmund Spenser, na sua obra *Fairy Queene*, descreveu Pilatos como aquele que passou o restante da vida a lavar continuamente as mãos. Lady Macbeth fez isso, mas, como a água não podia lavar o coração de Pilatos, assim lamentou-se lady Macbeth:

> Todo o oceano do potente Netuno
> poderia de tanto sangue a mão deixar-me limpa? Não...
> (*Macbeth*, Ato 2, Cena II)

Embora o governador covarde tenha simbolicamente purgado a responsabilidade de sua perversão de justiça, na história soou o lamento: "Padeceu sob Pôncio Pilatos".

Judas confessou que traíra "sangue inocente"; Pilatos repetidamente "não encontrou Nele culpa", nem Herodes; Cláudia Procula O considerava um "homem justo"; o ladrão na cruz, mais tarde, diria que Ele não fizera mal algum; e o centurião, por fim, proclamaria:

> Verdadeiramente, este homem era Filho de Deus!
> (São Mateus 27,54)

Entretanto, no momento em que Pilatos declarou-se inocente de Seu sangue, o povo bradou:

> Caia sobre nós o seu sangue e sobre nossos filhos!
> (São Mateus 27,25)

Aquele sangue poderia recair sobre eles para destruí-los, mas ainda era o sangue da Redenção. Ainda que tenham atrelado uma maldição a si mesmos, Aquele a quem crucificaram não ratificara a sentença deles. No final se arrependerão. Antes do fim, há sempre os remanescentes que serão salvos. Mesmo nessa ocasião, não havia uma só mulher mencionada entre eles a desejar Sua morte. Então, também entre eles nessa hora havia almas nobres como José de Arimateia, Nicodemos, o mordomo da casa de Herodes e, em poucos anos, Paulo. Naquele momento, contudo, quando foi entregue pela terra, depois de ter sido entregue pelo céu para ser crucificado, seguiu-se outro escárnio:

> tiraram-lhe a púrpura, deram-lhe de novo as vestes
> e conduziram-no fora para o crucificar.
> (São Marcos 15,20)

Nada foi dito sobre tirar-Lhe a coroa de espinhos, embora tenham-No despido das vestes em que fora escarnecido e ridicularizado como um falso rei. Puseram-Lhe os próprios trajes, o que provavelmente incluía as roupas externas e internas, bem como a túnica sem costura pela qual os soldados, mais tarde, lançariam a sorte. Seguiria com as próprias vestes e seria identificado como Aquele que pregara para Seu povo e andara entre eles como o Messias.

> Conduziram-no fora para o crucificar.
> (São Marcos 15,20)

Foi conduzido para fora da cidade, que era o costume em todas as execuções. O Levítico ordenara que os blasfemos fossem conduzidos à morte fora da cidade. Estêvão, ao ser apedrejado como o primeiro mártir, antes foi conduzido para fora da cidade. A lei também ordenava que o bode expiatório, sobre o qual as mãos do sacerdote eram impostas como se imputasse os pecados do povo, devia ser levado para fora da cidade para indicar que os pecados do povo eram retirados. A Epístola aos Hebreus descreveu esse simbolismo:

> Porque, quando o sumo sacerdote levava ao santuário o sangue dos animais
> imolados para a expiação do pecado,
> os corpos desses animais eram inteiramente consumidos fora da entrada.
> Por esta razão, Jesus, querendo purificar o povo pelo seu próprio sangue,
> padeceu fora das portas.
> (Hebreus 13,11-12)

Agora desejavam que Ele morresse, mas o que Ele era e o que eles odiavam nunca morreria.

> Levaram então consigo Jesus.
> Ele próprio carregava a sua cruz para fora da cidade,
> em direção ao lugar chamado Calvário,
> em hebraico Gólgota.
> (São João 19,17)

48

A CRUCIFIXÃO

A procissão da Cruz normalmente era precedida por uma trombeta a abrir o caminho; então, seguia-se um arauto que anunciava o nome do criminoso levado à execução. Às vezes, o nome do criminoso e o motivo da condenação eram escritos numa placa e pendurados em seu pescoço. Duas testemunhas do concílio que sentenciou o condenado à morte também tinham de acompanhar o cortejo. Um centurião montado num cavalo, junto com um considerável destacamento de soldados, fazia parte da procissão. Havia também os dois ladrões que seriam crucificados com Nosso Senhor. Ele carregava todo o peso da Cruz em Seus ombros, que já tinham sofrido a flagelação.

No domingo anterior, Ele havia sido proclamado "Rei"; naquela manhã, as pessoas gritavam: "Nenhum rei, senão César." A Jerusalém que O saudou era agora a Jerusalém que O repudiava. Desde que os sacerdotes do templo O julgaram maldito, exilaram-No de Jerusalém. Essa era a lei do Levítico, segundo a qual a oferta pelo pecado devia ser levada para fora dos portões da cidade ou do campo.

> "Serão levados para fora do acampamento
> o touro e o bode oferecidos em sacrifício pelo pecado,
> cujo sangue terá sido levado ao santuário
> para aí fazer-se a expiação;
> queimar-se-ão no fogo o seu couro,
> a sua carne e os seus excrementos.
> (Levítico 16,27)

Cristo, a oferta definitiva pelo pecado, é levado como bode expiatório para fora da cidade. São Paulo sugere que a partir daquele momento a cidade perdeu sua pretensão de grandeza e foi substituída pela Jerusalém celestial.

> Por esta razão, Jesus, querendo purificar
> o povo pelo seu próprio sangue,

> padeceu fora das portas.
> Saiamos, pois, a ele fora da entrada,
> levando a sua ignomínia.
> Aliás, não temos aqui cidade permanente,
> mas vamos em busca da futura.
> (Hebreus 13,12-14)

Isaías previra que "o governo está sobre seus ombros" (Isaías 9,6); agora ficava claro que a Cruz era Seu governo ou lei da vida. Ele dissera que quem quisesse ser Seu discípulo deveria tomar a cruz e segui-Lo.

Temendo que a flagelação prolongada, a perda de sangue e a coroa de espinhos O levassem à morte antes da Crucifixão, Seus inimigos obrigaram um estrangeiro, Simão de Cirene, a ajudá-Lo a carregar a cruz. Cirene era uma cidade na costa norte da África. A nacionalidade de Simão, todavia, é incerta. Pode ter sido judeu, a julgar pelo nome, ou um gentio; pode ser até que fosse um negro africano, a julgar pelo lugar de nascimento e pelo fato de que foi "forçado" a ajudar Nosso Senhor a carregar a cruz. Foi a primeira vez que o Salvador lançou Sua Cruz sobre alguém; a Simão pertence o privilégio de ser o primeiro a compartilhar a Cruz de Cristo.

> Passava por ali certo homem de Cirene,
> chamado Simão, que vinha do campo,
> pai de Alexandre e de Rufo,
> e obrigaram-no a que lhe levasse a cruz.
> (São Marcos 15,21)

Simão não se encarregou dessa tarefa voluntariamente, pois a palavra grega usada no Evangelho foi adotada do persa e significa o emprego compulsório de animais para a entrega de correspondência no Império Persa. Simão provavelmente era um dos milhares de curiosos interessados em ver um homem caminhar para a morte e estava à beira da estrada até que o braço longo da lei Romana o forçou a participar da ignomínia da Cruz. À primeira vista, relutante por causa da coerção, ele, no entanto, deve ter encontrado, como Nosso Senhor dissera que seus discípulos encontrariam, "o jugo suave e o fardo leve". De outro modo, seus dois filhos não teriam sido mencionados por Paulo como pilares da Igreja.

Nosso Senhor, durante a vida pública, ensinou a bondade como resposta à injúria:

> Se alguém vem obrigar-te
> a andar mil passos com ele,
> anda dois mil.
> (São Mateus 5,41)

É possível que Simão nunca tenha ouvido essas palavras; mas palavras eram desnecessárias enquanto ele seguia a Palavra.

Ao longo do caminho por que a procissão passava, encontravam-se também muitas mulheres. Havia muitos exemplos de homens que decepcionaram na Crucifixão, como os apóstolos que dormiram no jardim, Judas que O traiu, as cortes judaica e gentia que O condenaram, mas não há registro de uma só mulher que tenha pedido Sua morte. Uma mulher pagã intercedera por Sua vida diante de Pilatos. Aos pés da Cruz, haveria quatro mulheres, mas só um apóstolo. Durante a última semana do Senhor, as crianças gritaram "Hosana", os homens bradaram "Crucifica!", mas as mulheres "choraram". Às mulheres que choravam, disse o Senhor:

> Filhas de Jerusalém, não choreis sobre mim,
> mas chorai sobre vós mesmas e sobre vossos filhos.
> Porque virão dias em que se dirá:
> Felizes as estéreis, os ventres que não geraram
> e os peitos que não amamentaram!
> Então dirão aos montes: Caí sobre nós!
> E aos outeiros: Cobri-nos!
> Porque, se eles fazem isto ao lenho verde,
> que acontecerá ao seco?
> (São Lucas 23,28-31)

Nosso Senhor aludia às palavras que já tinha dito acerca da destruição iminente de Jerusalém:

> Virão sobre ti dias em que os teus inimigos
> te cercarão de trincheiras,
> te sitiarão e te apertarão de todos os lados;
> destruir-te-ão a ti e a teus filhos
> que estiverem dentro de ti,
> e não deixarão em ti pedra sobre pedra,
> porque não conheceste o tempo em que foste visitada.
> (São Lucas 19,43-44)

Assim como no jardim o Senhor dissera aos soldados que o levassem e deixassem os apóstolos em paz, também disse às mulheres que não chorassem por Ele, pois era inocente, mas que chorassem pela destruição de Jerusalém, que era um símbolo da destruição do mundo no fim dos tempos. Na verdade, quando veio a destruição de Jerusalém, Josefo registrou que o povo de Jerusalém se escondia em cavernas e rochas das montanhas.

Essa foi a primeira vez desde o interrogatório diante de Pilatos que Nosso Senhor quebrou o silêncio. Era o sermão da Paixão do Salvador ou, antes, a primeira parte dele; a segunda parte consistia das Sete Últimas Palavras da Cruz.

Se houve algum momento em que Nosso Senhor pode ter se preocupado com as próprias dores e tomado as lágrimas dos outros como consolo para o próprio luto, esse foi o momento a caminho do Calvário, e ainda assim pediu às mulheres que não derramassem lágrimas por Ele. Aquele que chorou em Betânia e Cujo sangue agora gotejava na estrada de Jerusalém pediu-lhes que não chorassem por Ele, pois Sua morte era uma necessidade desejada — livremente desejada por Ele, mas uma necessidade para os homens. Ademais, uma vez que prometera enxugar toda lágrima, lágrimas por Ele eram desnecessárias.

A árvore verde era Ele mesmo; a árvore seca era o mundo. Ele era a verdejante árvore da vida transferida do Éden; a árvore seca era primeiro Jerusalém, e depois o mundo não convertido. Sua advertência significava que, se os romanos tratavam dessa forma Aquele que era inocente, como tratariam Jerusalém, que O condenara à morte? Se Ele foi ferido por causa das transgressões dos outros, como, no juízo final, seria punida a culpa por suas próprias iniquidades? Quando há fogo na floresta, a árvore verde com seiva e umidade se escurece; já as árvores velhas e secas, inteiramente podres, vão queimar! Se Aquele que não tinha pecado sofreu, quanto mais sofrerão aqueles que estão podres com o pecado!

Pedro, que não foi mencionado nessa cena, mas que viveu intimamente com o Salvador, mais tarde tomou o mesmo tema e escreveu:

> E, se o justo se salva com dificuldade,
> que será do ímpio e do pecador?
> Assim também aqueles que sofrem segundo a vontade de Deus
> encomendem as suas almas ao Criador fiel,
> praticando o bem.
> (1 São Pedro 4,18-19)

Nenhuma lágrima de Dalila afastaria esse Sansão de sua obra hoje; nenhum lamento superficial das mulheres de Jerusalém O enfraqueceria no propósito determinado do sacrifício; o dote de lágrimas não podia fazer delas as noivas de Seu coração. Se Ele fosse apenas um homem bom indo em direção à morte, então deixaria que abrissem a fonte de lágrimas; mas, como Ele era um sacerdote indo ao sacrifício, então só as deixaria chorar se não se aproveitassem dos frutos desse mesmo sacrifício. Assim como purgaria a morte ao levantar-Se do sepulcro, também agora purgou as lágrimas de lamento, ao mostrar que só o pecado merecia lágrimas. As mulheres choravam por Ele como um homem bom, mas Ele não teria essas lágrimas no leito de morte. Ao rejeitar esse luto, o Senhor mostrou que não era um homem bom enviado à morte, mas um Deus-homem salvando pecadores.

Oculto em Suas palavras estava o apelo por fidelidade para impedir a destruição de Jerusalém; seu destino estava nas mãos das mulheres, se tão somente se arrependessem. Nesta, como em muitas outras ocasiões, o Senhor levou Seus ouvintes a olhar para o estado de suas almas. Ele desviou a atenção de Si mesmo, que não tinha pecado, para aqueles que necessitavam da Redenção. Quando o jovem disse a Nosso Senhor que queria ser Seu discípulo, Nosso Senhor disse-lhe que não tinha onde repousar a cabeça. A condição da alma daquele jovem era adequada a tal pobreza? Quando Pedro disse que morreria pelo Senhor, este contou ao apóstolo o quanto sua alma era débil; agora dizia às mulheres que não desperdiçassem o pranto; que olhassem para a própria alma, para seus filhos, para a cidade. Ele não precisava de lágrimas; elas, sim, precisavam.

O lugar designado para a Crucifixão era o Gólgota, ou o "Lugar da Caveira". Diz a lenda que foi ali que se deu o sepultamento de Adão. Representações da Crucifixão muitas vezes mostram um crânio aos pés da Cruz, para indicar que o novo Adão estava morrendo pelo velho Adão. Mas, decerto, era um lugar onde ossos de mortos eram jogados depois da execução. Uma vez no monte, os executores despiram-No de Suas vestes, abrindo novas feridas em Seu Corpo Santo. Ao todo, houve sete diferentes derramamentos de sangue: a circuncisão, a agonia no jardim, a flagelação, a coroa de espinhos, o caminho da Cruz, e agora os dois que se seguem — a Crucifixão e a perfuração do Sagrado Coração. A Cruz estava preparada, e sobre ela puseram uma inscrição feita por Pilatos em hebraico, latim e grego, que dizia:

> Jesus de Nazaré, rei dos judeus.
> (São João 19,19)

Sua morte, e também Sua Realeza, foram proclamados em nome dessas três cidades do mundo: Jerusalém, Roma e Atenas; no idioma do Bom, do Verdadeiro e do Belo; nas línguas de Sião, do Fórum e da Acrópole. Pediriam a Pilatos que mudasse o que tinha escrito, mas ele se recusaria: "O que escrevi, escrevi". Sua Realeza permaneceu proclamada, embora, no momento, a Cruz fosse Seu trono; Seu sangue, a púrpura real; os cravos, o Seu cetro; a coroa de espinho, Sua diadema. A verdade manifestou-se mesmo quando os homens a ridicularizavam.

Ser despido de Suas vestes queria dizer que já não era possível identificá-Lo pela roupa. Em Sua nudez, tornou-se o Homem Universal. Exilado da cidade, abandonou agora tanto a nação quanto a vida. O Sagrado Coração já não estava confinado entre fronteiras. O cravo rude transpassou aquela mão da qual fluía a graça do mundo, e a primeira pancada do martelo foi ouvida em silêncio. Martelada após martelada, o som logo ecoou pelos muros da cidade. Maria e João taparam os ouvidos; o eco soava com outra pancada. Os pés foram fixados, os mesmos que buscavam a ovelha perdida entre os espinhos. Cada detalhe da profecia estava sendo cumprido. Mil anos antes, Davi viu o papel que o martelo e os cravos representariam com respeito ao Messias, quando os carpinteiros entregaram à morte Aquele que fora o carpinteiro do universo.

> Cercam-me touros numerosos, rodeiam-me touros de Basã; contra mim eles abrem suas fauces, como o leão que ruge e arrebata. Derramo-me como água, todos os meus ossos se desconjuntam; meu coração tornou-se como cera, e derrete-se nas minhas entranhas. Minha garganta está seca qual barro cozido, pega-se no paladar a minha língua: vós me reduzistes ao pó da morte. Sim, rodeia-me uma malta de cães, cerca-me um bando de malfeitores. Traspassaram minhas mãos e meus pés: poderia contar todos os meus ossos. Eles me olham e me observam com alegria [...] (Salmo 21,13-18)

Isaías previra que, em Sua morte, o Messias estaria relacionado a criminosos e malfeitores. Sendo vítima vicária pelos pecados, Ele não era tido com mais estima do que a escória da terra. Como profetizou Isaías:

> Foi maltratado e resignou-se;
> não abriu a boca,

> como um cordeiro que se conduz ao matadouro,
> e uma ovelha muda nas mãos do tosquiador.
> [...] O Justo, meu Servo, justificará muitos homens,
> e tomará sobre si suas iniquidades.
> [...] ele próprio deu sua vida,
> e deixou-se colocar entre os criminosos,
> tomando sobre si os pecados de muitos homens,
> e intercedendo pelos culpados.
> (Isaías 53,7-12)

Porque a crucifixão era o mais excruciante dos tormentos, era costume oferecer ao condenado uma medida para diminuir a sensibilidade à dor. Provavelmente, as mulheres de Jerusalém levavam consigo tal poção. Em todo caso, os soldados

> deram-lhe de beber vinho misturado com mirra,
> mas ele não o aceitou.
> (São Marcos 15,23)

Quando Lhe levaram aos lábios, Nosso Senhor, sabendo que era um sedativo, recusou-se a sorver. Embora Seu corpo, já exausto, bradasse por água, Ele não beberia aquilo que embotaria seu papel de mediador. No nascimento, Sua mãe recebeu mirra de presente e aceitou-a como um sinal de sua morte redentora. Em sua morte, Ele recusaria a mirra, que entorpeceria a razão de Sua vinda. Ele disse a Pedro na noite anterior que beberia do cálice que o Pai Lhe dera. Mas, para beber aquele cálice de Redenção, não deveria beber o cálice que lhe separaria Corpo e Espírito.

Nosso Senhor ocupou muitos púlpitos durante a vida pública, tais como o barco de Pedro lançado ao mar, o topo da montanha, as ruas de Tiro e Sidom, o templo, a estrada junto ao cemitério e um salão de banquetes. Mas todos perdem importância em comparação ao púlpito em que Ele estava agora — o púlpito da Cruz. Esta foi lentamente erguida do chão, balançou nos ares por um momento, rasgando e dilacerando Sua Carne Santa; então, de repente, com um golpe seco que pareceu abalar até mesmo aos infernos, foi fincada no buraco preparado para ela. Nosso Senhor subiu em Seu púlpito pela última vez.

Como todo orador, observava do alto Sua audiência. Ao longe, em Jerusalém, Ele podia ver a abóboda dourada do templo, refletindo os raios do sol, prestes a esconder sua face, envergonhado. Aqui e ali, nas paredes do templo, Ele podia captar um vislumbre daqueles que estavam forçando os olhos para ver Aquele a quem as trevas não conheciam. Ao lado da multidão estavam seguidores tímidos, prontos para fugir em caso de perigo; ali também estavam os executores preparando-se para lançar sortes por Sua túnica (São João 19,24). Perto da Cruz estava o único apóstolo presente, João, cujo rosto tinha um aspecto como que moldado pelo amor; Madalena também estava lá, como uma flor pisoteada, uma criatura ferida. Mas, acima de todos — Deus tenha piedade dela! —, estava Sua própria mãe. Maria, Madalena, João; inocência, penitência e sacerdócio; os três tipos de almas que para todo o sempre seriam encontradas aos pés da Cruz de Cristo.

49

AS SETE PALAVRAS DO ALTO DA CRUZ

Nosso Senhor falou sete vezes do alto da Cruz. Essas são chamadas de as sete últimas palavras. Nas Escrituras só há registro das palavras derradeiras de três outros: Israel, Moisés e Estêvão. O motivo, talvez, é que nenhum outro é considerado tão significativo e representativo como esses três. Israel foi o primeiro dos israelitas; Moisés, o primeiro da dispensação legal; Estêvão, o primeiro mártir cristão. As palavras derradeiras de cada um deles dão início a algo sublime na história das relações de Deus com os homens. Nem mesmo as últimas palavras de Pedro, de Paulo ou de João foram um legado humano, pois nenhum espírito jamais guiou a pena para revelar os segredos de seus lábios moribundos. E, ainda assim, o coração humano sempre anseia por ouvir a disposição de espírito de alguém naquele momento muito comum e ainda mais misterioso chamado morte.

Por bondade, Nosso Senhor Bendito deixou Suas reflexões sobre a morte, pois Ele — mais que Israel, que Moisés e que Estêvão — representava toda a humanidade. Nessa hora sublime Ele chamou todos os filhos ao púlpito da cruz e cada palavra que lhes disse foi dita com a intenção de publicação eterna e consolação imortal. Nunca houve um pregador como o Cristo moribundo; nunca houve congregação como a que se reuniu ao redor do púlpito da cruz; nunca houve sermão como as últimas sete PALAVRAS.

A PRIMEIRA PALAVRA

Os executores esperavam que Ele gritasse, pois todos os pregados ao lenho da cruz o fizeram anteriormente. Sêneca escreveu que aqueles que eram crucificados amaldiçoavam o dia em que nasceram, os executores, as mães e até mesmo cuspiam nos que para eles olhavam. Cícero recordou que, às vezes, era necessário cortar a língua dos que eram crucificados para que cessassem suas terríveis blasfêmias. Por isso os carrascos esperavam uma palavra, mas não o tipo de palavra que ouviram. Os escribas e os fariseus esperavam por Sua reação e estavam bem certos de que Ele, que pregara o "amor pelos inimigos" e "fazer o bem aos que nos odeiam", naquele momento esqueceria o Evangelho diante dos que perfuravam Seus pés e mãos. Pressentiam que as dores excruciantes e agonizantes dissipariam os ventos de quaisquer resoluções que Ele pudesse ter tomado para manter as aparências. Todos esperavam um grito, mas ninguém, exceto os três aos pés da cruz, esperava a proclamação que ouviram. Como algumas árvores fragrantes que banham de perfume o próprio machado que as corta, o imenso Coração na Árvore do Amor derramou de Seu interior mais uma oração do que um grito — uma prece simples, doce e humilde de graça e perdão:

> Pai, perdoa-lhes; porque não sabem o que fazem.
> (São Lucas 23,34)

Perdoar quem? Perdoar os inimigos? O soldado da corte de Caifás que o golpeou com um punho couraçado? Pilatos, o político, que condenou Deus para manter a amizade com César? Herodes, que vestiu a Sabedoria com os trajes de um tolo? Os soldados, que penduraram o Rei dos reis em um madeiro entre o céu e a terra? Perdoá-los? Perdoá-los por quê? Porque sabem o que fazem? Não, porque não sabem o que fazem. Se soubessem e ainda assim continuassem a fazê-lo; se soubessem que crime terrível estavam cometendo ao sentenciar a Vida à morte; se soubessem que perversão da justiça era preferir Barrabás a Cristo; se soubessem a crueldade que era tomar os pés que cruzaram os montes eternos e pregá-los ao lenho de uma árvore; se soubessem o que estavam a fazer e ainda assim continuassem a fazê-lo, negligenciando o fato de que o próprio sangue que derramavam era capaz de redimi-los, nunca seriam salvos! Ao contrário, seriam condenados! Foi apenas a ignorância do enorme pecado que os pôs no âmbito de ouvir aquele som que vinha da cruz. Não é a ciência que salva: é a ignorância!

Homens moribundos proclamam a própria inocência ou condenam os juízes que os sentenciaram à morte, ou, ainda, pedem o perdão dos pecados. No entanto, a Perfeita Inocência não pediu perdão; como mediador entre Deus e o homem, Ele ampliou o perdão. Como Sumo Sacerdote que ofereceu a Si mesmo em sacrifício, pugnou pelos pecadores. Em certo sentido, as palavras de perdão foram duas vezes proferidas: uma no Éden, quando Deus prometeu a redenção por intermédio da "descendência de uma mulher" que esmagaria a serpente do mal; e agora, quando Deus, como Servo Sofredor, cumpria a promessa. Tão imenso foi o Amor Divino manifestado nessa primeira palavra do alto da Cruz que seus ecos foram ouvidos por toda a história, tais como em Estêvão, ao pedir que o Senhor não culpasse pelo pecado aqueles que o apedrejaram, e em Paulo, que escreveu:

> não houve quem me assistisse;
> todos me desampararam!
> (Que isto não seja imputado.)
> (2 Timóteo 4,16)

As preces de Estêvão e Paulo, todavia, não eram como a Dele, em que o perdão era identificado com Seu sacrifício. Ao ser, Ele mesmo, Sacerdote e Vítima, era elevado como sacerdote e prostrado como vítima. Desse modo, Ele intercedeu e ofereceu-Se pelo culpado. O sangue de Abel clamou pela ira de Deus para vingar o assassinato de Caim; o novo sangue de Abel derramado por irmãos invejosos da raça de Caim foi alçado para suspender a ira e implorar por perdão.

A segunda palavra

O Juízo Final foi prefigurado no Calvário: o Juiz estava no centro, e as duas divisões da humanidade, uma de cada lado: os salvos e os condenados, as ovelhas e os cabritos. Quando viesse em glória para julgar todos os homens, a cruz, então, também estaria com Ele, mas como uma medalha de honra, e não como opróbrio.

Os dois ladrões crucificados ao Seu lado, de início, blasfemaram e amaldiçoaram. O sofrimento não necessariamente torna os homens melhores; pode torná-los insensíveis e ferir a alma, a menos que os homens sejam purificados ao ver seu valor redentor. O sofrimento sem espiritualidade pode causar degeneração ao homem. O ladrão à esquerda, por certo, não ficou melhor por causa da dor; pediu para ser descido da cruz. No entanto, o ladrão da direita, evidentemente movido pela prece sacerdotal de intercessão, pediu para ser arrebatado. Ao reprimir o confrade ladrão por sua blasfêmia, disse:

> Nem sequer temes a Deus, tu que sofres no mesmo suplício?
> Para nós isto é justo: recebemos o que mereceram os nossos crimes,
> mas este não fez mal algum.
> (São Lucas 23,40-41)

Em seguida, lançando-se na misericórdia divina, pediu por perdão.

> Jesus, lembra-te de mim, quando tiveres entrado no teu Reino!
> (São Lucas 23,42)

Um moribundo pediu a um agonizante por vida eterna; um homem sem posses suplicou a um pobre por um Reino; um ladrão às portas da morte pediu para morrer como um ladrão e roubar o Paraíso. Poderíamos ter pensado em um santo a ser a primeira alma comprada no Calvário pelas moedas rubras da redenção, mas, no plano divino, um ladrão foi o séquito do Rei dos reis no Paraíso. Se Nosso Senhor tivesse vindo como mero mestre, o ladrão nunca teria pedido por perdão. Entretanto, já que seu pedido tocou a razão de Sua vinda à terra, a saber, salvar as almas, o ladrão ouviu a resposta imediata:

> Em verdade te digo: hoje estarás comigo no paraíso.
> (São Lucas 23,43)

Foi a última prece do ladrão, talvez até a primeira. Ele bateu uma vez, buscou uma vez, pediu uma vez, arriscou tudo e conseguiu tudo. Quando até os discípulos estavam duvidosos e somente um deles estava presente na Cruz, o ladrão O tinha e O reconhecia como Salvador. Se Barrabás tivesse ido à execução, como haveria de desejar não ter sido libertado e poder ouvir as palavras do sumo sacerdote compassivo. Praticamente todo o Corpo de Cristo foi preso por pregos ou torturado por chicotes e espinhos, exceto Seu coração e Sua língua — e esses declararam o perdão naquele mesmo dia. No entanto, quem pode perdoar os pecados senão Deus? E quem pode prometer o Paraíso a não ser Ele que, por natureza, é eterno no Paraíso?

A terceira palavra

A terceira mensagem de Nosso Senhor do alto da Cruz continha exatamente a mesma palavra que empregou ao dirigir-se à Sua mãe na festa das bodas de Caná. Quando ela, pelo bem do anfitrião constrangido, fez a súplica singela de que não havia mais vinho, Ele respondeu: "Mulher, que tenho eu e tu com isso? Ainda não chegou a minha hora" (São João 2,4). Nosso Senhor sempre usou a palavra "hora" em relação a Sua Paixão e Morte.

Em nosso modo de dizer, Nosso Senhor falava à Sua mãe bendita em Caná: "Mãezinha querida, percebes que estás a pedir que Eu proclame Minha divindade — que apareça diante do mundo como o Filho de Deus e prove Minha divindade por obras e milagres? No momento em que fizer isso, darei início ao caminho real para a Cruz. Quando não for mais conhecido como o filho do carpinteiro, mas como Filho de Deus, esse será Meu primeiro passo em direção ao Calvário. Minha hora ainda não chegou, mas gostarias que a antecipasse? É da tua vontade que Eu vá para a Cruz? Caso seja, teu relacionamento Comigo mudará. És agora Minha mãe. És conhecida em todos os cantos de nosso vilarejo como a mãe de Jesus. Se, contudo, Eu surgir agora como Salvador dos homens e começar a obra da redenção, teu papel também mudará. Uma vez que Me ocupe da salvação da humanidade, não serás apenas Minha mãe, mas serás também a mãe de todos os que Eu redimir. Sou o Cabeça da humanidade; tão logo salve o corpo da humanidade, tu, que és a mãe do Cabeça, tornar-te-ás também a mãe de Meu Corpo Místico ou a Igreja. Serás, então, a mãe universal, a nova Eva, assim como sou Eu o novo Adão.

"Para indicar-te o papel que terás na Redenção, conceder-te-ei o título de maternidade universal. Chamo-te Mulher. Foi a ti que Me referi ao dizer a Satanás que poria inimizade entre ele e a mulher, entre seu bando do mal e tua descendência, que sou Eu. Neste momento, concedo-te o grandioso título de mulher. E te dignificarei novamente com ele quando chegar a minha hora e for desfraldado sobre a cruz como uma águia ferida. Estamos juntos nessa obra de Redenção. O que é teu é Meu. Deste momento em diante não seremos apenas Maria e Jesus, somos agora o novo Adão e a nova Eva, a principiar uma nova humanidade, a transformar a água do pecado em vinho da vida. Ao tomar ciência de tudo isso, mãezinha querida, é da tua vontade que antecipe a Cruz e vá ao Calvário?".

Nosso Senhor apresentava a Maria não só a opção de pedir ou não por um milagre, mas sim perguntava se ela O enviaria à Sua morte. Deixara bem claro que o mundo não toleraria Sua divindade, e caso transformasse água em vinho, algum dia o vinho se transformaria em sangue.

Passaram-se três anos. Nosso Senhor Santíssimo olhava, agora, do alto da Cruz para as duas criaturas mais amadas que tivera na terra — João e Sua bem-aventurada mãe. Tomou o refrão de Caná e endereçou-Se à Nossa Mãe Bendita com o mesmo título que lhe concedeu naquela festa de casamento. Chamou-a de "mulher". Foi a segunda anunciação. Com um mover dos olhos pulverosos e da fronte coroada por espinhos, fitou-a ardentemente, a ela que condescendeu a enviá-Lo à Cruz e que agora se postava aos Seus pés como uma colaboradora em Sua Redenção, e disse: "Mulher, eis aí teu filho" (São João 19,26). Ele não o chamou de João; fazer isso significaria endereçar-se a ele como o filho de Zebedeu e de mais ninguém. Entretanto, anônimo, João representava toda a humanidade. Ao discípulo muito amado, disse: "Eis aí tua mãe" (São João 19,27).

Eis aqui a resposta, depois de todos aqueles anos, às palavras misteriosas do Evangelho da Encarnação que relatava que Nossa Mãe Bendita teria seu "primogênito" em uma manjedoura. Queria indicar que Nossa Mãe Santíssima teria outros filhos? Por certo que sim, mas não segundo a carne. Nosso Divino Senhor e Salvador Jesus Cristo era o Filho Único de Nossa Senhora pela carne. Entretanto, Nossa Senhora teve outros filhos, não segundo a carne, mas segundo o espírito!

Há dois grandes períodos na relação de Jesus e Maria; o primeiro vai do berço a Caná e o segundo, de Caná até a Cruz. No primeiro, ela era a mãe de Jesus; no segundo, passou a ser a mãe de todos a quem Jesus redimiu — em outras palavras, passou a ser a mãe dos homens. De Belém a Caná, Maria teve Jesus como uma mãe tem um filho; até mesmo o chamava familiarmente de "filho", aos 12 anos, como se fosse seu modo habitual de dirigir-se a Ele. Nosso Senhor esteve com ela durante aqueles trinta anos, fugindo em seus braços para o Egito, vivendo em Nazaré e estando sujeito a ela. Ele era dela e ela era Dele, e até aquele exato momento em que se encaminhavam para as bodas, seu nome foi mencionado primeiro: "e achava-se ali a mãe de Jesus" (São João 2,1).

No entanto, de Caná em diante, há um afastamento crescente, que Maria ajudou a ocasionar. Um ano após aquele episódio, como mãe dedicada, ela O seguiu nas pregações. Nosso Senhor foi noticiado de que Sua mãe O procurava. Nosso Senhor, aparentemente despreocupado, voltou-se à multidão e perguntou:

> Quem é minha mãe [...]?
> (São Mateus 12,48)

Dessa maneira revelou o grande mistério cristão de que o relacionamento não depende da carne e do sangue, mas da união com a natureza divina por intermédio da graça:

> Todo aquele que faz a vontade
> de meu Pai que está nos céus,

esse é meu irmão, minha irmã e minha mãe.
(São Mateus 12,50)

O mistério chegou ao fim no Calvário. Aí ela tornou-se nossa mãe, no momento em que perdeu seu Filho Divino. O que parecia um alheamento da afeição era, em verdade, um aprofundamento da afeição. Nenhum amor jamais alcança um nível superior sem a morte de um nível inferior. Maria morreu para o amor de Jesus em Caná e recuperou Jesus no Calvário com o Corpo Místico que Ele redimiu. Foi, por um momento, uma troca inferior, abrir mão do Filho Divino para ganhar os seres humanos, mas, na realidade, não ganhou a humanidade sem Ele. No dia em que foi a Ele ao pregar, começou a fundir a maternidade divina em uma nova maternidade de todos os homens; no Calvário, Ele a fez amar os homens como Ele os amava.

Era um novo amor, ou, talvez, o mesmo amor ampliado a uma área mais extensa da humanidade. Não era, contudo, sem pesar. Custou algo a Maria ter os homens como filhos. Ela pôde dar Jesus à luz, jubilosa, em um estábulo, mas somente pôde dar à luz os cristãos no Calvário, em dores de parto grandes o bastante para torná-la a rainha dos mártires. O *Fiat* que pronunciou ao tornar-se a mãe de Deus agora se tornou outro *Fiat*, como a Criação na imensidão daquilo que ela gerou. Foi também um *Fiat* que ampliou tanto as afeições como as dores. A amargura da maldição de Eva — de que a mulher geraria filhos com dores — nesse momento se cumpria, e não pelo abrir de um útero, mas por um coração transpassado, como predissera Simeão. Foi a maior de todas as honras ser a mãe de Cristo; mas também foi uma grande honra ser a mãe de todos os cristãos. Não havia lugar na estalagem naquele primeiro nascimento, mas, no segundo, Maria teve todo o mundo. Recordemos que, quando Nosso Senhor falou a João, não se referiu a ele como João, visto que teria sido apenas o filho de Zebedeu. Em João toda a humanidade foi recomendada a Maria, que se tornou a mãe dos homens, não por uma metáfora ou figura de linguagem, mas pelas dores do parto. Não foi mera solicitude sentimental que fez Nosso Senhor dar João à Sua mãe, pois a mãe de João estava presente na Cruz. Ele não precisava de outra mãe do ponto de vista humano. A importância das palavras era espiritual e se cumpriu no dia de Pentecostes, quando o Corpo Místico de Cristo se tornou visível e operante. Maria, como a mãe da humanidade redimida e regenerada, estava no meio dos apóstolos.

A quarta palavra

De meio-dia às três da tarde, uma escuridão sobrenatural recaiu sobre a terra, pois a natureza, em compreensão amiga com o Criador, recusou-se a lançar luz sobre o crime de deicídio. A humanidade, ao condenar a Luz do Mundo, perdera agora o símbolo cósmico dessa luz, o sol. Em Belém, quando Ele nasceu, à meia-noite, o céu subitamente encheu-se de luz; no Calvário, quando ingressou na ignomínia de Sua crucifixão ao meio-dia, o firmamento abandonou a luz. Séculos antes, dissera o profeta Amós:

> Acontecerá naquele dia [...]
> que farei o sol se pôr ao meio-dia,
> e encherei a terra de trevas em pleno dia.
> (Amós 8,9)

Nosso Senhor Bendito entrou na segunda fase de Seu sofrimento. A catástrofe de ser pregado na Cruz foi seguida pela paixão de ser crucificado. Onde não podia fluir livremente, o sangue coagulou; a febre consumiu Seu corpo; os espinhos que eram a maldição da terra estavam naquele momento cobertos de sangue derramado como uma calamidade do pecado. Uma quietude sobrenatural, que é um tanto normal nas trevas, agora se tornava atemorizante na escuridão anormal do meio do dia. Quando Judas veio com o bando para prendê-Lo no Jardim das Oliveiras, Nosso Senhor lhe disse que era a Sua hora e do "poder das trevas". Essas trevas, no entanto, não significavam que os homens estavam extinguindo a Luz que iluminou cada homem que veio a este mundo, mas também que Ele estava negando a Si mesmo, no momento, a luz e a consolação de Sua divindade. O sofrimento passara do corpo para a mente e a alma, enquanto clamava em alta voz:

> Meu Deus, meu Deus, por que me abandonaste?
> (São Mateus 27,46)

Durante essa parte da crucifixão, Nosso Senhor Santíssimo repetia o Salmo de Davi que profeticamente referia-se a Ele, embora escrito mil anos antes.

> Meu Deus, meu Deus, por que me abandonastes?
> [...] Eu, porém, sou um verme, não sou homem,
> o opróbrio de todos e a abjeção da plebe.

Todos os que me veem zombam de mim; dizem, meneando a cabeça:
Esperou no Senhor, pois que ele o livre, que o salve, se o ama. [...]
Cercam-me touros numerosos, rodeiam-me touros de Basã;
contra mim eles abrem suas fauces, como o leão que ruge e arrebata.
Derramo-me como água, todos os meus ossos se desconjuntam;
meu coração tornou-se como cera, e derrete-se nas minhas entranhas.
Minha garganta está seca qual barro cozido, pega-se no paladar a minha língua:
vós me reduzistes ao pó da morte.
Sim, rodeia-me uma malta de cães, cerca-me um bando de malfeitores.
Traspassaram minhas mãos e meus pés: poderia contar todos os meus ossos.
Eles me olham e me observam com alegria [...].
(Salmo 21,2; 7-9; 13-19)

O traço indicativo dos sofrimentos de Nosso Senhor que é revelado nesse salmo foi sua desolação e solidão. O Filho Divino chamou o Pai de "Meu Deus" — em contraste com a prece que ensinou aos homens a dizer "Pai Nosso que estais nos céus". Não foi Sua natureza humana que foi apartada de Sua natureza divina; isso era impossível. Em vez disso, assim como a luz do sol e o calor podem ficar escondidos no pé da montanha por nuvens intervenientes, ainda que o pico esteja banhado pela luz do sol, da mesma maneira, ao tomar sobre Si os pecados do mundo, Ele desejou uma espécie de afastamento da face do Pai e de toda a consolação divina. O pecado tem efeitos físicos e Ele os sentiu ao ter as mãos e os pés perfurados; o pecado tem efeitos mentais que Ele externou no Jardim do Getsêmani; o pecado também tem efeitos espirituais, tais como um senso de abandono, de separação de Deus, de solidão. Esse momento em especial, em que o principal efeito do pecado é a solidão, Ele desejou tomar sobre Si.

O homem rejeitou Deus; agora, portanto, Ele desejou sentir essa rejeição. O homem virou as costas para Deus; agora Ele, que era Deus em união pessoal com a natureza humana, desejou sentir naquela natureza humana a tristeza abominável como se Ele fosse culpado. A terra já O abandonara ao erguer sobre si uma Cruz; o céu O abandonara ao velar-se em escuridão e, ainda assim, pendendo entre ambos, uniu-Se aos dois. Naquele clamor estavam todos os sentimentos dos corações humanos que expressam uma nostalgia divina: a solidão do ateu, do cético, do pessimista, dos pecadores que odeiam a si mesmos por detestar a virtude e de todos os que não amam nada além da carne, pois viver sem amor é o inferno. Foi, portanto, sustentado pelos cravos que Se pôs no limiar do inferno em nome de todos os pecadores. Ao ingressar na penalidade extrema do pecado, que é a separação de Deus, era apropriado que Seus olhos se enchessem de trevas e Sua alma, de solidão.

Em cada uma das outras palavras, Ele agiu como mediador divino: na primeira palavra, rogou pelo perdão dos pecadores em geral; na segunda palavra, anteviu Seu papel último no fim do mundo quando separará o bom do mau; na terceira palavra, Ele foi o mediador a designar uma maternidade espiritual para a humanidade redimida. Agora, na quarta palavra, agiu como mediador para a humanidade pecadora. Deus e Ele, por um momento, ficaram um diante do outro. O Antigo Testamento profetizara que Aquele que pendesse do madeiro seria maldito; as trevas deram expressão a essa maldição abrasadora que Ele removeria ao suportá-la e ao triunfar na Ressurreição. Um dos primeiros grandes dons de Deus foi o dom da luz, que Ele mesmo afirmara fazer brilhar sobre os justos e os perversos. Como mediador e advogado do vácuo e das trevas dos corações pecadores, contudo, negaria a Si mesmo esse dom primitivo da luz.

A história do relacionamento de Deus com o homem começa no Antigo Testamento, quando foi feita a luz, e a história terá fim no juízo final, quando o sol e a lua serão obscurecidos, as estrelas perderão o brilho e todo o firmamento se cobrirá de trevas. Nesse meio-dia em particular, Ele esteve entre a luz que foi criada e a escuridão suprema, onde o mal será condenado. Sentiu em Si as tensões da história: a luz veio às trevas, mas as trevas não compreenderam a luz. Assim como um agonizante vê toda a vida em resumo, da mesma maneira, nesse momento Ele via a história recapitulada em Si mesmo, quando as trevas do pecado tiveram seu momento de triunfo. O bode expiatório, sobre o qual os sacerdotes da Lei Antiga impunham as mãos e enviavam para o deserto, comprovou-se Naquele que desceu aos portões do inferno. O mal rompe qualquer laço que una o homem a Deus, impondo barreiras a todas as veredas que se abrem para Ele e cerrando todos os aquedutos que possam fortalecer o homem a ir ao encontro de Deus. Sentia agora como se Ele mesmo tivesse cerrado o cordão que unia a vida humana à divina. A agonia física da crucifixão não era quase nada em comparação a essa agonia mental que tomou para Si. Os filhos podem fazer cruzes, mas somente o pecado pode criar trevas d'alma.

O brado de Cristo foi o do desamparo que sentiu ao se colocar no lugar do pecador, mas não foi de desespero. A alma desesperada nunca clama a Deus. Assim como as fortes pontadas de fome não são sentidas pelo moribundo completamente exaurido, mas pelo homem que luta pela vida com as últimas forças, assim também o abandono foi sentido não só pelo ímpio e pelo profano, mas pelo mais santo dos homens, o Senhor na Cruz. A maior agonia mental do mundo e a causa de muitas desordens psíquicas está na mente, alma e coração dos que não têm Deus. Tal vazio nunca teria consolação, caso Ele não sentisse tudo isso como Seu. Desse ponto em diante, nenhum ateu jamais poderá dizer na sua solidão que Ele não sabia como seria viver sem Deus! Esse vácuo de humanidade obtido pelo pecado, embora Ele tenha sentido como Seu, não obstante proferido em alto brado, o foi não para indicar desespero, mas, sim, esperança de que o sol volte a surgir mais uma vez e disperse a escuridão.

A quinta palavra

Nesse instante se chegou a um ponto do discurso das sete últimas palavras do alto da Cruz que pareciam indicar que Nosso Senhor Bendito falava de Si mesmo, ao passo que nalgumas das palavras anteriores tenha falado para outros. Os fatos, entretanto, não são tão simples. Na verdade, é certo que a perda de sangue pelo sofrimento, a posição nada natural do Corpo, com extrema tensão nas mãos e pés, os músculos estirados, as feridas expostas ao ar livre, a dor de cabeça por conta da coroa de espinhos, a dilatação dos vasos sanguíneos, a inflamação crescente — tudo poderia ter produzido a sede física. Não é de surpreender que tenha sentido sede; o que causa espanto é Ele ter dito isso. Ele, que lançou as estrelas nas órbitas e os planetas no espaço; Ele, que circunscreveu o acesso do mar; Ele, que fez jorrar água da pedra que Moisés bateu; Ele, que fez todos os mares, rios e fontes; Ele, que disse à mulher da Samaria "quem beber dessa água que eu lhe der não terá mais sede" (São João 4,14), deixa escapar dos lábios o mais breve dos sete clamores da Cruz:

> Tenho sede.
> (São João 19,28)

Quando foi crucificado, recusou-Se a tomar uma mistura que Lhe foi oferecida; agora pedia avidamente por algo para beber. Existe, todavia, uma diferença considerável entre as duas bebidas: a primeira era mirra e se tratava de uma bebida entorpecente para repelir a dor, e por isso Ele a recusou para que os sentidos não fossem embotados. A bebida que naquele momento foi-Lhe dada era vinagre ou o vinho avinagrado dos soldados.

> Havia ali um vaso cheio de vinagre.
> Os soldados encheram de vinagre uma esponja e,
> fixando-a numa vara de hissopo, chegaram-lhe à boca.
> (São João 19,29)

Ele, que transformara água em vinho em Caná, poderia ter empregado os mesmos recursos infinitos para satisfazer a própria sede, a não ser pelo fato de que nunca realizava um milagre em proveito próprio. No entanto, por que pediu uma bebida? Não foi só por necessidade, embora tenha sido grande. A verdadeira razão para o pedido era o cumprimento das profecias:

> Em seguida, sabendo Jesus que tudo estava consumado,
> para se cumprir plenamente a Escritura, disse: Tenho sede.
> (São João 19,28)

Tudo o que o Antigo Testamento profetizara a respeito Dele tinha de ser cumprido até a última vírgula. Nas Escrituras, Davi predissera Sua sede durante a Paixão:

> Minha garganta está seca qual barro cozido,
> pega-se no paladar a minha língua: [...]
> (Salmo 21,16)

> Esperei em vão quem tivesse compaixão de mim,
> quem me consolasse, e não encontrei.
> Puseram fel no meu alimento,
> na minha sede deram-me vinagre para beber.
> (Salmo 68,21-22)

Assim, os soldados, embora tivessem dado vinagre para Dele zombar, o que é explicitamente afirmado, mesmo assim cumpriram as Escrituras. O vinagre foi-Lhe dado em um ramo de hissopo, uma planta que crescia a uma altura de uns 45 centímetros.³ O hissopo também foi mergulhado no sangue do Cordeiro Pascal; foi usado para aspergir as vergas e os mourões das portas dos judeus no Egito para que escapassem do anjo vingador; foi mergulhado no sangue do pássaro ao purificar o leproso; o próprio Davi, depois de pecar, foi quem disse que seria purificado com hissopo e limpo.

Aquilo que, por último, toma conta da vida dos homens era posto em primeiro lugar na Sua vida, pois Ele veio para sofrer e morrer. No entanto, não desistiria da vida até que cumprisse os detalhes da Escritura para que os homens pudessem saber que Ele, o Cristo, o Filho de Deus, era quem morria na Cruz. Estava a retirar das Escrituras a ideia de que o Messias da promessa não deveria aceitar a morte como um desígnio, mas levá-la a cabo como um feito. A exaustão não era para matá-Lo, o esgotamento não era por sede. Como Sumo Sacerdote e Mediador, foram as profecias a Seu respeito que incitaram o clamor de sede. Na verdade, os rabinos judeus já haviam aplicado essa profecia a Ele; afirma a Midrash: "Vem e mergulha tua porção no vinagre — isso é dito do Messias — de Sua Paixão e tormentos, como está escrito no profeta Isaías: 'Foi castigado por nossos crimes, e esmagado por nossas iniquidades'".

Já que os soldados debochadamente deram vinagre a Nosso Senhor na ponta da vara de hissopo, é provável que pretendessem ridicularizar um dos ritos sagrados judaicos. Quando o sangue do cordeiro foi aspergido com o hissopo, a purificação por intermédio de um símbolo agora era cumprida, assim que o hissopo tocou o sangue do Cristo. São Paulo, ao abordar essa ideia, escreve:

> sem levar consigo o sangue de carneiros ou novilhos,
> mas com seu próprio sangue, entrou de uma vez por todas no santuário,
> adquirindo-nos uma redenção eterna.
> Pois se o sangue de carneiros e de touros e a cinza de uma vaca,
> com que se aspergem os impuros,
> santificam e purificam pelo menos os corpos,

---

3 | Hissopo é uma palavra de origem hebraica para uma herbácea nativa da Europa Meridional e do Oriente Médio, provavelmente a manjerona. De hastes delgadas e finas, possui nas extremidades grandes espigas de pequenas flores. (N. T.)

> quanto mais o sangue de Cristo,
> que pelo Espírito eterno se ofereceu como vítima sem mácula a Deus,
> purificará a nossa consciência das obras mortas
> para o serviço do Deus vivo?
> (Hebreus 9,12-14)

As pessoas presentes aos pés da Cruz que conheciam muito bem as profecias do Antigo Testamento receberam outra prova de que Ele era o Messias sofredor. Sua quarta palavra, que expressava o sofrimento da alma, e a quinta palavra, que expressava os sofrimentos do corpo, ambos foram preditos. A sede era o símbolo do caráter insatisfatório do pecado; os prazeres da carne comprados ao preço do júbilo do espírito, assim como beber água salobra. O homem rico, na parábola, ficou sedento e implorou ao pai Abraão que pedisse a Lázaro para molhar sua língua com uma gota d'água. Completar a expiação do pecado requereria do Redentor que agora sentisse a sede até dos perdidos antes que o estivessem. Entretanto, para os salvos, também, havia sede — uma ânsia por almas. Alguns homens têm paixão por dinheiro; outros, por fama. A paixão Dele era por almas! "Dê-Me de beber" queria dizer "Dê-me teu coração". A tragédia do amor divino pela humanidade é que em Sua sede os homens Lhe deram vinagre e fel.

A sexta palavra

Desde toda a eternidade, Deus desejou tornar o homem à imagem de seu Filho Divino. Ao aperfeiçoar e alcançar tal semelhança em Adão, colocou-o no Jardim do Éden, belo como só Deus sabe tornar belo um jardim. De certo modo misterioso, a revolta de Lúcifer ecoou na terra, e a imagem de Deus no homem turvou-se. O Pai Celestial desejava agora, em sua Misericórdia Divina, restaurar o homem à glória primitiva, para que o homem decaído pudesse conhecer a bela imagem a que estava destinado a se conformar. Deus enviou seu Filho Divino à terra não só para perdoar o pecado, mas para satisfazer a justiça por meio do sofrimento.

Na bela economia divina da Redenção, as mesmas três coisas que cooperaram na expulsão do homem do Paraíso foram partilhadas na Redenção. Para o desobediente Adão, havia um novo Adão obediente; para a orgulhosa Eva, havia a nova Eva humilde, a Virgem Maria; para a árvore do Jardim, havia agora o madeiro da Cruz. Retomando o plano divino e tendo provado o vinagre que cumpriu a profecia, pronunciou nesse momento o que, no original, possui uma só palavra:

> Tudo está consumado.
> (São João 19,30)

Não foi uma elocução de ação de graças de que Seu sofrimento se findara, embora a humilhação do Filho do Homem houvesse, nesse momento, terminado. Em vez disso, foi a afirmação de que Sua vida, do momento do nascimento ao momento da morte, tinha cumprido fielmente o que o Pai Celestial Lhe havia ordenado.

Por três vezes Deus usou a mesma palavra na história: primeiro no Gênesis, para descrever o encerramento ou término da Criação; a segunda no Apocalipse, quando toda a criação seria extinta e surgiria um novo céu e uma nova terra. Entre esses dois extremos de início e de fim perfeitos, existiu o elo do sexto pronunciamento do alto da Cruz. Nosso Divino Senhor, no estado de maior humilhação, vendo completadas todas as profecias, todos os prenúncios realizados e feitas todas as coisas necessárias à Redenção do homem, exprimiu um grito de contentamento: "Tudo está consumado".

A vida do Espírito agora poderia começar a obra de santificação, pois a obra de Redenção estava completada. Na criação, no sétimo dia, depois de rematados os céus e a terra, Deus descansou de todo o trabalho que fizera; nessa altura, o Salvador na Cruz, ao ter ensinado como Mestre, governado como Rei e santificado como Sacerdote, podia entrar em repouso. Não haveria um segundo Salvador; nenhuma nova via de salvação; nenhum outro nome sob os céus pelo qual o homem havia de ser salvo. Levantou-se um novo Davi para destruir o Golias do mal, não com cinco pedras, mas com cinco chagas — cicatrizes horrendas nas mãos, pés e na lateral do corpo; e a batalha foi travada não com a armadura a reluzir sob o sol do meio-dia, mas com a carne dilacerada de modo que os ossos pudessem ser enumerados. O Artista dera o último retoque na obra de arte e, com a alegria dos fortes, enunciou a canção de triunfo de que Sua obra estava completa.

Não existiu um único modelo, da pomba ao templo, que não fosse cumprido por Ele. Cristo, uno com o Pai Eterno na obra da criação, aperfeiçoara a Redenção. Não há profecia histórica — de Abraão, que ofereceu o filho, a Jonas, que esteve na barriga da baleia por três dias — que Nele não tenha sido cumprida. A profecia de Zacarias de que deveria entrar humilde montado num burrico em Jerusalém; a profecia de Davi de que deveria ser traído por um dos próprios familiares; a profecia de Zacarias de que deveria ser vendido por trinta moedas de prata e que esse preço, depois, seria usado para comprar um campo de sangue; a profecia de Isaías de que seria tratado de maneira bárbara, flagelado e enviado à morte; a profecia de Isaías de que seria crucificado entre dois malfeitores e que oraria pelos inimigos; as profecias de Davi de que Lhe dariam vinagre para beber e repartiriam Suas vestes entre eles, de que seria um profeta como Moisés, um sacerdote como Melquisedec, um Cordeiro a ser abatido, um bode expiatório enviado para fora da cidade, que seria mais sábio que Salomão, mais majestoso que Davi e que deveria ser Aquele a quem Abraão e Moisés contemplavam na profecia — todos esses maravilhosos hieróglifos teriam sido deixados sem explicação, não fosse o Filho de Deus encarnado em Sua Cruz voltar o olhar para todas as ovelhas, cabritos e bois que foram oferecidos em sacrifício e dizer: "Tudo está consumado".

Não foi depois de pregar o belo sermão na montanha que Ele disse que Sua obra estava consumada. Não foi para ensinar que Ele veio; foi, como disse, para dar a Sua vida em resgate de muitos. No caminho para Jerusalém, dissera aos apóstolos que seria entregue aos gentios, seria escarnecido e cuspido, seria flagelado e enviado à morte; no jardim, quando Pedro ergueu a espada, Cristo perguntou se Ele não deveria beber do cálice que o Pai do céu Lhe dera. Aos 12 anos, quando falou pela primeira vez na Escritura, disse que deveria tratar dos assuntos do Pai. Agora, a obra que o Pai Lhe dera para realizar estava terminada. O Pai enviara o Filho na aparência da carne pecadora e, por intermédio do Espírito Eterno, Ele foi concebido no ventre de Maria. Tudo isso veio a acontecer para que Ele pudesse sofrer na Cruz. Desse modo, a reparação englobou toda a Trindade. O que foi efetuado foi a Redenção, como o próprio Pedro diria após receber o Espírito e compreender o significado da Cruz.

> Porque vós sabeis que não é por bens perecíveis, como a prata e o ouro,
> que tendes sido resgatados da vossa vã maneira de viver, recebida por tradição de vossos pais, mas pelo precioso sangue de Cristo,
> o Cordeiro imaculado e sem defeito algum.
> (1 São Pedro 1,18-19)

A sétima palavra

Uma das penalidades impostas ao homem como resultado do pecado original foi morrer corporalmente. Após o exílio do Jardim do Éden, Adão tropeçou na forma flácida de seu filho Abel. Falou com ele, mas Abel não respondeu. A cabeça estava erguida, mas caía para trás, mole; os olhos estavam frios, vidrados. Então, Adão recordou que a morte foi o preço do pecado. Foi a primeira morte do mundo. Agora, o novo Abel, o Cristo, assassinado pela raça de Caim, preparou-Se para regressar ao lar. A sexta palavra dirigia-se à terra; a sétima, a Deus. A sexta foi um adeus ao tempo; a sétima, o início de Sua glória. O filho pródigo retornava ao lar; deixara a casa do Pai 33 anos antes e partira para um país estrangeiro neste mundo. Ali começou a despender Sua substância, os tesouros divinos de poder e sabedoria; na hora última, Sua substância de Carne e Sangue fora consumida entre os pecadores. Nada mais havia para que se alimentassem, exceto a carcaça, os escárnios e o acre da ingratidão humana. Como agora voltara a Si e preparara-Se para tomar o caminho de volta à casa do Pai, como O fez, deixou escapar de seus lábios numa prece perfeita:

> Pai, nas tuas mãos entrego o meu espírito.
> (São Lucas 23,46)

Essas palavras não foram pronunciadas em um murmúrio exaurido como fazem os homens quando dão o último suspiro. Já havia dito que ninguém tiraria Sua vida, mas que Ele mesmo a entregaria. A morte não pôs a mão no Seu ombro e O chamou para partir; Ele partiu para ir de encontro à morte. Para demonstrar que não morreria de exaustão, mas por um ato de vontade, foi dito de Suas últimas palavras:

> lançou um grande brado.
> (São Mateus 27,50)

É o único exemplo na história de um Moribundo que continua Vivo. Suas palavras de despedida eram uma citação dos Salmos de Davi:

> Em vossas mãos entrego meu espírito;
> livrai-me, ó Senhor, Deus fiel.
> Detestais os que adoram ídolos vãos.

> Eu, porém, confio no Senhor.
> Exultarei e me alegrarei pela vossa compaixão,
> porque olhastes para minha miséria e
> ajudastes minha alma angustiada.
> (Salmo 30,6-8)

Não cantava um cântico de morte para Si; antes, proclamava a marcha progressiva para a vida Divina. Não se refugiava em Deus porque devia morrer; antes, Sua morte era um serviço ao homem e o cumprimento da vontade do Pai. É difícil para o homem que pensa na morte como a crise mais terrível de sua vida compreender a alegria que inspirou essas palavras do Cristo agonizante. O homem pensa que a morte decide seu estado futuro; ao contrário, é a vida que o faz. Algumas das escolhas que fez, as oportunidades que estiveram em suas mãos, as graças que aceitou ou desperdiçou são o que decide seu futuro. O perigo de viver é maior que o perigo de morrer. Assim, agora, foi o modo como Ele viveu, a saber, para resgatar os homens, que determinou a alegria de Sua morte e de Sua união com o Pai Celestial. Assim como alguns planetas somente após um longo período completam as órbitas, como se quisessem saudar Aquele que os colocou nessa rota, igualmente, o Verbo Encarnado, ao completar Sua missão terrena, retornava novamente ao Pai Celestial que O enviara para a obra da Redenção.

Ao pronunciar essas palavras, veio, das colinas opostas de Jerusalém, o som de milhares de cordeiros que estavam a ser sacrificados do lado de fora do pátio do templo para que o sangue fosse oferecido diante do Senhor Deus no altar e a carne pudesse ser comida pelo povo. Se existe alguma verdade no ensinamento dos rabinos de que foi naquele mesmo dia que Caim matou Abel, de que Deus fez a aliança com Abraão, de que Isaac foi levado à montanha para o sacrifício, de que Melquisedec ofereceu pão e vinho a Abraão, de que Esaú vendeu sua primogenitura a Jacó, não sabemos. Entretanto, nesse dia o Cordeiro de Deus foi morto e todas as profecias, cumpridas. A obra da Redenção se findara. Houve a ruptura de um coração em um rapto de amor; o Filho do Homem vergou a cabeça e decidiu morrer.

50

SETE PALAVRAS À CRUZ

D*a Cruz*, Nosso Senhor pronunciou sete palavras; mas houve também sete palavras dirigidas a Nosso Senhor na Cruz.

A PRIMEIRA PALAVRA À CRUZ

Há pessoas que nunca permanecem perto da cruz tempo suficiente para absorver a graça que flui do Crucificado. São conhecidos como transeuntes, "os que passavam".

> Os que passavam o injuriavam,
> sacudiam a cabeça e diziam:
> Tu, que destróis o templo e o reconstróis em três dias,
> salva-te a ti mesmo!
> Se és o Filho de Deus, desce da cruz!
> (São Mateus 27,39-40)

Mal o Senhor foi posto na Cruz, pediram-lhe que descesse. "Desce da Cruz" é o pedido mais característico de um mundo não regenerado diante da negação de si, da abnegação: uma religião sem Cruz. Como o Filho de Deus estava orando pelos executores, "Pai, perdoa-os", escarneceram Dele: "Se és o Filho de Deus". Se Jesus tivesse obedecido à provocação "Desce", em quem creriam? Como o Amor pode ser Amor se não custa nada ao Amante? Se Cristo tivesse descido, teria havido a cruz, mas não o crucifixo. A Cruz é contradição; a Crucifixão é a solução da contradição de vida e morte ao mostrar a morte como condição de uma vida superior.

Os transeuntes, sem vergonha alguma, reviveram no julgamento a velha acusação de que Ele destruiria o templo de Jerusalém e então ergueria outro em três dias, conquanto soubessem que o Senhor falava do Templo de Seu Corpo. Essa afirmação os incomodava tanto que a repetiriam até quando Estêvão, o primeiro mártir, foi apedrejado. Contudo, o escárnio é um ingrediente do cálice do sofrimento; como os discípulos obteriam força em julgamentos similares se o Mestre não tivesse suportado tudo com paciência? A crueldade dos lábios que zombam é parte da herança do pecado tanto quanto a crueldade das mãos que fixam os cravos. No alto do monte da tentação, Satanás usou a mesma técnica quando pediu ao Senhor que transformasse as pedras em pães. Era indecente que o Filho de Deus tivesse fome! Agora, era indecente que o Filho de Deus sofresse.

Por que os transeuntes não tiveram paciência de esperar os "três dias" que estavam indicados em suas provocações? Céticos sempre querem milagres como a descida da Cruz, mas nunca o milagre maior do perdão.

A segunda palavra à Cruz

No mundo só há lugar para o ordinário; nunca para o muito bom nem para o muito mau. Os bons são uma repreensão aos medíocres; os maus, uma perturbação. Por isso, no Calvário, a Bondade é crucificada entre dois ladrões. Esta é a Sua posição verdadeira: entre os desvalidos e rejeitados. Ele é o homem certo no lugar certo. Aquele que disse que viria como um ladrão de noite está entre ladrões; o Médico está entre leprosos; o Redentor está em meio aos não redimidos.

O bom ladrão, tocado por Cristo, dizia agora ao Salvador na cruz:

> Jesus, lembra-te de mim,
> quando tiveres entrado no teu Reino!
> (São Lucas 23,42)

Essa foi a única palavra dita à Cruz que não era uma reprimenda. Enquanto os transeuntes estavam julgando a Divindade de Nosso Senhor com base na libertação da dor, o bom ladrão estava pedindo libertação do pecado. O crente não pede provas; nem havia uma condição: "Se és o Filho de Deus". Suas palavras indicavam que decerto Aquele que podia conduzi-lo ao Reino podia aplacar sua dor e afrouxar os cravos, se assim quisesse.

O comportamento de todos em torno da Cruz era a negação da própria fé que o bom ladrão manifestou; ele acreditou quando os demais mostraram incredulidade. O ladrão penitente chamou-O "Senhor" ou Aquele que tem o direito de governar; atribuiu-Lhe um Reino que certamente não era deste mundo, pois Ele não tinha sinal externo de realeza. Vítima e Senhor eram para o bom ladrão termos compatíveis. Um ladrão moribundo entendeu isso antes dos apóstolos. Essa é a única conversão no leito de morte mencionada nos Evangelhos, mas foi precedida pela Cruz do sofrimento. O bom ladrão pediu para ser lembrado. Mas, por que ser lembrado, senão porque o perdão que Cristo ofereceu a Seus executores podia ser oferecido também a ele? Tampouco houve uma palavra de censura ou repreensão ao ladrão, pois seu coração já estava dilacerado e partido. Essa foi a única palavra dita à Cruz que recebeu uma resposta, e foi a promessa do Paraíso ao ladrão naquele mesmo dia.

A terceira palavra à Cruz

A terceira palavra à cruz veio do ladrão à esquerda:

> Se és o Cristo,
> salva-te a ti mesmo e salva-nos a nós!
> (São Lucas 23,39)

O típico homem egoísta que nunca está consciente de ter praticado o mal pergunta: "Por que Deus fez isso comigo?". Julga o poder salvador de Deus com base na liberação de julgamentos. O ladrão à esquerda foi o primeiro comunista. Muito antes de Marx, ele dizia: "Religião é o ópio do povo. Se não pode aliviar o sofrimento, para que ela serve?". Uma religião que pensa nas almas quando os homens estão morrendo, que os faz olhar para Deus no momento em que as cortes estão infligindo injustiça, que fala de Paraíso ou "torta no céu" quando as barrigas estão vazias e os corpos, tomados de dor, que discursa sobre perdão quando excluídos da sociedade, dois ladrões e um carpinteiro da região, estão morrendo num patíbulo — tal religião é "o ópio do povo".

A única salvação que o ladrão à esquerda podia compreender não era espiritual ou moral, mas física: "Salva-te a ti mesmo e a nós!". "Salvar o quê? Nossas almas? Não! O homem não tem alma! Salva nossos corpos! De que serve a religião se não para parar a dor? Desce da cruz! Resgata uma classe social! Ou o cristianismo é um evangelho social ou é uma droga". Tal era seu clamor.

Os homens podem estar em circunstâncias idênticas e reagir de modos totalmente diferentes. Ambos os ladrões eram semelhantes na depravação do coração, mas cada um reagiu de maneira diferente ao homem que estava entre eles. Nenhum instrumento externo, nenhum bom exemplo, em si e por si, basta para converter alguém se não houver transformação do coração. Esse ladrão certamente era judeu, pois baseou a aceitação do Messias ou Cristo tão somente em Seu poder de tirá-lo da cruz. Imagine, no entanto, que Cristo de fato lhes tivesse retirado os cravos, secado as fontes nas mãos e pés, restaurando-lhes o vigor da vida. Será que o restante da vida dele teria sido uma demonstração de fé em Cristo — ou uma continuação de sua vida como ladrão? Se Nosso Senhor fosse só um homem com uma reputação a zelar, Ele teria de mostrar Seu poder a todo momento e em todo lugar; mas, sendo Deus, que conhece os segredos de todo coração, Ele se manteve em silêncio. Deus nunca responde à oração do homem meramente para mostrar Seu poder.

A quarta palavra à Cruz

Essa palavra veio da *intelligentsia* da época, o chefe dos sacerdotes, escribas e fariseus.

> Ele salvou a outros e não pode salvar-se a si mesmo!
> Se é rei de Israel,
> desça agora da cruz e nós creremos nele!
> Confiou em Deus, Deus o livre agora,
> se o ama, porque ele disse:
> Eu sou o Filho de Deus!
> (São Mateus 27,42-43)

A *intelligentsia* sempre conhece uma religião o bastante para distorcê-la, consequentemente toma cada um dos três títulos que Cristo reivindicara para si — "Salvador", "Rei de Israel" e "Filho de Deus" — e faz troça deles.

"Salvador": Assim Ele foi chamado pelos samaritanos. Agora, eles admitiriam que salvara aos outros, provavelmente a filha de Jairo, o filho da viúva de Naim e Lázaro. Podiam permitir-se admitir agora, pois o próprio Salvador estava em necessidade de salvação. "Salvou outros e não pode salvar-se a Si mesmo". O milagre conclusivo para eles ainda estava faltando.

Claro, Ele não podia salvar a Si mesmo! A chuva não pode se salvar, se tem de fazer o verde florescer. O sol não pode se salvar, se tem de iluminar o mundo; o soldado não pode se salvar, se tem de salvar seu país. E Cristo não pode salvar-se, se tem de salvar Suas criaturas.

"Rei de Israel": Ele recebeu esse título da multidão depois de tê-la alimentado e fugido para as montanhas sozinho. Repetiram novamente no Domingo de Ramos, quando estenderam ramos sob Seus pés. Agora, o título era empregado em tom zombeteiro: "Se é rei de Israel, desça da cruz".

Todos os reis da terra têm de sentar-se em tronos de ouro? Imagine que o Rei de Israel decida governar de uma Cruz, não ser Rei de seus corpos pelo poder, mas de seus corações pelo amor. A própria literatura judaica sugeria a ideia de um Rei que alcançaria a glória por meio da humilhação. Que tolice, então, zombar de um Rei porque recusou descer do trono. E se Ele tivesse descido, seriam os primeiros a dizer, como o fizeram antes, que Ele agiu pelo poder de Belzebu.

Forças irreligiosas têm seus feriados em momentos de grande catástrofe. Em tempos de Guerra, perguntam: "Onde está teu Deus agora?". Por que, em tempos difíceis, é sempre Deus que é posto à prova, e não o homem? Por que na guerra o juiz e o réu têm de trocar de lugar quando o homem pergunta: "Por que Deus não para a guerra?"?

Foi esse tipo de zombaria que o Cristo teve de ouvir! Eles não sabiam que já estavam perdidos. Pensavam que Ele estava. Por isso, eles, os verdadeiros condenados, zombavam Daquele que criam estar condenado. O inferno estava triunfando no humano! De fato, essa era a hora do poder dos demônios do inferno.

Disseram que creriam se Ele descesse. Mas não creram quando O viram levantar Lázaro dos mortos. Tampouco creriam quando Ele se levantasse dos mortos. Proibiriam, então, que os apóstolos pregassem a Ressurreição que sabiam ser um fato. Ninguém que descesse da cruz teria conquistado os homens. Descer é humano; pender é divino!

A quinta palavra à Cruz

Quando houve trevas sobre a terra, Nosso Senhor fez ressoar um brado que desencadeou a quinta palavra à Cruz:

> Elói, Elói, lammá sabactáni?
> (São Marcos 15,35)

que quer dizer:

> Meu Deus, meu Deus, por que me abandonaste?

Ao ouvir isso, alguns dos que estavam ali disseram:

> Ele chama por Elias! [...]
> Deixai, vejamos se Elias vem tirá-lo.
> (São Marcos 15,35-36)

Não é certo se havia ou não uma distorção intencional do clamor do Senhor para que tomassem Elói por Elias. Mas decerto havia escárnio, pois era uma crença dos judeus, profetizada por Malaquias, que Elias havia de vir antes que o Senhor viesse. Suas palavras significavam que Ele certamente não podia ser o Senhor, pois Elias ainda não tinha vindo. Assim, fizeram o autoproclamado Messias parecer como se invocasse um homem que tinha de preceder Sua vinda. Na verdade, Elias viera em espírito na pessoa de João Batista. Antes que João nascesse, o anjo apareceu a Zacarias, seu pai, dizendo que o filho que lhe havia de nascer:

> [...] converterá muitos dos filhos de Israel ao Senhor, seu Deus,
> e irá adiante de Deus com o espírito e poder de Elias [...]
> (São Lucas 1,16-17)

Que o espírito de Elias repousava sobre João era evidente, pois o primeiro sermão que o Batista pregou foi "Arrependei-vos". Foi assim que Malaquias profetizara que o precursor do Senhor O anunciaria. Ademais, as vestes e o estilo de vida de João indicavam sua estreita semelhança com o grande tesbita. O Senhor estava na Cruz; Elias *viera* em espírito. Os escarnecedores sem dúvida se lembravam da referência de Nosso Senhor a Elias durante sua vida pública. Ele estava contando aos mensageiros de João que a recepção de qualquer verdade que Ele ensinava dependia da vontade de cada um. Daí o fato de aceitar João com Elias significar aceitar o arrependimento que João havia de despertar em suas almas:

> E, se quereis compreender,
> é ele o Elias que devia voltar.
> (São Mateus 11,14)

Se a consciência deles estivesse correta, disse-lhes, teriam aceitado João no espírito de Elias. Passaram-se dois anos, e suas consciências foram reveladas quando Cristo pendia na Cruz. Haviam rejeitado João por seu ascetismo e abnegação; agora rejeitavam Jesus por pender na Cruz. Assim como o povo esperava um Elias diferente como Seu precursor, também esperavam um Cristo diferente. O grito para a cruz, da parte daqueles que não entendiam uma palavra, era típico de muitos que pensam que a religião sempre significa algo diferente daquilo que realmente é. Durante toda a Crucifixão, o único motivo unificador era: "Desce da cruz". Satanás não queria que Ele fosse fixado ali, Pedro ficou escandalizado no exato momento em que ela foi mencionada. Nem mesmo aqueles que criam que Cristo era uma pessoa humana queriam Sua Cruz. O mundo sempre está à espera de Elias para tirá-lo de lá. *O Cristo não crucificado é o desejo do mundo*. A recusa a descer sempre será a reprovação daqueles que querem um Cristo fraco com mãos brancas e sem chagas.

A sexta palavra à Cruz

A sexta palavra à Cruz veio dos soldados:

> Do mesmo modo zombavam dele os soldados.
> Aproximavam-se dele, ofereciam-lhe vinagre e diziam:
> Se és o rei dos judeus, salva-te a ti mesmo.
> (São Lucas 23,36-37)

Esses homens não eram judeus, nem cidadãos da Israel ocupada; eram orgulhosos legionários de Roma. Por que, então, referiam-se ao Senhor, zombando, como o Rei dos Judeus? Porque, segundo o espírito do paganismo, pensavam que todos os deuses eram deuses nacionais. A Babilônia tinha seus deuses; os medos e os persas também tinham os seus; os gregos, da mesma forma; e assim também os romanos tinham seus próprios deuses. A conclusão era que, de todos os deuses nacionais, nenhum parecia mais pobre e fraco que o Deus de Israel, que não podia salvar a Si mesmo do madeiro. É provável, também, que a zombaria dos soldados fosse inspirada pela inscrição na Cruz nas três línguas, em que se lia:

> Jesus de Nazaré, rei dos judeus.
> (São João 19,19)

Outros Lhe tinham pedido que descesse da Cruz ou salvasse a Si mesmo, mas os soldados, assim como o ladrão à esquerda, desafiaram-No a "salvar-Se a si mesmo". Eles também estavam interessados na salvação, mas apenas física, não espiritual. Havia latente certo orgulho com quão bem tinham feito seu trabalho de execução, pois Ele não podia desprender-se da Cruz.

Os soldados já tinham lançado sortes por sua túnica sem costura. Caifás havia rasgado as vestes sacerdotais, mas a túnica do Sumo Sacerdote na cruz não foi rasgada. Deixou para os profanadores militares Sua túnica sem costura e a crença de que Ele não podia salvar-Se a Si mesmo. Estariam a postos no sepulcro na manhã da Páscoa para ver quanto estavam errados e por que Ele não salvaria a Si mesmo.

Esses soldados pertenciam a um império em que um general que sacrificava milhares de soldados em troca de glória temporal era tido em alta conta; mas zombavam do capitão da salvação que pessoalmente morreu para que outros pudessem viver. Essa é uma das poucas passagens do Novo Testamento em que se fala de soldados de maneira desfavorável. Poucos deles viram que Sua recusa a Se salvar não era fraqueza, mas obediência à lei do sacrifício. A vida deles levava-os ao compromisso com o dever de morrer, se necessário, para salvar a pátria. Mas não conseguiram compreender o mesmo sacrifício erguido acima do plano militar. Só podiam ver os acontecimentos em sucessão; mas Ele ordenara tudo desde o princípio. Ele veio para "dar a vida em resgate de muitos". Se em obediência à ordem deles o Senhor tivesse salvado a Si mesmo, os homens teriam sido deixados sem salvação.

A sétima palavra à Cruz

Quando Cristo foi crucificado, o sol escondeu sua luz; quando Ele morreu, a terra foi abalada em luto. Naquele terremoto, as rochas se partiram, túmulos se abriram, e muitos corpos dos santos que dormiam se levantaram e saíram das tumbas e apareceram a muitos na Cidade Santa. Se a terra deu sinais de reconhecimento quando Deus estava libertando Seu povo da escravidão no Egito ao separar as águas do mar, com tanto mais razão agora ela manifestava reconhecer como o Senhor libertou o homem da servidão do pecado. Ainda que o coração do povo não pudesse se partir, as pedras podiam.

O centurião, encarregado dos soldados, percebendo o terremoto e relembrando o modo como o homem na cruz central tinha morrido, começou a refletir. Então esse sargento do Exército romano deu um testemunho, não no reino dos sonhos, como o fizera Cláudia, a outra pagã, mas com a expressão de um homem honesto e sensato:

> Este homem era realmente o Filho de Deus.
> (São Marcos 15,39)

O Cristo que fora completamente abandonado pelos discípulos, exceto um, aos pés da Cruz; que não ouviu nem sequer uma voz em Sua defesa, exceto a de uma mulher; e que não teve ninguém que se apresentasse corajosamente para reconhecê-Lo — Ele é enfim reconhecido em Sua morte por um soldado com as marcas de batalha que havia comandado e presidido a execução. Sem dúvida o centurião já tinha crucificado muitos antes, mas sentiu que havia algo misterioso neste Sofredor, que orava por Seus inimigos e era tão forte no último suspiro, como prova de que Ele era Mestre da vida que estava entregando. Vendo toda a natureza tornar-se animada e expressiva, sua mente viu a refutação das calúnias tolas e a inocência do homem justo; sim, e mais, proclamou Sua divindade.

A Cruz estava começando a frutificar: um ladrão judeu havia pedido e recebido a salvação; agora um soldado de César prostrava-se em adoração ao Divino Sofredor. Aquela estranha combinação que estava por toda parte na vida pública de Nosso Senhor está agora manifesta na Cruz: humilhação e poder. Enquanto outros O condenaram por blasfêmia, o centurião O adorou como o Filho de Deus.

51

O véu do templo se rasgou

Nosso Senhor Santíssimo chamara Seu Corpo de Templo por causa da plenitude da divindade que Nele habitava. O templo terreno de Jerusalém era apenas um símbolo Dele mesmo. Nesse templo de pedra havia três grandes divisões. Além do pátio de entrada, havia um lugar chamado "Santo" e, além dele, um lugar ainda mais secreto, chamado de "Santo dos Santos". O pátio era separado do local sagrado por um véu, e um grande véu também dividia o local sagrado do Santo dos Santos.

No exato momento em que Nosso Senhor desejou Sua morte:

> E eis que o véu do templo se rasgou em duas partes de alto a baixo.
> (São Mateus 27,51)

O próprio fato de se rasgar de alto a baixo era para indicar que não foi feito pela mão do homem, mas pela mão milagrosa do próprio Deus, que ordenara que, enquanto perdurasse a antiga lei, o véu deveria pender diante do Santo dos Santos. Agora, Ele decretou que deveria ser rasgado em Sua morte. Aquilo que havia muito era sagrado nesse momento permanecia aberto e manifesto diante dos olhos, descoberto como qualquer coisa comum e ordinária, ao passo que, diante deles, no Calvário, quando o soldado transpassou-Lhe o coração, foi revelado um novo Santo dos Santos que continha a arca do Novo Testamento e os tesouros de Deus. A morte de Cristo foi a dessagração do templo terreno, pois Ele ergueria um novo templo em três dias. Somente um homem, uma vez por ano, podia entrar no Santo dos Santos; agora que o véu estava rasgado, aquele que separava o sagrado do povo e que separava os judeus dos gentios, ambos poderiam acessar o novo templo, Cristo, o Senhor.

Há uma relação intrínseca entre o soldado perfurando o Coração de Cristo na Cruz, que expeliu sangue e água, e a dilaceração do véu do templo.

Dois véus foram rasgados: o véu púrpura do templo, que pôs fim à antiga lei, e o outro, o véu de Sua carne, que abriu o Santo dos Santos do amor divino tabernaculizado entre nós. Nos dois casos, o que era sagrado tornou-se manifesto; um deles, o Santo dos Santos, que era apenas uma representação; e o outro, o verdadeiro Santo dos Santos, Seu Sagrado Coração, que abriu aos pecadores o acesso a Deus. O véu do antigo templo indicava que o céu estava fechado a todos até que o Sumo Sacerdote, enviado pelo Pai, rasgasse o véu e abrisse as portas a todos. São Paulo contou como os antigos sumos sacerdotes, somente uma vez por ano, e não sem uma oferta de sangue pelas próprias faltas e pelas faltas de seu povo, tinham autorização para entrar no Santo dos Santos. A Epístola aos Hebreus explica esse mistério:

> Com o que significava o Espírito Santo que o caminho do Santo dos Santos
> ainda não estava livre, enquanto subsistisse o primeiro tabernáculo[...].
> Porém, já veio Cristo, Sumo Sacerdote dos bens vindouros.
> E através de um tabernáculo mais excelente e mais perfeito,
> não construído por mãos humanas (isto é, não deste mundo),
> sem levar consigo o sangue de carneiros ou novilhos,
> mas com seu próprio sangue,
> entrou de uma vez por todas no santuário,
> adquirindo-nos uma redenção eterna.
> (Hebreus 9,8; 11-12)

Então, ao comparar o véu da carne e o véu do templo, a Epístola acrescenta:

> Por esse motivo, irmãos, temos ampla confiança
> de poder entrar no santuário eterno,
> em virtude do sangue de Jesus,
> pelo caminho novo e vivo que nos abriu através do véu,
> isto é, o caminho de seu próprio corpo.
> (Hebreus 10,19-20)

Mil anos antes, Davi, ansioso pelo Messias, escreveu:

> Não vos comprazeis em nenhum sacrifício,
> em nenhuma oferenda, mas me abristes os ouvidos:

> não desejais holocausto nem vítima de expiação.
> Então eu disse: Eis que eu venho.
> No rolo do livro está escrito de mim:
> fazer vossa vontade, meu Deus, é o que me agrada,
> porque vossa lei está no íntimo de meu coração.
> Anunciei a justiça na grande assembleia,
> não cerrei os meus lábios, Senhor, bem o sabeis.
> Não escondi vossa justiça no coração.
> (Salmo 39,7-10)

Enquanto o salmista olhava para os sacrifícios dos animais mortos, as ofertas incineradas para alcançar o favor divino e as oferendas do pecado para reparar o erro, sua mente conservava-se nelas apenas para deixá-las de lado, pois sabia muito bem que esses touros, bodes e ovelhas sacrificados não poderiam realmente afetar o relacionamento do homem com Deus. Vislumbrava um dia futuro em que Deus teria Sua divindade entesourada em um corpo humano, como num templo, e viria com um único propósito, isto é, entregar a própria vida segundo a vontade divina. Davi proclamou que a Encarnação Divina seria a perfeição dos sacrifícios e do sacerdócio da lei judaica. A imagem se cumpriria como um Cordeiro sem mácula que Se ofereceu ao Pai dos céus. A antiga promessa feita a Israel no Egito ainda era verdadeira e poderia ser reivindicada, em sentido mais elevado, por todos que invocassem o Sangue derramado do alto da Cruz:

> vendo o sangue, passarei adiante,
> e não sereis atingidos pelo flagelo destruidor,
> quando eu ferir o Egito.
> (Êxodo 12,13)

O sacerdócio da casa de Levi agora estava destituído. A ordem de Melquisedec se tornou a lei na casa de Levi. E o sinal de "entrada proibida" colocado diante do Santo dos Santos no templo terreno foi removido. Quando Cristo veio ao mundo para dar cumprimento à ordem de Melquisedec, a casa de Levi negou-Lhe as boas-vindas. Na verdade, Levi exigira dízimos Dele poucas semanas antes de Sua morte, ao exigir os tributos do templo. No entanto, quando o véu do templo se rasgou, o sacerdócio de Melquisedec foi revelado e, com ele, o verdadeiro Santo dos Santos, a verdadeira Arca da Nova Aliança e o verdadeiro Pão da Vida — o Cristo, o Filho do Deus Vivo.

52

A PERFURAÇÃO DE SEU LADO

Quando Nosso Salvador deu o último suspiro, os ossos dos ladrões foram triturados para certificar-se da morte deles. A lei ordenava que o corpo de alguém crucificado, e portanto amaldiçoado por Deus, não permanecesse na cruz durante a noite. Além disso, com a proximidade do Sábado da semana da Páscoa, era urgente aos seguidores da Lei matar os ladrões e sepultar todos os que fossem crucificados. Havia de cumprir-se, no entanto, uma profecia acerca do Messias. O cumprimento deu-se quando:

> um dos soldados abriu-lhe o lado com uma lança e,
> imediatamente, saiu sangue e água.
> (São João 19,34)

O avarento divino economizara algumas preciosas gotas de Seu Sangue para derramá-las depois de ter entregado o espírito, a fim de mostrar que Seu amor era mais forte que a morte. Sangue e água jorraram; Sangue, o preço da Redenção e o símbolo da Eucaristia; água, o símbolo da regeneração e do batismo. São João, que testemunhou a cena do soldado a perfurar o Coração de Cristo, escreveu mais tarde:

> Ei-lo, Jesus Cristo,
> aquele que veio pela água e pelo sangue;
> não só pela água, mas pela água e pelo sangue.
> (1 Epístola de São João 5,6)

Havia algo mais que um fenômeno natural aqui, visto que João deu-lhe um significado misterioso e sacramental. A água estava no início do ministério de Nosso Senhor, quando foi batizado; o sangue estava no fim deste ministério, quando Ele ofereceu-Se como oblação imaculada. Ambos tornaram-se o fundamento da fé, pois no batismo o Pai declarou-O Seu Filho, e a Ressurreição testificou ainda uma vez Sua Divindade.

O mensageiro do Pai foi perfurado com a mensagem de amor escrita em Seu Próprio Coração. O golpe da lança foi a última profanação sofrida pelo Bom Pastor de Deus. Embora tenha sido poupado da brutalidade de ter as pernas quebradas, ainda assim houve algum propósito divino misterioso na abertura do Sagrado Coração de Deus. João, que recostara a cabeça em Seu peito na noite da Última Ceia, convenientemente registrou a abertura do coração. No dilúvio, Noé fez uma porta na lateral da arca, pela qual os animais entraram, a fim de que pudessem escapar da enchente; agora, uma nova porta se abria no coração de Deus, no qual os homens poderiam encontrar refúgio da enchente de pecado. Quando Adão dormiu, Eva foi tirada de seu lado e chamada de mãe dos viventes. Agora, quando o segundo Adão reclinava a cabeça e dormia na Cruz sob a figura do sangue e da água, saiu de seu lado sua noiva, a Igreja. O coração aberto cumpriu Suas palavras:

> Eu sou a porta. Se alguém entrar por mim será salvo;
> tanto entrará como sairá e encontrará pastagem.
> (São João 10,9)

Santo Agostinho e outros escritores cristãos primitivos escreveram que Longino, o soldado que abriu os tesouros do Sagrado Coração do Senhor, foi curado de cegueira; mais tarde, Longino morreu como bispo e mártir da Igreja, sendo celebrada sua memória no dia cinco de março. Quando João viu o ato, sua mente voltou-se para a profecia de Zacarias, seis séculos antes:

> Olharão para aquele que transpassaram.
> (São João 19,37)

Não é que o pranto venha primeiro e então olhamos para a Cruz; antes, o pesar pelos pecados surge da visão da Cruz. Todas as desculpas são postas de lado quando a vilania do pecado é mais dolorosamente revelada. Mas a seta do pecado que fere e crucifica traz o bálsamo do perdão que cura. Pedro viu o Mestre e então chorou com amargura. Assim como aqueles que olharam para a serpente de bronze foram curados da picada venenosa, agora a figura torna-se realidade, e os que olham para Aquele que Se fez semelhante aos pecadores mas não era um deles são curados do pecado.

Todos devem olhar, quer gostem, quer não. O Cristo perfurado continua exaltado na encruzilhada do mundo. Alguns olham e são levados ao arrependimento; outros olham e vão embora, com remorso, mas não arrependidos, como aquela multidão no Calvário, que "voltou para casa batendo no peito" (São Lucas 23,48). Bater no peito, neste caso, era um sinal de impenitência; era a recusa de olhar para Aquele a Quem tinham traspassado. O *mea culpa* é o bater no peito que salva.

Embora os executores perfurassem a lateral de Seu corpo, não quebraram nenhum dos ossos do Senhor, como estava profetizado. O Êxodo dissera que o Cordeiro Pascal não teria nenhum de seus ossos quebrado. Este cordeiro era apenas um tipo do cumprimento literal do Cordeiro de Deus:

> Assim se cumpriu a Escritura: Nenhum dos seus ossos será quebrado.
> (São João 19,36)

Cumpriu-se essa profecia apesar de Seus inimigos, que procuravam o contrário. Assim como o corpo físico de Cristo tinha, exteriormente, feridas, pisaduras e cicatrizes, mesmo interiormente a estrutura permanecendo intacta, assim também parece haver um prenúncio de que, embora Seu Corpo Místico, a Igreja, tenha suas feridas morais e cicatrizes de escândalos e deslealdades, contudo, nenhum osso de Seu corpo jamais será quebrado.

53

Os amigos noturnos de Jesus

O Corpo do Salvador pendia frouxo da Cruz — não era propriedade de ninguém, mas pertencia especialmente à mãe. Ninguém no mundo, salvo Maria, poderia pronunciar Suas palavras na Última Ceia, embora ela não fosse sacerdotisa. Já que ninguém, a não ser a Mãe Santíssima, Lhe dera corpo e sangue, sendo coberta pelo Espírito Santo, só ela poderia dizer: "Este é o meu corpo; este é o meu sangue". Só ela Lhe deu aquilo mediante o que fez-se a obra da redenção; só ela O tornou possível; só ela O fez o Novo Adão. Não houve contrapartida humana; somente o Espírito de Amor.

Maria O reclamava como pertencente a ela por meio do serviço de dois homens ricos. Um deles era Nicodemos, o discípulo secreto que fazia aparições noturnas. Nicodemos era um doutor da lei e era visto como um mestre em Israel. Desde o princípio, sabia que Nosso Salvador era um mestre vindo dos céus, contudo, para preservar sua autoridade e não se expor ao ódio dos compatriotas, sempre apareceu na escuridão. O outro, José de Arimateia, deu-Lhe um sepulcro novo. Este fora a Pilatos pedir o Corpo de Nosso Senhor, e Pilatos o entregou a ele. A riqueza, a casta e a posição desses homens eram notórias; um ouviu o Crucificado falar sobre ser "elevado"; o outro veio da terra da lamentação, o local da tumba de Raquel. Isaías séculos antes predissera que Nosso Senhor seria "rico na morte"; agora era entregue ao homem rico, José de Arimateia.

Esses dois homens, com uns poucos seguidores devotos, prepararam-se para descer Nosso Senhor, para remover os cravos e a coroa de espinhos. Somente os olhos da fé podiam ver as marcas da realeza ao baixar a figura cujo Sangue havia coagulado. No entanto, com um amor que rompia todas as amarras do cálculo, esses dois discípulos recém-chegados e secretos tentaram demonstrar lealdade. É provável que, quando removido da Cruz, o Cristo morto tenha sido colocado nos braços de Sua Mãe Santíssima. Para uma mãe, o filho nunca cresce. Deve ter parecido, por um momento, que Belém retornara, pois era um bebê em seu abraço. No entanto, tudo mudara. Não estava mais alvo como viera do Pai; estava escarlate ao vir das mãos dos homens.

Nicodemos e José ungiram o Corpo com quilos de mirra e ervas aromáticas e enfaixaram-No em linho puro. O embalsamamento elaborado sugere que esses discípulos secretos, eles mesmos apóstolos, não estavam esperando a Ressurreição. Fisicamente, estavam atentos a Ele; espiritualmente, ainda não sabiam quem Ele era. A preocupação com o enterro era um sinal do amor que Lhe dedicavam, não da fé Nele como a Ressurreição e a Vida.

> No lugar em que ele foi crucificado havia um jardim.
> (São João 19,41)

A palavra "jardim" aludia ao Éden e à queda do Homem, como também sugeria, pelas flores na primavera, a Ressurreição dos mortos. Naquele jardim havia um sepulcro onde "ninguém ainda havia sido depositado". Nascido de um ventre virgem, Ele foi enterrado em uma tumba virgem, como disse Crashaw: "E um José, a ambos, se lhes comprometeu". Nada parecia mais repulsivo que ter uma crucifixão em um jardim, e ainda assim haveria uma compensação, pois no jardim seria a Ressurreição. Nascido na gruta de um estranho, enterrado na sepultura de um estranho, tanto a morte quanto o nascimento humanos eram estranhos à Sua divindade. O sepulcro de um estranho também, porque já que o pecado Lhe era estranho, igualmente o era a morte. Ao morrer por outrem, foi posto na cova de um outro. Seu túmulo foi emprestado, pois Ele o devolveria na Páscoa, assim como devolveu o jumento que montou no Domingo de Ramos e o cenáculo da parte de cima da casa que usou na Última Ceia. Enterrar é plantar. Paulo, posteriormente, extrairia do fato de Ele ter sido enterrado em um jardim a lei segundo a qual, se somos plantados à semelhança de Sua morte, devemos ressuscitar com Ele na glória de Sua Ressurreição.

54

A FERIDA MAIS GRAVE DA TERRA — O TÚMULO VAZIO

Na história do mundo, somente um túmulo já teve uma pedra rolada diante de si e um soldado a postos para guardá-lo a fim de evitar que um homem morto ressurgisse: esse era o túmulo do Cristo na noite da Sexta-Feira chamada Santa. Que espetáculo poderia ser mais ridículo que soldados armados de olho em um cadáver? Entretanto, lá estavam as sentinelas para que o morto não andasse, o silêncio não falasse e o coração transpassado não palpitasse de vida. Disseram que Ele estava morto, eles sabiam que estava morto; diziam que Ele não ressuscitaria novamente e, ainda assim, O vigiavam! Abertamente chamaram-No de enganador, no entanto, a quem Ele ainda enganaria? Será que Ele, que os "enganou" fazendo crer que ganharam a batalha, Ele mesmo ganhou a guerra para a vida, a verdade e o amor? Recordaram que Ele chamou Seu corpo de Templo e que em três dias depois que o destruíssem, Ele o reconstruiria. Lembraram que Ele Se comparara a Jonas e disse que, assim como Jonas esteve no ventre da baleia por três dias, Ele igualmente estaria no ventre da terra por três dias e então ressurgiria. Depois de três dias Abraão recebeu de volta o filho Isaac, que fora oferecido em sacrifício; por três dias o Egito esteve em uma escuridão que não era natural; no terceiro dia Deus desceu no Monte Sinai. Nesse momento, mais uma vez, havia preocupação a respeito do terceiro dia. Na alvorada de sábado, portanto, os sumos sacerdotes e os fariseus romperam o *Sabath* e apresentaram-se a Pilatos, dizendo:

> Senhor, nós nos lembramos de que aquele impostor disse, enquanto vivia: Depois de três dias ressuscitarei.
> Ordena, pois, que seu sepulcro seja guardado até o terceiro dia.
> Os seus discípulos poderiam vir roubar o corpo e dizer ao povo:

> Ressuscitou dos mortos.
> E esta última impostura seria pior que a primeira.
> (São Mateus 27,63-64)

O pedido deles por uma guarda até o "terceiro dia" referia-se mais às palavras de Cristo sobre Sua Ressurreição do que ao medo de que os apóstolos roubassem o corpo e o erguessem, como se vivo, para simular a ressurreição. No entanto, Pilatos não estava disposto a ver esse grupo, pois eles foram o motivo de ter condenado o sangue inocente. Fizera a própria investigação de que Cristo estava morto; não se submeteria ao absurdo de usar os exércitos de César para vigiar um judeu morto. Pilatos lhes disse:

> Tendes uma guarda.
> Ide e guardai-o como o entendeis.
> (São Mateus 27,65)

A guarda era para evitar a violência; o selo era para evitar a fraude. Devia haver um selo, e os inimigos o lacrariam. Devia haver uma guarda, e os inimigos a manteriam. Os certificados de morte e ressurreição deviam ser assinados pelos próprios inimigos. Os gentios foram convencidos pela natureza de que Cristo estava morto; os judeus foram convencidos pela lei de que Ele estava morto.

> Foram, pois, e asseguraram o sepulcro,
> selando a pedra e colocando guardas.
> (São Mateus 27,66)

O Rei repousava no local com Sua guarda. O fato mais surpreendente acerca desse espetáculo de vigilância de um morto era que os inimigos de Cristo esperavam a ressurreição, mas Seus amigos, não. Os crentes eram céticos; os descrentes, crédulos. Seus seguidores precisavam e exigiam provas antes de ficarem convencidos. Nos três grandes atos do drama da Ressurreição, havia uma nota de tristeza e incredulidade. O primeiro ato foi o de Madalena, chorosa, que foi cedo ao túmulo com ervas aromáticas, não para saudar o Salvador Ressuscitado, mas para ungir o corpo morto.

MADALENA NO SEPULCRO

Na escuridão da aurora de Domingo, foram vistas várias mulheres se aproximando do túmulo. O próprio fato de as mulheres levarem as ervas aromáticas provava que elas não esperavam a Ressurreição. Parecia estranho que fosse esse o caso após muitas referências de Nosso Senhor à Sua morte e Ressurreição. É evidente, no entanto, que os discípulos, bem como as mulheres, sempre que Ele profetizava Sua paixão, pareciam recordar mais da morte que da Ressurreição. Nunca lhes ocorreu que fosse uma coisa possível; era estranho ao pensamento deles. Quando a pedra foi rolada na entrada do sepulcro, não só o Cristo foi enterrado, mas também todas as esperanças deles. O único pensamento que as mulheres tinham era ungir o corpo do Cristo morto — um ato nascido do desespero e, até então, de um amor descrente. Duas delas, ao menos, haviam testemunhado o enterro, por isso sua grande preocupação era o ato prático:

> Quem nos há de remover a pedra da entrada do sepulcro?
> (São Marcos 16,3)

Esse foi o grito dos corações de pouca fé. Homens fortes fecharam a entrada do sepulcro ao colocar uma pedra enorme diante dela; a preocupação das mulheres era como remover a barreira para que pudessem realizar a incumbência de misericórdia. Os homens não deveriam chegar à tumba até que fossem convocados — tampouco acreditavam. Entretanto, as mulheres, só por conta do pesar que buscavam consolar, foram embalsamar o morto. Nada é mais anti-histórico que dizer que as mulheres pias estavam esperando que o Cristo ressuscitasse dos mortos. A Ressurreição era algo que nunca esperaram. A mentalidade deles não permitia que tais expectativas florescessem.

No entanto, ao se aproximarem, encontraram a pedra removida. Antes da chegada, houve um grande tremor de terra e um anjo do Senhor, que descera dos céus, rolara a pedra e sentara-se nela:

> Resplandecia como relâmpago e
> suas vestes eram brancas como a neve.
> Vendo isto, os guardas pensaram
> que morreriam de pavor.
> (São Mateus 28,3-4)

Quando as mulheres se aproximaram viram que a pedra, imensa como era, já fora rolada. Entretanto, não chegaram imediatamente à conclusão de que Seu Corpo havia ressuscitado. Concluíram que alguém havia removido o corpo. Em vez do corpo morto do Mestre, viram um anjo, cuja face brilhava como um relâmpago e as vestes eram brancas como a neve, e este lhes disse:

> Não tenhais medo.
> Buscais Jesus de Nazaré, que foi crucificado.
> Ele ressuscitou, já não está aqui.
> Eis o lugar onde o depositaram.
> Mas ide, dizei a seus discípulos
> e a Pedro que ele vos precede na Galileia.
> Lá o vereis como vos disse.
> (São Marcos 16,6-7)

Para um anjo, a Ressurreição não seria um mistério, mas Sua morte seria. Para o homem, Sua morte não era um mistério, mas Sua Ressurreição o seria. O que era natural para o anjo, portanto, foi, nesse momento, o assunto do anúncio. O anjo era um guardador maior do que aqueles que os inimigos tinham colocado diante do túmulo do Salvador, um soldado maior do que os que Pilatos nomeara.

As palavras do anjo foram o primeiro Evangelho proclamado após a Ressurreição e retomou a Sua paixão, pois a ele o anjo referiu-se como "Jesus de Nazaré, que foi crucificado". Essas palavras traziam o nome de Sua humanidade, a humildade do lugar que habitara e a ignomínia de Sua morte; em todos os três, humildade, ignomínia e vergonha são comparados à Sua Ressurreição dos mortos. Belém, Nazaré e Jerusalém tornam-se marcos identificadores da Ressurreição.

As palavras do anjo, "Eis o lugar onde O depositaram", confirmaram a realidade de Sua morte e o cumprimento das antigas profecias. Os túmulos trazem a inscrição: *Hic jacet,* ou "Aqui jaz". Em seguida, o nome do morto e, talvez, algum elogio ao finado. Todavia, em contraste, o anjo não escreveu, mas expressou um epitáfio diferente: "Já não está aqui". Pediu às mulheres que contemplassem onde tinham posto o corpo de Nosso Senhor, como se o túmulo vazio fosse prova o bastante do fato da Ressurreição. A uma virgem foi anunciado o nascimento do Filho de Deus; a uma mulher imoral foi anunciada Sua Ressurreição.

Os que viram o túmulo vazio foram instados a ir até Pedro, que tentara Nosso Senhor uma vez a fugir da Cruz e três vezes O negara. O pecado e a negação não abafam o Amor Divino. Embora seja paradoxal, quanto maior o pecado, menor a fé; e, ainda assim, quanto maior o arrependimento pelo pecado, maior a fé. Foi para a ovelha perdida e ofegante no deserto que Ele veio; foi para os publicanos e as prostitutas; era aos Pedros que O negavam e aos Paulos que O perseguiam que as súplicas de amor mais persuasivas eram enviadas. Ao homem que fora chamado de Pedra e que tentara o Cristo a não tomar a cruz, o anjo, agora, enviava pelas mulheres a mensagem "Ide, dizei a Pedro".

A mesma proeminência individualizadora dada a Pedro na vida pública continuou na Ressurreição. Entretanto, embora Pedro fosse mencionado aqui com os apóstolos dos quais era o cabeça, o Senhor apareceu para ele sozinho, antes de revelar-se a Si mesmo para os discípulos de Emaús. Isso ficou evidente pelo fato de, mais tarde, os discípulos dizerem que Ele apareceu a Pedro. A boa-nova da redenção foi dada, assim, a uma mulher decadente e a um apóstolo que O negara, mas ambos tinham se arrependido.

Maria Madalena, que, no escuro, andou à frente das companheiras, notou que a pedra já fora rolada para o lado, de modo que a entrada do túmulo estava aberta. Um olhar rápido revelou que a tumba estava vazia. O primeiro pensamento dela foi o dos apóstolos Pedro e João, para os quais correu, agitada. Segundo a lei mosaica o testemunho de uma mulher era inaceitável. Maria, contudo, não lhes deu notícias de ressurreição; não esperava por isso. Pressupôs que Ele ainda estivesse sob o poder da morte, como disse a Pedro e João:

> Tiraram o Senhor do sepulcro, e não sabemos onde o puseram!
> (São João 20,2)

De todos os discípulos e seguidores, havia apenas cinco que o "guardavam": três mulheres e dois homens, assim como os cinco da parábola que aguardavam a vinda do noivo. Nenhum deles suspeitava da Ressurreição.

Agitados, Pedro e João correram para o sepulcro, deixando Maria para trás. João era, dos dois, o melhor corredor e chegou primeiro. Quando Pedro o alcançou, ambos entraram no sepulcro, onde viram os panos de linho ao redor, bem como o véu que tinham colocado sobre a cabeça de Jesus, mas este não estava com os panos de linho, estava dobrado. O que ocorrera ali fora feito de maneira decente e ordenada, não por um ladrão nem mesmo um amigo. O corpo desaparecera do túmulo; os panos que o envolviam foram encontrados convolutos. Se os discípulos tivessem roubado o corpo, não teriam na pressa o desembrulhado e deixado os panos de linho. Cristo ressuscitara pelo Seu poder divino. Pedro e João

> ainda não haviam entendido a Escritura,
> segundo a qual Jesus devia ressuscitar dentre os mortos.
> (São João 20,9)

Tinham os fatos e as provas da Ressurreição, mas ainda não tinham compreendido o pleno significado. O Senhor agora começou a primeira das 11 aparições registradas entre a Ressurreição e Ascensão: às vezes para Seus apóstolos, outras vezes para quinhentos irmãos, em algumas outras vezes para as mulheres. A primeira aparição foi para Maria Madalena, que voltou ao sepulcro depois de Tiago e João partirem. A ideia da Ressurreição também não parecia entrar em sua mente, embora ela mesma tenha se erguido de uma tumba selada pelos sete demônios do pecado. Ao encontrar o túmulo vazio, ela irrompeu novamente em uma fonte de lágrimas. Com os olhos baixos, enquanto o brilho do nascer do sol nas primeiras horas da manhã espalhava-se pela relva coberta de orvalho, percebeu vagamente alguém perto dela que perguntou:

> Mulher, por que choras?
> (São João 20,13)

Chorava por aquilo que estava perdido, mas Sua pergunta espantou o infortúnio das lágrimas ao fazê-la parar de chorar. Ela disse:

> Porque levaram o meu Senhor, e não sei onde o puseram.
> (São João 20,13)

Não houve pavor ao ver os anjos, pois o mundo em chamas não a teria comovido, tamanho o pesar que dominava sua alma. Quando ela disse isso, voltou-se e viu Jesus de pé; não sabia que era Ele. Pensou ser o jardineiro — o jardineiro de José de Arimateia. Ao acreditar que esse homem pudesse saber onde Aquele que estava perdido poderia ser encontrado, Maria Madalena caiu de joelhos e perguntou:

> Senhor, se tu o tiraste, dize-me onde o puseste e eu o irei buscar.
> (São João 20,15)

Pobre Madalena! Desgastada pela Sexta-Feira Santa, esgotada no Sábado Santo, com a vida resumida a uma sombra e com as forças por um fio, ela O "iria buscar". Por três vezes ela falou Dele sem dizer o nome. A força do amor era tal que supunha ninguém compreender.

Maria!
(São João 20,16)

A voz foi mais alarmante que o estrondo de um trovão. Certa vez ouvira Jesus dizer que chamava Suas ovelhas pelo nome. E agora para Aquele que individualizara todo o pecado, o pesar e as lágrimas do mundo e marcara cada alma com um amor pessoal, particular e discriminado, ela se voltou, e ao ver as lívidas marcas rubras nos Seus pés e mãos, pronunciou apenas uma palavra:

Rabôni!
(São João 20,16)

(Que em hebraico significa "mestre"). Cristo pronunciara "Maria!" e todo o céu estava contido ali. Foi a única palavra que pronunciou, e toda a terra nela estava. Após a meia-noite mental, houve esse deslumbre; após horas desesperançadas, essa esperança; após a busca, a descoberta; após a perda, esse achado. Madalena estava preparada apenas para derramar lágrimas reverenciais sobre o túmulo; não estava preparada para vê-Lo a caminhar no raiar da aurora.

Somente a pureza e a ausência de pecado poderiam dar as boas-vindas a este mundo ao Santíssimo Filho de Deus; por isso, Maria Imaculada O encontrou na porta da entrada da cidade de Belém. Somente um pecador arrependido, no entanto, que tivesse ressurgido do túmulo do pecado para a novidade da vida em Deus poderia compreender de maneira apropriada o triunfo sobre o pecado. Em honra da feminilidade para sempre se deve dizer: uma mulher esteve mais perto da Cruz na Sexta-Feira Santa e foi a primeira no túmulo na manhã de Páscoa.

Maria estava sempre a Seus pés. Lá estava quando O ungiu para o sepultamento; estava aos pés da Cruz; agora, feliz ao ver o Mestre, lançou-se a Seus pés para abraçá-los. Ele, contudo, disse-lhe com um gesto impeditivo:

Não me retenhas, porque ainda não subi a meu Pai.
(São João 20,17)

Os ternos gestos de afeto foram dirigidos a Ele mais como Filho do Homem que como Filho de Deus. Por isso Ele ordenou que ela não O tocasse. São Paulo daria aos coríntios e aos colossenses a mesma lição:

> Nós daqui em diante a ninguém conhecemos de um modo humano.
> Muito embora tenhamos considerado Cristo dessa maneira,
> agora já não o julgamos assim.
> (2 Coríntios 5,16)

> Afeiçoai-vos às coisas lá de cima,
> e não às da terra.
> Porque estais mortos e a vossa vida
> está escondida com Cristo em Deus.
> (Colossenses 3,2)

As lágrimas delas, insinuou, seriam enxugadas não porque ela O tinha visto novamente, mas porque Ele era o Senhor do Céu. Quando ascendesse à direita do Pai, que significava o poder do Pai, quando enviasse o Espírito da Verdade, que seria o novo confortador e Sua presença interior no meio deles, então, de fato, ela verdadeiramente O teria, Aquele por quem ansiava — o Cristo glorificado e ressuscitado. Essa foi a primeira pista, após Sua Ressurreição, do novo relacionamento que teria com os homens, sobre o qual falou de modo tão fluente na noite da Última Ceia. Teria de dar a mesma lição a seus discípulos, que estavam demasiado preocupados com Sua forma humana, ao dizer-lhes que era oportuno que partisse. Madalena desejou estar com Ele como estivera antes da crucifixão, esquecendo que esta foi suportada para a glória e para que Ele enviasse o Seu Espírito.

Embora Madalena estivesse submissa à proibição de Nosso Salvador, não obstante estava destinada a sentir a extrema felicidade de portar as notícias de Sua Ressurreição. Os homens compreenderam o significado do túmulo vazio, mas não a relação com a Redenção e a vitória sobre o pecado e o mal. Ela estava prestes a quebrar a caixa de alabastro de Sua Ressurreição, de modo que o perfume pudesse inundar o mundo. Disse o Senhor a ela:

> Não me retenhas, porque ainda não subi a meu Pai,
> mas vai a meus irmãos e dize-lhes:

> Subo para meu Pai e vosso Pai,
> meu Deus e vosso Deus.
> (São João 20,17)

Essa foi a primeira vez que chamou os apóstolos de "meus irmãos". Antes que o homem pudesse ser filho adotivo de Deus, tinha de ser redimido da inimizade com Deus.

> Em verdade, em verdade vos digo:
> se o grão de trigo, caído na terra, não morrer,
> fica só; se morrer, produz muito fruto.
> (São João 12,24)

Tomou a crucifixão para multiplicar a filiação para outros filhos de Deus. No entanto, havia uma ampla diferença entre Ele mesmo como Filho natural e os seres humanos, que por intermédio de Seu Espírito tornaram-se filhos adotivos. Por isso, como sempre, Ele fez uma distinção rígida entre "Meu Pai" e "Vosso Pai". Nunca em Sua vida disse "Nosso Pai" como se o relacionamento fosse o mesmo entre Ele e os homens; Sua relação com o Pai era única e incomunicável. A Filiação era Sua natureza, somente pela graça e adoção os homens eram filhos de Deus:

> Aquele para quem e por quem todas as coisas existem,
> desejando conduzir à glória numerosos filhos,
> deliberou elevar à perfeição, pelo sofrimento,
> o autor da salvação deles, para que santificador
> e santificados formem um só todo.
> Por isso, (Jesus) não hesita em chamá-los seus irmãos.
> (Hebreus 2,10-11)

Nem mesmo Ele disse a Maria para informar aos apóstolos que Ele havia ressussitado e que ascenderia aos céus. A Ressurreição estava sugerida na Ascensão, que ainda ocorreria quarenta dias adiante. Seu objetivo não era apenas enfatizar que Ele, que morrera, agora vivia, mas que esse era o início de um Reino espiritual que se tornaria visível e unificado quando Ele enviasse o Seu Espírito.

De maneira obediente, Maria Madalena correu aos discípulos que estavam "pesarosos e chorosos". Ela lhes disse que vira o Senhor e as palavras que Ele lhe dissera. Qual a recepção que essas notícias tiveram? Novamente, ceticismo, dúvida e descrença. Os apóstolos O ouviram falar em imagens, símbolos, parábolas e o discurso direto de Sua Ressurreição que ocorreria após a morte, mas:

> Quando souberam que Jesus vivia e
> que ela o tinha visto, não quiseram acreditar.
> (São Marcos 16,11)

Eva acreditou na serpente, mas os discípulos não acreditaram no Filho de Deus. Quanto a Maria Madalena e às outras mulheres que podiam relatar a respeito de Sua Ressurreição:

> Mas essas notícias pareciam-lhes como um delírio,
> e não lhes deram crédito.
> (São Lucas 24,11)

Era um prenúncio de como o mundo receberia as notícias da Redenção. Maria Madalena e as outras mulheres, primeiro, não acreditaram na Ressurreição; tiveram de ser convencidas. Nem mesmo os apóstolos acreditaram. A resposta deles foi "Conheceis as mulheres! Sempre imaginando coisas". Muito antes do advento da psicologia científica, as pessoas temiam os truques que a mente lhes pregava. A incredulidade moderna diante do extraordinário não é nada comparado ao ceticismo que imediatamente saudou as primeiras notícias da Ressurreição. O que o ceticismo moderno diz acerca da história da Ressurreição os próprios discípulos foram os primeiros a dizer, a saber, uma história inútil. Como os agnósticos originais do cristianismo, os apóstolos concordaram em rechaçar toda a história como um delírio. Algo muito extraordinário deveria acontecer e alguma prova muito concreta deveria ser apresentada para todos os duvidosos, antes de vencerem a relutância em acreditar.

O ceticismo deles foi ainda mais difícil de superar que o ceticismo moderno, porque o deles partiu de uma esperança que aparentemente fora frustrada no Calvário; isso era muito mais difícil de curar que o ceticismo moderno, que é sem esperança. Nada poderia estar mais distante da verdade que dizer que os seguidores de Nosso Senhor Bendito estavam à espera da Ressurreição e, portanto, prontos a acreditar nela ou a consolarem-se por uma perda que parecia irreparável. Nenhum agnóstico escreveu coisa alguma a respeito da Ressurreição que Pedro e os outros apóstolos já não tivessem em mente. Quando Maomé morreu, Omar partiu pressuroso de sua tenda, espada em punho, e afirmou que mataria qualquer um que dissesse que o profeta morrera. No caso do Cristo, havia uma presteza em acreditar em Sua morte, senão uma relutância de acreditar que Ele vivia. Mas talvez porque lhes fosse permitido duvidar, de modo que os fiéis nos séculos adiante nunca pudessem fazê-lo.

Os guardas e o suborno

Depois que as mulheres foram notificar os apóstolos, os guardas que estiveram a postos na tumba e que foram testemunhas da Ressurreição foram à cidade de Jerusalém e disseram aos sumos sacerdotes tudo o que ocorrera. Os sumos sacerdores imediatamente convocaram uma reunião do Sinédrio com o propósito expresso de subornar os guardas.

> Reuniram-se estes em conselho com os anciãos.
> Deram aos soldados uma importante soma de dinheiro, ordenando-lhes:
> Vós direis que seus discípulos vieram retirá-lo à noite, enquanto dormíeis.
> Se o governador vier a sabê-lo,
> nós o acalmaremos e vos tiraremos de dificuldades. Os soldados receberam o dinheiro e seguiram suas instruções.
> E esta versão é ainda hoje espalhada entre os judeus.
> (São Mateus 28,12-15)

A "importante soma em dinheiro" contrastava muitíssimo com as escassas trinta moedas de prata que Judas recebera. O Sinédrio não negava a ressurreição; de fato, tinham o próprio testemunho imparcial de sua verdade. E, ao mesmo tempo, o testemunho que adquiriram dos gentios por intermédio de Pilatos. Até deram o dinheiro do templo aos soldados romanos que desprezavam, pois encontraram um ódio maior. O dinheiro que Judas devolvera, não tocariam nele porque era "dinheiro de sangue". Entretanto, agora teriam de comprar uma mentira para escapar do sangue purificador do Cordeiro.

O suborno aos guardas era realmente uma maneira estúpida de fugir do fato da Ressurreição. Em primeiro lugar, havia o problema do que seria feito com o Seu corpo depois que os discípulos o tivessem. Tudo que os inimigos de Nosso Senhor tinham de fazer para desmentir a Ressurreição seria mostrar o Corpo. Sem levar em conta o fato de ser improvável que uma guarda inteira de soldados romanos tivesse dormido em serviço, era absurdo dizer que tudo ocorrera enquanto dormiam. Os soldados foram aconselhados a declarar que estavam adormecidos; e ainda assim estavam despertos a ponto de ver os ladrões e saber que eram os discípulos. Se todos os soldados estivesssem adormecidos, nunca poderiam ter descoberto os ladrões; se uns tantos deles estivessem acordados, teriam evitado o roubo. É igualmente improvável que poucos discípulos tímidos tivessem tentado roubar o corpo do Mestre de uma tumba lacrada por uma pedra, selada oficialmente e guardada por soldados sem despertar os guardas adormecidos. O arranjo ordenado da mortalha e dos panos funerários davam mais uma prova de que o corpo não fora removido por Seus discípulos.

A remoção secreta do corpo, no que dizia respeito aos discípulos, era despropositada, e nenhum deles jamais pensou nisso. Naquele momento, a vida do Mestre era um malogro e uma derrota. O crime dos que subornavam certamente era maior do que o crime dos que recebiam o suborno, pois o conselho era educado e religioso; os soldados eram incultos e simples. A Ressurreição de Cristo foi proclamada oficialmente às autoridades civis; o Sinédrio acreditou na Ressurreição antes dos apóstolos. Comprara o beijo de Judas; agora, esperavam comprar o silêncio dos guardas.

Corações partidos e o partir do pão

Naquele mesmo Domingo de Páscoa, Nosso Senhor Santíssimo fez outra aparição para dois discípulos que estavam a caminho de um vilarejo chamado Emaús, que ficava próximo de Jerusalém. Não havia muito, as esperanças deles estiveram ardentes, mas as trevas da Sexta-Feira Santa e o sepultamento na tumba lhes fizeram perder a alegria. Nenhum assunto estava mais na mente dos homens naquele dia em especial senão a pessoa de Cristo. Enquanto conversavam com tristeza e com os corações inquietos sobre os incidentes terríveis dos últimos dois dias, um estranho se aproximou. Os olhos dos apóstolos, no entanto, estavam tão cegos que não reconheceram que era o Salvador Ressuscitado; pensaram que fosse um viajante comum. No desenrolar da história ficou claro que o que os cegava era a incredulidade; caso esperassem vê-Lo, poderiam tê-Lo reconhecido. Porque estavam interessados Nele, Cristo concedeu Sua Presença; porque duvidaram de Sua Ressurreição, Cristo ocultou a alegria e o conhecimento de Sua Presença.

Agora que Seu Corpo estava glorificado, o que os homens viam Dele dependia da boa vontade do Cristo para revelar-se e também da disposição dos próprios corações dos homens. Embora não reconhecessem Nosso Senhor, mesmo assim os discípulos estavam prontos para iniciar uma conversa com o estranho a respeito Dele. Após escutar a longa conversa, o estranho perguntou:

> De que estais falando pelo caminho,
> e por que estais tristes?
> (São Lucas 24,17)

Obviamente, o motivo da tristeza dos discípulos era a perda. Tinham estado com Jesus, tinham-No visto ser preso, insultado, crucificado, morto e sepultado. O pesar aflige o coração da mulher quando ela perde o amado, mas os homens, em geral, ficam mentalmente perplexos diante de uma situação semelhante. O pesar deles era o pesar de uma carreira destruída.

O Salvador, com infinita sabedoria, não começou falando "sei que estais tristes". Sua técnica, em vez disso, era fazê-los expressar a tristeza; um coração pesaroso tem melhor consolação ao se expressar. Se o pesar deles tivesse boca e falasse, Ele teria um ouvido e revelar-se-ia. Se não quisessem nada mais que demonstrar suas feridas, Ele lhes derramaria o bálsamo de Sua cura.

Um dos dois, cujo nome era Cleófas, foi o primeiro a falar. Expressou espanto diante da ignorância do estranho que, aparentemente, não estava familiarizado com os acontecimentos dos últimos dias.

> És tu acaso o único forasteiro em Jerusalém
> que não sabe o que nela aconteceu estes dias?
> (São Lucas 24,18)

O Senhor Ressuscitado perguntou:

> Que foi?
> (São Lucas 24,19)

O estranho chamou a atenção deles para os *fatos*. Aparentemente não tinham se aprofundado o bastante nos fatos para chegar a conclusões apropriadas. A cura para o pesar que sentiam estava nas próprias coisas que os perturbavam, vê-las na relação correta. Assim como perguntou a mulher no poço, fez uma pergunta não para obter uma informação, mas para aprofundar o conhecimento Dele mesmo. Então, não só Cleófas, mas também seu companheiro, contaram-Lhe o que havia ocorrido. Disseram:

> A respeito de Jesus de Nazaré...
> Era um profeta poderoso em obras e palavras,
> diante de Deus e de todo o povo.
> Os nossos sumos sacerdotes e os nossos magistrados
> o entregaram para ser condenado à morte e o crucificaram.
> Nós esperávamos que fosse ele quem havia de restaurar Israel e agora,
> além de tudo isto, é hoje o terceiro dia que essas coisas sucederam.
> É verdade que algumas mulheres dentre nós nos alarmaram.
> Elas foram ao sepulcro, antes do nascer do sol;
> e não tendo achado o seu corpo, voltaram,
> dizendo que tiveram uma visão de anjos,
> os quais asseguravam que está vivo.
> Alguns dos nossos foram ao sepulcro
> e acharam assim como as mulheres tinham dito,
> mas a ele mesmo não viram.
> (São Lucas 24,19-24)

Esses homens esperavam grandes coisas, mas Deus, disseram, os desapontara. O homem faz um mapa e traça as esperanças de que Deus de algum modo as ratifique; o desapontamento muitas vezes se deve à trivialidade das esperanças humanas. Os esboços iniciais agora tinham de ser rasgados — não porque eram demasiado grandiosos, mas porque, aos olhos de Deus, eram demasiado pequenos. A mão que quebrou a taça dos desejos mesquinhos ofereceu um cálice mais rico. Pensavam que tinham encontrado o Redentor antes de Ele ser crucificado, mas, na verdade, descobriram um Redentor *crucificado*. Esperavam por um salvador de Israel, mas não esperavam por um que fosse igualmente Salvador dos gentios. Deviam tê-Lo ouvido falar, em muitas ocasiões, que Ele seria crucificado e resurgiria novamente, mas não podiam encaixar a catástrofe na ideia de um Mestre. Podiam acreditar Nele como Mestre, como um messias político, como um reformador ético, como um salvador do país, um libertador dos romanos, mas não podiam acreditar na tolice da cruz; nem tinham a fé do ladrão que pendeu da cruz. Por isso, recusaram-se a considerar o indício que as mulheres relataram. Não estavam certos de que as mulheres tinham avistado anjos. Possivelmente era apenas uma aparição. Ademais, era o terceiro dia que findava, e Ele não fora visto. Entretanto, o tempo todo caminhavam e conversavam com Ele.

Parece haver um duplo propósito na aparição de Nosso Senhor após a Ressurreição: primeiro, seria mostrar que Aquele que morreu ressuscitara; segundo, embora tivesse o mesmo corpo, este agora estava glorificado e não era sujeito a restrições físicas. Mais tarde, faria refeição com os discípulos para provar o primeiro ponto; nesse momento, assim como proibiu que Maria Madalena O tocasse, enfatizou Seu estado ressuscitado.

Com esses discípulos, assim como com todos os apóstolos, não existia predisposição a aceitar a Ressurreição. A prova dela tinha de abrir passagem diante da dúvida e das recusas mais obstinadas da natureza humana. Estavam entre as últimas pessoas no mundo a dar crédito a tal história. Poderíamos até dizer que estavam decididos a se sentir miseráveis, recusando-se a investigar a possibilidade verídica da história. Ao resistir tanto aos indícios dados pelas mulheres e à confirmação daqueles que foram verificar a história, a palavra final é que não tinham visto o Senhor.

Então, o Salvador Ressuscitado lhes disse:

> Ó gente sem inteligência! Como sois tardos de coração
> para crerdes em tudo o que anunciaram os profetas!
> Porventura não era necessário que Cristo sofresse
> essas coisas e assim entrasse na sua glória?
> (São Lucas 24,25-26)

Foram acusados de tolice e de ter o coração indolente, pois, se tivessem parado e analisado o que os profetas disseram a respeito do Messias — que seria levado como um cordeiro para o abate —, teriam tido a crença confirmada. A credulidade para com os homens e a incredulidade para com Deus é a marca dos corações embrutecidos; a prontidão em acreditar no especulativo e a vagareza em acreditar na prática é o sinal dos corações morosos. A essa altura, surgiram as palavras-chave da jornada. Anteriormente, Nosso Senhor Bendito dissera que era o bom pastor, que disporia de Sua vida para a redenção de muitos; agora, em Sua glória, proclamou uma lei moral que, como consequência de Seus sofrimentos, os homens seriam elevados do estado de pecado para a companhia de Deus.

A Cruz era a condição da glória. O Salvador Ressuscitado falou da necessidade moral fundada na verdade de que tudo o que Lhe acontecera fora predito. O que lhes parecia ofensa, escândalo, derrota e renúncia ao inevitável era, na verdade, um momento tenebroso antevisto, planejado e preanunciado. Ainda que a Cruz lhes parecesse incompatível com Sua glória, para Ele era o caminho indicado até ela. E, caso conhecessem o que as Escrituras disseram acerca do Messias, teriam acreditado na Cruz.

> E começando por Moisés, percorrendo todos os profetas, explicava-lhes o que dele se achava dito em todas as Escrituras.
> (São Lucas 24, 27)

Demonstrou-lhes todos os tipos, todos os rituais e todos os cerimoniais que se cumpriram Nele. Citando Isaías, mostrou o modo de Sua morte e crucifixão e as últimas palavras ditas da Cruz; citando Daniel, como Ele se tornaria a montanha que preencheria a terra; citando o Gênesis, como a progênie de uma mulher esmagaria a serpente do mal nos corações humanos; citando Moisés, como seria a serpente de bronze erguida para curar os homens maus e como o Seu lado seria a rocha de onde bateriam e brotariam as águas da regeneração; citando Isaías, como Ele seria Emanuel ou "Deus conosco"; citando Miqueias, como Ele nasceria em Belém; e citando muitos outros escritos deu-lhes a chave para o mistério da vida de Deus entre os homens e o propósito de Sua vinda.

Por fim, chegaram a Emaús. Ele fez parecer como se estivesse prestes a continuar sua jornada pela mesma estrada, assim como certa vez, antes, quando uma tormenta estava a alcançar o lago, Ele fez parecer que passaria pelo barco dos apóstolos. Os dois discípulos Lhe imploraram, entretanto, que ficasse com eles. Aqueles que têm bons pensamentos a respeito de Deus durante o dia não se renderão com presteza ao cair da noite. Aprenderam muito, mas sabiam que não tinham aprendido tudo. Ainda não O tinham reconhecido, mas havia uma luz Naquele que prometia levá-los à plena revelação e dissipar a tristeza. Ele aceitou o convite para ser um hóspede, mas imediatamente agiu como anfitrião, pois

> estando sentado conjuntamente à mesa,
> ele tomou o pão, abençoou-o, partiu-o e serviu-lho.
> Então se lhes abriram os olhos e o reconheceram...
> mas ele desapareceu.
> (São Lucas 24, 30-31)

Tomar o pão, parti-lo e dar a eles não era um ato de cortesia, pois isso assemelhava-se muito à Última Ceia, na qual ordenara aos apóstolos a repetição do ato como memorial de Sua morte, ao partir o pão que era Seu corpo e distribuí-lo. Imediatamente, ao receber o Pão Sacramental que foi partido, os olhos da alma foram abertos. Assim como os olhos de Adão e Eva foram abertos para ver a vergonha depois de ter comido do fruto proibido do conhecimento do bem e do mal, da mesma maneira, nesse momento, os olhos dos discípulos foram abertos para discernir o Corpo de Cristo. A cena encontra paralelo com a Última Ceia: em ambas houve uma ação de graças; em ambas houve o partir do pão e, em ambas, a partilha do pão com os discípulos. Com a doação do pão veio um conhecimento que conferiu maior claridade do que todas as outras instruções. O partir do pão os introduzira na experiência do Cristo glorificado. Então, Ele sumiu de vista. Ao se voltarem, um ao outro, refletiram:

> Não se nos abrasava o coração, quando
> ele nos falava pelo caminho
> e nos explicava as Escrituras?
> (São Lucas 24,32)

Sua influência sobre os discípulos foi afetiva e intelectual: afetiva, no sentido de fazer seus corações arderem de amor, e intelectual, visto que lhes conferiu um entendimento das centenas de presságios de Sua vinda. A humanidade está naturalmente disposta a acreditar que qualquer coisa seja impressionante e bastante poderosa para dominar a imaginação. Ainda assim, esse incidente no caminho para Emaús revelou que as verdades mais potentes muitas vezes surgem nos lugares comuns e nos acidentes triviais da vida, tais como em um encontro com um companheiro de viagem em uma estrada. Cristo ocultou sua presença na estrada mais comum da vida. O conhecimento Dele veio ao caminharem com Ele; e o conhecimento era da glória que veio por intermédio da derrota. Em Sua vida glorificada, assim como em Sua vida pública, a cruz e a glória caminharam juntas. Não só os ensinamentos foram lembrados; também os Seus sofrimentos e como foram oportunos para Sua exaltação.

Os discípulos retornaram de imediato e voltaram a Jerusalém. Assim como a mulher no poço, em seu entusiasmo, deixou a jarra d'água no poço, os discípulos igualmente esqueceram o propósito de sua viagem a Emaús e voltaram para a Cidade Santa. Ali encontraram os 11 apóstolos reunidos e, com eles, outros seguidores e discípulos. Contaram tudo que acontecera no caminho e como O reconheceram no partir do pão.

55

As portas estão fechadas

Os dois discípulos, ao voltar a Jerusalém, encontraram os apóstolos em graus variados de incredulidade. É provável que Tomé estivesse com os apóstolos no início da noite, mas saiu mais cedo. Os discípulos de Emaús viram a Ressurreição primeiro com os olhos da mente e depois com os olhos do corpo. Os apóstolos a veriam primeiro com os olhos do corpo e, depois, com os olhos da mente.

O local em que os discípulos estavam reunidos naquela noite do Domingo de Páscoa era o salão no andar de cima onde Nosso Senhor deu aos 12 a Eucaristia, havia apenas 72 horas. Acrescido às dúvidas dos discípulos estava o medo que os impeliu a fechar as portas e aferrolhá-las, para que os representantes do Sinédrio não entrassem para prendê-los sob a acusação falsa de terem roubado o corpo. Havia também o pavor de que o povo pudesse irromper, como sempre fazia, na casa daqueles que não eram populares. Ainda que as portas estivessem cerradas, de repente, no meio deles aparece o Senhor Ressuscitado, saudando-os com as palavras:

A paz esteja convosco!
(São Lucas 24,36)

Pediu às mulheres no sepulcro, imersas em sofrimento, que se rejubilassem; mas agora, ao ter trazido a paz pelo Sangue da Cruz, veio em Pessoa concedê-la. A paz é o fruto da justiça. Somente quando a injustiça do pecado contra Deus se paga é que pode haver a afirmação da verdadeira paz. A paz é a tranquilidade da ordem, não só a tranquilidade; para os ladrões pode existir tranquilidade em possuir os frutos do roubo. A paz também encerra a ordem, a subordinação do corpo à alma, dos sentidos à razão e da criatura ao Criador. Isaías disse que não haveria paz para os maus porque eles estão em inimizade consigo mesmos, uns com os outros e com Deus.

Agora o Cristo Ressuscitado se punha no meio deles como o novo Melquisedec, o Príncipe da Paz. Três vezes depois de Sua Ressurreição, Ele deu a bênção solene da paz. A primeira foi enquanto os apóstolos estavam aterrorizados e amedrontados; a segunda, depois que Ele deu a prova de Sua Ressurreição; e a terceira, uma semana depois, quando Tomé estava entre eles.

Os apóstolos acreditavam, num primeiro momento, que tinham visto um Espírito; apesar das palavras das mulheres, do testemunho dos discípulos de Emaús, do sepulcro vazio, da visão angélica e da narrativa de Pedro de sua entrevista com o Ressuscitado. Sua presença, admitiam para si mesmos, não poderia ser explicada de nenhuma maneira natural, já que as portas estavam trancadas. Ao reprová-los pela incredulidade, como fez com os discípulos de Emaús, Ele lhes disse:

> Por que estais perturbados,
> e por que essas dúvidas nos vossos corações?
> (São Lucas 24,38)

Mostrou-lhes as mãos e os pés que foram transpassados pelos cravos na Cruz; depois, mostrou-lhes a lateral do corpo, que fora aberta com a lança, e disse-lhes:

> Apalpai e vede:
> um espírito não tem carne nem ossos,
> como vedes que tenho.
> (São Lucas 24,39)

É provável que os apóstolos incrédulos tenham de verdade tocado o Corpo de Cristo; isso pode explicar por que Tomé, posteriormente, exigiu tal sinal; não seria inferior aos outros. João, que se debruçara sobre Seu peito na noite da Última Ceia, estava particularmente interessado na lateral do corpo ou no coração. Nunca esqueceu aquela cena tocante, pois, mais tarde, escreveu:

> O que era desde o princípio, o que temos ouvido,
> o que temos visto com os nossos olhos,
> o que temos contemplado e as nossas mãos têm apalpado
> no tocante ao Verbo da vida.
> (1 São João 1,1)

João também se recordaria disso ao escrever seu Apocalipse, em que descreveu a humanidade sagrada do Senhor entronizada e adorada no céu:

> Um Cordeiro de pé, como que imolado.
> (Apocalipse 5,6)

Portanto, Ele seria reconhecido como o Crucificado, ainda que agora em glória, Príncipe e Senhor. Não que as feridas cruéis ali estivessem para ser uma lembrança da crueldade dos homens, mas, antes, de que a Redenção fora forjada em dor e pesar. Se as cicatrizes tivessem sido removidas, os homens poderiam esquecer que houve um sacrifício e que Ele era tanto Sacerdote quanto Vítima. Seu argumento era que o Corpo que lhes apresentava era o mesmo que nascera da Virgem Maria, fora pregado na Cruz e posto em um sepulcro por José de Arimateia. No entanto, tinha propriedades que não possuía antes.

Pedro, Tiago e João viram-No transfigurado quando Suas vestes estavam mais alvas que a neve, mas o restante dos discípulos só O vira como o Homem de Dores. Esse foi o primeiro olhar que deram ao Senhor ressuscitado e glorioso. As marcas dos cravos, o lado lancetado, eram cicatrizes inconfundíveis de uma batalha contra o pecado e o mal. Assim como muitos soldados olham para as feridas que adquiriram em batalhas não como uma desfiguração, mas como um troféu de honra, Ele, igualmente, portava as feridas para provar que o amor era mais forte que a morte. Depois da Ascensão, essas cicatrizes seriam como bocas oratoriais de intercessão diante do Pai Celestial; cicatrizes que portaria no último dia para julgar os vivos e os mortos. Em uma antiga lenda dizem que Satanás apareceu a um santo e disse: "Eu sou o Cristo". O santo o confundiu ao perguntá-lo: "Onde estão as marcas dos cravos?".

Se os homens fossem deixados ao bel-prazer para formar a própria concepção do Cristo Ressuscitado, nunca o teriam representado com os sinais remanescentes de Seu opróbrio e Sua agonia na terra. Caso tivesse ressuscitado sem nenhum memorial da Sua Paixão, os homens poderiam ter duvidado Dele com o passar do tempo. Não podia haver dúvida quanto ao propósito sacrificial de Sua vinda, Ele lhes deu não só o Memorial de Sua morte na noite da Última Ceia, pedindo que fosse perpetuado enquanto perdurasse o tempo, mas também comportava em Sua Pessoa, como Jesus Cristo, o "mesmo ontem, hoje e para sempre", o Memorial de Sua Redenção. Entretanto, os apóstolos estavam convencidos?

> Mas, vacilando eles ainda
> e estando transportados de alegria, perguntou:

> Tendes aqui alguma coisa para comer?
> (São Lucas 24,41)

Assim, colocaram diante Dele um pedaço de carne e um favo de mel. Tomou-os e comeu na presença deles, e mandou que partilhassem de Sua refeição. Não era um fantasma o que viam. Até certo ponto, acreditaram na Ressurreição, e essa crença lhes deu alegria; mas a alegria era tão grande que quase não podiam acreditar. De início estavam muito assustados para crer; depois estavam muito alegres para crer. No entanto, Nosso Senhor não descansaria até que lhes tivesse saciado completamente os sentidos. Comer com eles era a prova mais forte de Sua Ressurreição. Depois de ressuscitar a filha de Jairo, pediu que lhe fosse dado o que comer; depois da ressurreição de Lázaro, este comeu com Ele; agora, depois da própria Ressurreição, Ele comeu com os apóstolos. Dessa maneira os convenceria de que era o mesmo Corpo vivo que viram, tocaram e sentiram, mas era, ao mesmo tempo, um Corpo que estava glorificado. Não tinha as feridas como sinal de fraqueza, mas como cicatrizes gloriosas de vitória. Esse Corpo glorificado comia, não como as plantas extraem nutrientes da terra por necessidade, mas assim como o sol as impregna de energia. Ele dera algumas indicações de como seria a Sua natureza glorificada na Transfiguração, quando Moisés e Elias Lhe falaram sobre Sua morte. Aquela era uma promessa e um penhor que a corrupção imporia à incorrupção, que o mortal imporia à imortalidade e a morte seria tragada em vida.

Após ter provado aos discípulos que ressuscitara ao mostrar-lhes as mãos, os pés e o lado e ao comer diante deles, ofereceu-lhes uma segunda saudação de paz ao dizer:

> A paz esteja convosco! Como o Pai me enviou,
> assim também eu vos envio a vós.
> Depois dessas palavras, soprou sobre eles dizendo-lhes:
> Recebei o Espírito Santo.
> (São João 20,21-22)

A primeira saudação de paz foi quando estavam atemorizados; agora que estavam cheios da alegria de acreditar, a segunda saudação de paz referia-se ao mundo. Sua preocupação não era com o mundo de Sua vida pública, mas com todo o mundo que redimira. Poucas horas antes de ir para a morte suplicara ao Pai:

> Como tu me enviaste ao mundo,
> também eu os enviei ao mundo.
>
> (São João 17,18)

Prosseguindo com a ideia, Ele disse estar rezando não só por aqueles que seriam seus representantes na terra, mas por todos, por toda a história, que viessem a crer Nele.

> Não rogo somente por eles,
> mas também por aqueles que por sua palavra
> hão de crer em mim.
>
> (São João 17,20)

Assim, na noite da Última Ceia, antes de ir de encontro à morte, preocupava-se com Sua missão no mundo após a crucifixão — uma missão em um mundo que o rejeitara. Nesse momento, após a Ressurreição, reiterou aos Seus apóstolos a mesma ideia das 12 pedras da fundação dessa cidade de Deus. No Antigo Testamento o sumo sacerdote punha pedras nas vestes que usava por cima do peito; agora, o Sumo Sacerdote encravou pedras vivas em Seu coração. Sua missão e a deles era uma só. Como Cristo foi enviado e por meio do sofrimento ingressou na glória, igualmente agora Ele lhes transmitiu Sua parte da Cruz e, depois disso, Sua glória.

Nosso Senhor não disse "Como Meu Pai Me enviou, também vos enviarei", porque há duas palavras gregas totalmente diferentes utilizadas no original para "enviar". A primeira palavra foi usada para descrever tanto a missão de Nosso Senhor vindo do Pai quanto a missão do Espírito Santo; a segunda palavra, em vez disso, significava uma delegação; referia-se à autoridade de Cristo como um embaixador. Cristo veio do seio eterno do Pai em Sua encarnação; dessa maneira, os apóstolos, agora, teriam de partir dele. Assim como Nosso Senhor insistiu na diferença entre "Meu Pai" e "Vosso Pai", nesse momento enfatizava a diferença entre as respectivas missões. Cristo foi enviado para tornar manifesto o Pai porque era um em natureza com o Pai; os apóstolos, que eram as pedras fundamentais do Reino, deveriam manifestar o filho. Enquanto o Senhor falava essas palavras, os apóstolos podiam ver as gloriosas cicatrizes em Seu corpo ressuscitado. Ao imprimi-las nas mentes dos apóstolos, eles compreenderam que assim como o Pai O enviara para sofrer a fim de salvar a humanidade, também o Filho os enviava para sofrer perseguição. Assim como o amor do Pai estava Nele, igualmente o amor do Pai e Dele estaria nos apóstolos. A autoridade subjacente à missão apostólica era irresistível, pois suas raízes estavam em analogia com o Pai ao enviar seu Filho e o Filho os enviando. Não é de admirar que Ele lhes dissesse que quem quer que rejeitasse um de Seus apóstolos O rejeitaria. Embora Tomé não estivesse lá, mesmo assim, ele partilharia dos dons, e até mesmo São Paulo os partilhou.

Então, Nosso Senhor soprou sobre eles ao conferir algum poder do Espírito Santo. Quando o amor é profundo, sempre cala a fala ou as palavras; o amor de Deus é tão profundo que pode ser humanamente expresso por um suspiro ou um sopro. Nessa hora, em que os apóstolos aprenderam a balbuciar o alfabeto da Redenção, o Senhor soprou sobre eles como símbolo e penhor do que haveria de vir. Nada era senão a nuvem que precede a chuva abundante; melhor ainda, foi um sopro da influência do Espírito e um presságio do vento pressuroso do Pentecostes. Assim como soprara sobre Adão o fôlego de uma vida natural, nesse momento Ele soprou sobre os apóstolos o fundamento de Sua Igreja, o fôlego da vida espiritual. Assim como o homem se torna a imagem de Deus em virtude da alma que nele foi soprada, da mesma maneira, agora, eles se tornavam a imagem do Cristo, no instante em que se encheram do poder do Espírito neles insuflado. A palavra grega utilizada para expressar Seu sopro sobre os apóstolos não é empregada em nenhum outro lugar do Novo Testamento, mas é a mesma palavra que os tradutores gregos do hebraico utilizaram para descrever o sopro de Deus na alma vivente em Adão. Desse modo, há uma nova criação como o primeiro fruto da Redenção.

Ao soprar sobre eles, Ele lhes deu o Espírito Santo, que não mais os tornava servos, mas filhos. Por três vezes o Espírito Santo é mencionado com algum sinal externo; como uma pomba no batismo de Cristo, pressagiando Sua inocência e a Filiação Divina; como línguas de fogo no dia de Pentecostes, como sinal do poder do Espírito de converter o mundo; e como o sopro do Cristo Ressuscitado com todo o poder regenerativo. Assim como o Senhor fez lama para ungir os olhos do cego, demonstrando que Ele era o Criador do homem, da mesma maneira, ao soprar o Espírito sobre os apóstolos, Ele demonstrou que era o regenerador da vida do barro que decaiu.

Quando Nosso Senhor estava na Festa dos Tabernáculos, observando a água que brotava da piscina, disse que se qualquer homem acreditasse Nele, faria brotar fontes de água viva que emanariam de Seu interior. As Escrituras acrescentam:

> Dizia isso, referindo-se ao Espírito que
> haviam de receber os que cressem nele,
> pois ainda não fora dado o Espírito,
> visto que Jesus ainda não tinha sido glorificado.
> (São João 7,39)

Naquela festividade comemorativa, afirmou que primeiro Ele teria de morrer e passar à glória, antes que o Espírito Santo pudesse vir. Suas palavras, nesse momento, sugeriam que Ele já estava em estado de glória, pois estava concedendo o Espírito. Nessa ocasião, associava os apóstolos à vida de Sua Ressurreição; no Pentecostes, os associaria à Sua Ascensão.

Posteriormente, conferir-lhes-ia o poder de perdoar pecados. Havia mesmo de se fazer uma distinção entre os pecados que os apóstolos perdoariam e os que não poderiam perdoar. É evidente que a maneira como distinguiriam os dois dependeria de ouvi-los. Disse Jesus:

> Àqueles a quem perdoardes os pecados,
> ser-lhes-ão perdoados; àqueles a quem os retiverdes,
> ser-lhes-ão retidos.
> (São João 20,23)

Assim como o sacerdote judaico declarava quem estava e quem não estava purificado entre os leprosos, Cristo, do mesmo modo, conferiu o poder de perdoar e de reter o perdão dos pecadores. Somente Deus pode perdoar os pecados; mas Deus, em forma de homem, perdoou os pecados de Madalena, do ladrão penitente, do cobrador de impostos desonesto e de outros. A mesma lei da Encarnação agora seria mantida; Deus continuaria a perdoar os pecados por intermédio do homem. Os ministros designados seriam os instrumentos de Seu perdão, assim como a própria natureza humana era o instrumento de Sua divindade ao adquirir o perdão. Essas palavras solenes do Salvador Ressuscitado indicavam que os pecados seriam perdoados pelo poder judicial autorizado a examinar o estado de uma alma e conferir ou recusar o perdão, conforme o caso. Daquele dia em diante, o remédio para o pecado humano e para a culpa era fazer humilde confissão a alguém com autoridade para perdoar. Ser humilde, de joelhos, confessar àquele a quem Cristo deu o poder de perdoar (em vez de prostrar-se num divã para ouvir a culpa explicada), foi uma das maiores alegrias dadas à alma humana oprimida.

56

Dedos, mãos e pregos

A primeira aparição de Nosso Senhor no Cenáculo foi apenas a dez dos apóstolos; Tomé não estava presente. Ele não estava com os apóstolos, mas o Evangelho pressupõe que ele deveria ter estado com eles antes. A razão dessa ausência é desconhecida, mas provavelmente foi por causa de sua incredulidade. Em três passagens diferentes do Evangelho, Tomé sempre é retratado como o que vê o lado escuro das coisas, tanto com relação ao presente quanto com ao futuro. Quando chegaram a Nosso Senhor as notícias acerca da morte de Lázaro, Tomé queria ir e morrer com ele. Depois, quando Nosso Senhor Bendito disse que voltaria ao Pai e prepararia lugar para os apóstolos, a resposta sombria de Tomé era que ele não sabia aonde o Senhor estava indo, tampouco ele mesmo sabia o caminho.

Imediatamente depois que os demais apóstolos se convenceram da Ressurreição e da glória de Nosso Divino Salvador, levaram a Tomé tais novidades. Tomé não disse que se recusava a crer, mas que era incapaz de crer até que tivesse uma prova empírica da Ressurreição, a despeito do testemunho deles, segundo o qual o Senhor tinha Ressuscitado. Ele enumerou as condições dessa fé:

> Se não vir nas suas mãos o sinal dos pregos,
> e não puser o meu dedo no lugar dos pregos,
> e não introduzir a minha mão no seu lado,
> não acreditarei!
> (São João 20,25)

A disparidade entre aqueles que creem e aqueles que não estão preparados para a crença podia ser vista na recepção que os dez tiveram quando falaram a Tomé sobre a Ressurreição. Sua recusa a confiar no testemunho de dez companheiros confiáveis, que tinham visto o Cristo Ressurreto com os próprios olhos, provou o quanto é cético o sombrio. No entanto, seu ceticismo não é o ceticismo frívolo da indiferença ou da hostilidade à verdade; ele queria o conhecimento para então ter a fé. Era diferente do sábio aos próprios olhos, que quer o conhecimento contra a fé. Em certo sentido, sua atitude era a do teólogo científico que promove o conhecimento e a inteligência depois de ter acabado com toda dúvida.

Esta é a única passagem das Escrituras Sagradas em que a palavra "pregos" é usada num contexto relacionado a Nosso Salvador, e que remete às palavras do Salmista: "Perfuraram minhas mãos e meus pés" (Salmo 22,16).

As dúvidas de Tomé surgem, em sua maioria, de seu desânimo e da influência depressiva da tristeza e do isolamento, pois era um homem à parte de seus companheiros. Às vezes um homem que perde um encontro perde muito. Se os minutos do primeiro encontro fossem escritos, eles teriam contido as trágicas palavras do Evangelho: "Tomé não estava lá" (São João 20,24). O domingo estava começando a se tornar o Dia do Senhor; pois, após oito dias, os apóstolos estavam mais uma vez reunidos no cenáculo, e Tomé estava com eles.

As portas ainda estavam sendo fechadas, o Salvador Ressurreto postou--Se entre eles e, pela terceira vez, saudou:

> A paz esteja convosco!
> (São João 20,19)

Logo depois de falar de paz, Nosso Divino Salvador passou a falar sobre em que se fundamentava a paz, a saber, Sua morte e Ressurreição. Não havia o menor sinal de crítica em Nosso Senhor, como não haveria o menor sinal de crítica com Pedro numa aparição posterior às margens do Mar da Galileia. Tomé pedira uma prova com base nos sentidos ou faculdades que pertencem ao reino animal, e uma prova dos sentidos lhe seria dada. Nosso Senhor disse a Tomé:

> Introduz aqui o teu dedo,
> e vê as minhas mãos.
> Põe a tua mão no meu lado.
> Não sejas incrédulo, mas homem de fé.
> (São João 20,27)

O Mestre dissera certa vez que uma geração perversa e adúltera pede um sinal, e nenhum sinal lhe seria dado senão o do profeta Jonas. Esse era precisamente o sinal dado a Tomé. O Senhor sabia das palavras de ceticismo que Tomé havia dito anteriormente aos demais apóstolos — outra prova de Sua Onisciência. A ferida em Seu lado deve ter sido muito grande, visto que Ele pediu a Tomé que pusesse a mão nela; e também as feridas em Sua mão devem ter sido grandes, pois Tomé foi convidado a colocar o dedo no lugar do cravo. As dúvidas de Tomé não duraram mais que as dos outros, e seu ceticismo extraordinário é uma prova a mais da realidade da Ressurreição.

Havia todas as razões para supor que Tomé fez o que fora convidado a fazer, assim como havia toda razão para supor que os dez apóstolos tinham feito exatamente a mesma coisa na primeira noite da Páscoa. As palavras de repreensão de Nosso Senhor a Tomé — a não mais duvidar — também continham uma exortação a crer e a livrar-se de sua tristeza, que era o pecado que o assediava.

Paulo não foi desobediente à visão celestial; tampouco o foi Tomé. O cético foi tão convencido por uma prova positiva que se tornou adorador. Prostrando-se de joelhos, disse ao Salvador Ressurreto:

> Meu Senhor e meu Deus!
> (São João 20,28)

Numa declaração ardente, Tomé reuniu todas as dúvidas de uma humanidade deprimida para curá-las pelas implicações da exclamação: "Meu Senhor e meu Deus". Era um reconhecimento de que o Emanuel de Isaías estava diante dele. Ele, que foi o último a crer, foi o primeiro a fazer plena confissão da Divindade do Salvador Ressurreto. Contudo, desde que ela veio de uma evidência de carne e sangue, não foi seguida pela bênção conferida a Pedro quando este reconheceu que Ele era o Filho do Deus Vivo. O Salvador Ressurreto disse a Tomé:

> Creste, porque me viste.
> Felizes aqueles que creem sem ter visto!
> (São João 20,29)

Há quem não creia ainda que veja, como o Faraó; há quem só creia quando vê. Acima de ambos os tipos, o Senhor Deus colocou aqueles que não viram e creram. Noé fora advertido por Deus de coisas que ainda não tinham sucedido; ele creu e preparou a arca. Abraão saiu de sua terra sem saber aonde ia, mas ainda confiando no Deus que prometera — que ele seria o pai de uma descendência mais numerosa que os grãos de areia da praia. Se Tomé tivesse crido pelo testemunho de seus colegas discípulos, sua fé em Cristo teria sido maior; pois ouvira muitas vezes seu Senhor dizer que seria crucificado e se ergueria novamente. Ele também sabia pelas Escrituras que a Crucifixão era o cumprimento de uma profecia, mas queria o testemunho adicional dos sentidos.

Tomé pensou estar fazendo a coisa certa ao exigir toda evidência de uma prova sensível; mas o que seria das gerações futuras se a mesma evidência fosse exigida por eles? Os futuros crentes, sugeria o Senhor, hão de aceitar o fato da Ressurreição pelo testemunho daqueles que estiveram com Ele. Nosso Senhor retratou assim a fé dos crentes depois da era apostólica, quando não haveria ninguém que o viu, mas a fé deles teria fundamento, porque os próprios apóstolos tinham visto o Cristo Ressurreto. Viram que o fiel pode ser capaz de agir assim sem ver, crendo no testemunho deles. Os apóstolos foram homens privilegiados, não só porque viram Nosso Senhor e creram; foram ainda mais privilegiados quando compreenderam plenamente o mistério da Redenção e nele assim viveram — e até chegaram a ser decapitados por causa da realidade da Ressurreição. Alguma gratidão sempre deve ser creditada a Tomé, que tocou a Cristo como homem, mas creu Nele como Deus.

57

O AMOR COMO CONDIÇÃO DE AUTORIDADE

Depois dos acontecimentos da semana da Páscoa em Jerusalém, os apóstolos, mais uma vez, retornaram aos antigos lugares favoritos e para seus lares, em especial, para o Mar da Galileia, com muitas ternas lembranças. Foi durante uma pesca que o Senhor os chamara de "pescadores de homens". A Galileia seria agora o cenário do último milagre de Nosso Senhor, assim como foi o cenário do primeiro, quando transformou água em vinho. Na primeira ocasião "não havia vinho"; nessa última, "não havia peixe". Em ambas, o Senhor pronunciou uma ordem: em Caná, encher as talhas; na Galileia, lançar as redes ao mar. Ambos resultaram em um farto suprimento. Caná teve seis talhas de vinho, com o melhor vinho servido por último; a Galileia teve as redes cheias de peixe.

Os apóstolos no mar nessa ocasião eram Simão Pedro, que, como sempre, era mencionado em primeiro lugar; depois dele, entretanto, é mencionado Tomé, que, então, depois de confessar que Cristo era Senhor e Deus, permaneceu próximo àquele que fora chamado a ser o chefe dos apóstolos. Natanael de Caná na Galileia também estava lá; da mesma maneira estava Tiago, João e dois outros discípulos. Vale notar que João, que outrora tivera um barco próprio, agora estava no barco de Pedro, que assumindo a liderança e inspirando os outros, disse:

> Vou pescar. Responderam-lhe eles:
> Também nós vamos contigo.
> (São João 21,3)

Embora tivessem trabalhado toda a noite, nada conseguiram. Quando chegou a alvorada, viram Nosso Senhor na margem, mas não sabiam que era Ele. Essa foi a terceira vez que Se aproximou deles como um desconhecido para desacanhar as afeições. Apesar de estarem bem perto da margem para se referirem a Ele, assim como os discípulos de Emaús, não discerniram Sua pessoa nem reconheceram Sua voz, tão encoberto estava o Corpo Ressuscitado em glória. Estava na margem e os apóstolos, no mar. Nosso Senhor falou-lhes:

> Amigos, não tendes acaso alguma coisa para comer?
> Não, responderam-lhe.
> Disse-lhes ele:
> Lançai a rede ao lado direito da barca e achareis.
> (São João 21,5-6)

Os apóstolos devem ter se lembrado de uma ordem como essa quando Nosso Senhor lhes disse para baixar as redes para um carregamento, não especificando se do lado direito ou do esquerdo. Na ocasião, Nosso Senhor estava no barco; agora estava na margem. Os lançamentos da vida tinham terminado. Imediatamente, em obediência à ordem divina, foram tão bem-sucedidos na pescaria que se viram incapazes de puxar as redes por conta da infinidade de peixes. No primeiro milagre da pescaria durante a vida pública, as redes se romperam; Pedro, atemorizado pelo milagre, pediu a Nosso Senhor para apartar-se Dele, porque era um pecador. A própria abundância da misericórdia do Senhor fê-lo sentir sua insignificância. No entanto, nessa pesca miraculosa foram fortalecidos, pois, imediatamente, João disse a Pedro:

> É o Senhor!
> (São João 21,7)

Tanto Pedro como João permaneceram fiéis a suas personalidades. Assim como João foi o primeiro a chegar ao sepulcro vazio na manhã de Páscoa, do mesmo modo Pedro foi o primeiro a entrar. Assim como João foi o primeiro a acreditar que Cristo ressuscitou, do mesmo modo Pedro foi o primeiro a cumprimentar o Cristo ressuscitado. Assim como João foi o primeiro a ver, do barco, o Senhor, do mesmo modo Pedro foi o primeiro a correr em direção ao Senhor, mergulhando no mar para ser o primeiro a Seus pés. Nu, como estava no barco, lançou um manto sobre Si, esqueceu o conforto pessoal, abandonou a companhia humana e ansiosamente nadou centenas de metros até o Mestre. João tinha maior discernimento espiritual, Pedro era mais rápido na ação. Foi João quem se debruçou sobre o peito do Mestre na noite da Última Ceia; também foi ele quem estava mais perto da

Cruz e a quem o Salvador recomendou Sua mãe; agora, portanto, ele foi o primeiro a reconhecer o **Salvador Ressuscitado** na margem. Uma vez, quando Nosso Salvador andava sobre as ondas em direção ao barco, Pedro não podia esperar o Mestre vir até ele, ao pedir-Lhe que andasse sobre as águas. Agora, nadara até a margem, após envolver-se de reverência para com Seu Salvador.

Os outros seis permaneceram no barco. Quando chegaram à margem, viram o fogo, os peixes nas brasas e pão, que o Salvador compassivo preparara para eles. O Filho de Deus estava a preparar uma refeição para Seus pobres pescadores; isso deve ter lhes recordado os pães e os peixes que Ele multiplicara quando anunciou a Si mesmo como o Pão da Vida. Após terem arrastado as redes até a margem e contarem os 153 peixes que tinham capturado, estavam todos bem convencidos de que Aquele era o Senhor. Os apóstolos compreenderam que, como Ele os chamara de pescadores de homens, essa grande pesca, igualmente, simbolizava os fiéis que, por fim, seriam levados à barca de Pedro.

No começo de Sua vida pública, às margens do rio Jordão, Cristo lhes fora apontado como o "Cordeiro de Deus"; agora que estava prestes a deixá-los, o Senhor aplicou esse título àqueles que viriam a cer Nele. Aquele que chamou a si mesmo de o Bom Pastor dava, nesse momento, a outros, a capacidade de ser pastores. A cena seguinte ocorreu após o jantar. Como deu a Eucaristia depois da ceia e o poder de perdoar os pecados após comer com eles, agora, igualmente, depois de partir o pão e o peixe, voltou-se para aquele que O negou três vezes e pediu uma afirmação tripla de amor. A confissão do amor deve preceder a outorga da autoridade; autoridade sem amor é tirania.

> Simão, filho de João,
> amas-me mais do que estes?
> (São João 21,15)

A pergunta era "Tu Me amas com aquele amor verdadeiramente sobrenatural, a marca de um pastor-chefe?". Pedro, certa vez, pressupôs a grandeza de Seu amor, dizendo ao Mestre na noite da Última Ceia que muito embora todos os outros ficassem ofendidos e se escandalizassem com Ele, ainda assim não O negaria. Pedro era, nesse momento, chamado de Simão, filho de Jonas — Simão era seu nome original. Nosso Senhor, assim, recordou Pedro de seu passado como homem natural, mas, principalmente, de sua queda ou negação. Vivera pela natureza em vez de viver pela graça. O título também tinha outro significado — deveria lembrar a Pedro sua gloriosa confissão quando Nosso Senhor lhe disse: "Feliz és, Simão, filho de Jonas" (São Mateus 16,17) e o tornou a Rocha sobre a qual Ele construiria Sua Igreja. Em resposta à questão sobre o amor, Pedro disse:

> Sim, Senhor, tu sabes que te amo.
> Disse-lhe Jesus: Apascenta os meus cordeiros.
> (São João 21,15)

Pedro não reivindicava mais superioridade afetiva alguma diante dos outros seguidores de Nosso Senhor, pois os outros seis apóstolos o rodeavam. No grego original, a palavra que Nosso Senhor Bendito empregou para amor não era a mesma que Pedro utilizou na resposta. A palavra que Pedro empregou sugeria uma emoção um tanto natural. Faltava a ele o significado pleno das palavras de Nosso Senhor acerca da maior espécie de amor. Pedro, em autodesconfiança, nada mais afirmou senão um amor natural. Ao tornar o amor a condição do serviço a Ele, o Salvador Ressuscitado nesse momento disse a Pedro: "Apascenta os meus cordeiros". O homem que mais profundamente caiu e aprendeu de maneira mais plena as próprias fraquezas era, por certo, o mais bem qualificado para fortalecer o fraco e alimentar os cordeiros.

Repetir três vezes foi a nomeação de Pedro como o vigário de Cristo na terra. A negação de Pedro não mudara o decreto divino que o tornava a rocha da Igreja, pois Nosso Senhor Santíssimo continuou a fazer a segunda e a terceira perguntas:

> Perguntou-lhe outra vez:
> Simão, filho de João, amas-me?
> Respondeu-lhe:
> Sim, Senhor, tu sabes que te amo.
> Disse-lhe Jesus:
> Apascenta os meus cordeiros.
> Perguntou-lhe pela terceira vez:
> Simão, filho de João, amas-me?
> Pedro entristeceu-se porque lhe perguntou pela terceira vez:
> Amas-me?, e respondeu-lhe:

> Senhor, sabes tudo, tu sabes que te amo.
> Disse-lhe Jesus: Apascenta as minhas ovelhas.
> (São João 21,16-17)

A palavra original grega empregada por Nosso Senhor na segunda pergunta sugeria um amor sobrenatural, mas Pedro utilizou a mesma palavra anterior que significava um amor natural. Na terceira pergunta Nosso Senhor usou a mesma palavra empregada por Pedro para amor pela primeira vez, a saber, a palavra que significava somente uma afeição natural. Foi como se o Mestre Divino estivesse corrigindo as próprias palavras para encontrar a mais conveniente a Pedro e sua personalidade. Talvez tenha sido a adoção da própria palavra de Pedro na terceira pergunta que o feriu e o fez sofrer mais.

Em resposta à terceira pergunta, Pedro ignorou a afirmação do amor, mas admitiu onisciência ao Senhor. No grego original, a palavra que Pedro empregou quando disse que Nosso Senhor sabia de todas as coisas sugeria um conhecimento por visão divina. Quando Pedro disse que o Senhor sabia que ele O amava, a palavra grega utilizada denotava apenas o conhecimento por observação direta. Como Pedro foi passo a passo ladeira abaixo na humilhação, passo a passo Nosso Senhor o seguiu com a certeza da obra para a qual ele estava destinado.

Nosso Senhor disse de Si mesmo: "Eu sou a Porta". A Pedro Ele tinha dado as chaves e a função de porteiro. A função do Salvador como o pastor visível do rebanho visível estava chegando ao fim. Transferiu-a antes do afastamento de Sua presença visível para o trono dos céus, onde seria o cabeça invisível e o pastor.

O pescador da Galileia foi promovido à liderança e ao primado da Igreja. Ele era o primeiro entre todos os apóstolos em todas as listas apostólicas. Não só era sempre nomeado em primeiro lugar, mas também havia precedência na ação; foi o primeiro a testemunhar a divindade de Nosso Senhor e o primeiro dos apóstolos a testemunhar a Ressurreição de Cristo dos mortos. Assim como Paulo mesmo disse, o Senhor foi visto primeiro por Pedro; Pedro foi o primeiro após a Missão do Espírito no Pentecostes a pregar o Evangelho aos homens. Foi o primeiro na Igreja infante a desafiar a ira dos perseguidores, o primeiro entre os 12 a dar as boas-vindas aos gentios que acreditaram na Igreja e o primeiro a respeito do qual foi predito sofrer martírio por causa do Cristo.

Durante a vida pública, quando disse que Pedro era a pedra sobre a qual construiria Sua Igreja, Nosso Senhor Bendito profetizou que seria crucificado e ressurgiria novamente. Na ocasião, Pedro O tentou a afastar-se da cruz. Em reparação por essa tentação que Nosso Senhor chamou de satânica, Ele, agora, ao conferir plenos poderes a Pedro para governar Seus cordeiros e ovelhas, profetizou que o próprio Pedro morreria na cruz. Quase disse a Pedro: "Terás uma cruz como aquela em que Me pregaram, e da qual ter-me-ias impedido de adentrar em Minha glória. Agora deves aprender o que realmente significa amar. Meu amor é um vestíbulo da morte. Por que te amei, eles Me mataram; por teu amor por mim, matar-te-ão. Certa vez disse que o Bom Pastor daria a vida por Suas ovelhas; agora és Meu pastor em Meu lugar; portanto, receberás por tuas obras a mesma recompensa que recebi — traves de cruz, quatro cravos e, depois, a vida eterna".

> Em verdade, em verdade te digo:
> quando eras mais moço, cingias-te e andavas aonde querias.
> Mas, quando fores velho, estenderás as tuas mãos,
> e outro te cingirá e te levará para onde não queres.
> (São João 21,18)

Embora fosse impulsivo e obstinado na juventude, ainda assim, na idade provecta, Pedro glorificaria seu Mestre por uma morte na cruz. Do Pentecostes em diante, Pedro foi levado para onde não queria. Foi obrigado a deixar a Cidade Santa, onde o cárcere e a espada o aguardavam. Depois, foi conduzido por Seu Mestre divino para Samaria e para a casa do gentio, Cornélio, e então foi levado a Roma, a nova Babilônia, onde foi fortificado pelos estrangeiros da diáspora que Paulo incorporara; foi levado à cruz e morreu com uma morte de martírio na colina do Vaticano. Foi crucificado por solicitação própria de cabeça para baixo, por considerar-se indigno de morrer como o Mestre. Visto que era a rocha, era conveniente que ele mesmo fosse posto em terra como um fundamento inabalável da Igreja.

Assim, o homem que sempre tentava o Senhor a afastar-se da cruz foi o primeiro dos apóstolos a tomá-la. A cruz que abraçou contribuiu para a glória de Seu Salvador mais que todo o zelo e toda a impetuosidade da juventude. Quando não compreendeu que a cruz significava redenção do pecado, Pedro pôs a própria morte diante da morte do Mestre, ao dizer que, embora todos os outros tivessem falhado em defendê-lo, ele não o faria. Nesse momento, Pedro viu que era somente à luz da Cruz do Calvário que a cruz que abraçaria tinha propósito e significado. Perto do fim da vida, Pedro veria a cruz diante de si e escreveria:

> Porque sei que em breve terei que deixá-lo,
> assim como nosso Senhor Jesus Cristo me fez conhecer.
> Mas cuidarei para que, ainda depois do meu falecimento,
> possais conservar sempre a lembrança dessas coisas.
> Na realidade, não é baseando-nos em hábeis fábulas imaginadas
> que nós vos temos feito conhecer
> o poder e a vinda de nosso Senhor Jesus Cristo,
> mas por termos visto a sua majestade com nossos próprios olhos.
> (2 São Pedro 1,14-16)

58

O mandato divino

Muitas das aparições do Salvador Ressurreto foram repentinas e assombrosamente inesperadas; mas houve uma previamente marcada antes que Ele entrasse em agonia. Disse o Senhor aos apóstolos que iria à Galileia adiante deles (São Mateus 26,32). Depois da Ressurreição, o primeiro anjo e então o próprio Senhor fez o mesmo compromisso, que assumiu importância extraordinária. O lugar exato da Galileia não foi registrado, e pouco importa saber se foi no Monte das Bem-Aventuranças ou no Monte Tabor. Tampouco se sabe quantas pessoas estavam presentes além dos apóstolos, mas afirma-se claramente que os 11 estavam lá, indicando a perda de um dos membros do colégio apostólico que ficaria com um posto vago até o Pentecostes. No Antigo Testamento, Deus marcava encontros nas montanhas. O Monte Moriá foi o lugar do encontro com Abraão; o Monte Horebe, o lugar do encontro com Moisés. Os apóstolos compareceram a este encontro na montanha a que o Salvador Ressurreto os tinha chamado:

> Quando o viram, adoraram-no.
> (São Mateus 28,17)

Disse-lhes o Senhor:

> Toda autoridade me foi dada no céu e na terra.
> (São Mateus 28,18)

Quando disse que todo o poder Lhe foi dado nos céus e na terra, Ele não o disse como Filho de Deus, pois este já Lhe pertencia por natureza. Antes, era um poder que Ele merecera por Sua Paixão e Morte e que fora profetizado por Daniel, que teve uma visão profética do Filho do Homem como portador de glória e domínio eternos (Daniel 7,14). O poder que Lhe foi dado fora previsto em Gênesis, a saber, que Aquele que era a semente da mulher esmagaria a cabeça da serpente. Os reinos da terra que Satanás Lhe prometeu se fosse um salvador político agora eram declarados propriedade do Senhor. Sua autoridade estendia-se por toda a terra, e todas as almas foram compradas por Seu Sangue. Esta autoridade como o Filho do Homem não se estendia apenas sobre a terra, mas também sobre o céu. Suas Palavras combinavam a Ressurreição e a Ascensão; assim como a Ressurreição deu-Lhe poder sobre a terra, ao vencer o pecado e a morte, assim também a Ascensão lhe dá poder no céu para agir como mediador entre Deus e o homem.

A declaração seguinte de Cristo era um corolário da primeira. Se toda autoridade Lhe foi dada no céu e na terra, então Ele tinha o direito de delegar essa autoridade a quem Lhe aprouvesse. Era importante que a autoridade que Ele delegou fosse dada àqueles que eram seus contemporâneos, a fim de que pudesse transmiti-la. Um cabo elétrico que está a oitocentos ou a mais de três mil quilômetros de distância de um gerador não pode transmitir corrente. Qualquer autoridade, para agir em nome de Cristo, há de ser dada pelo próprio Cristo e então transmitida através dos séculos por aqueles que a receberam sem mediação.

Enquanto esteve sobre a terra, o Senhor exerceu o triplo ofício de Sacerdote, Profeta ou Mestre, e Rei. Enquanto se preparava para deixá-los para voltar ao céu de onde veio, Ele comissionou esse triplo ofício aos apóstolos: o ofício sacerdotal, ao convidá-los a renovar o Memorial de Sua morte e ao conferir-lhes o poder de perdoar pecados; o ofício profético ou didático, ao prometer enviar-lhes o Espírito da Verdade, que os faria lembrar de todas as coisas que Ele ensinou e os faria perseverar unidos na fé; e o ofício régio, ao dar-lhes um Reino (assim como o Pai Lhe dera um Reino), sobre o qual exerceriam o poder de ligar e desligar. Sem deixar dúvidas de que o propósito de Sua vinda era prolongar Seu Sacerdócio, Sua Verdade e Seu Reinado, Ele enviou os apóstolos ao mundo:

> Ide, pois, e ensinai a todas as nações;
> batizai-as em nome do Pai, do Filho e do Espírito Santo.
> Ensinai-as a observar tudo o que vos prescrevi.
> (São Mateus 28,19-20)

Se essa comissão fosse dada apenas para o tempo dos apóstolos, é evidente que seria impossível que fossem a todas as nações. O dinamismo ou corrente que foi passada aos apóstolos sob a liderança de Pedro havia de continuar até a Segunda Vinda de Cristo. Não havia nenhuma dúvida quanto à autoridade e à obra da Igreja quando o Mestre deixasse a terra. Chegou o dia da Propagação da Fé. Os apóstolos e seus sucessores já não haviam de se considerar mestres apenas em Israel; de agora em diante, o mundo inteiro era deles. Tampouco haviam de simplesmente ensinar; pois Aquele que lhes deu a comissão não era só um mestre. Tinham de fazer discípulos de todas as nações; e o discipulado pressupunha a rendição do coração e da vontade ao Mestre Divino. O poder da Cruz redentora seria vão a menos que Seus servos o usassem para incorporar outras naturezas humanas Nele mesmo. Assim como Maria deu-Lhe uma natureza humana que foi glorificada em Sua Pessoa, também os homens haviam de render sua natureza humana a Ele, morrendo como Ele morreu, a fim de que pudessem entrar na glória.

Essa incorporação a Si Mesmo havia de ser iniciada pelo batismo, como Ele disse a Nicodemos. A menos que nasça da água e do Espírito Santo, o homem não pode entrar no Reino de Deus. Assim como nascer da carne gera a carne do homem, nascer do Espírito o faria participante de Sua natureza divina. O batismo tinha de ser administrado não "nos nomes" das três pessoas da Santíssima Trindade, visto que implicaria três deuses, mas, antes, tinha de dar-se em *nome* do Pai, do Filho e do Espírito Santo, porque as Três Pessoas são um, tendo a natureza de Deus. Uma analogia mais perfeita é que nossa vida, nosso conhecimento e nosso amor estão arraigados a nossa natureza humana; assim também o Poder do Pai, a Sabedoria do Filho e o Amor do Espírito Santo são um na natureza de Deus. Assim como três ângulos de um triângulo não formam três triângulos, mas um só; como gelo, água e vapor são manifestações diferentes de uma natureza, H_2O, assim infinitamente além de qualquer comparação finita, o Poder, a Sabedoria e o Amor não são senão um só Deus.

Essa autoridade que Ele lhes deu e que havia de se estender por toda a terra ainda pode ter deixado na mente dos apóstolos uma dúvida quanto a Sua Presença com eles. Essa dúvida é imediatamente desfeita quando Ele asseverou a Sua Igreja:

> Eis que estou convosco todos os dias,
> até o fim do mundo.
> (São Mateus 28,20)

A promessa não tinha limite; duraria até o fim do mundo. Deus tinha dito a Abraão que estaria com ele; a Moisés e Arão foi dito que Ele estaria em sua boca; a Josué e Moisés foi prometido que Deus estaria com eles; e a Salomão garantiu-se que Deus estaria com ele na construção de Sua casa. A Jeremias, quando alegou ignorância, foi assegurado que Deus poria palavras em sua boca. Mas, nesses casos, a Presença Divina durou apenas a vida terrena das pessoas a quem foi prometida. Nenhuma limitação da Presença e da Proteção divinas desse tipo foi mencionada no caso dos apóstolos. "As portas do inferno não prevalecerão contra Minha Igreja", disse o Senhor a Pedro. A confirmação dessa promessa veio mais uma vez nas seguintes palavras: "Eis que estou convosco todos os dias, até a consumação dos séculos".

59

A ÚLTIMA APARIÇÃO EM JERUSALÉM

Antes de expirar os quarenta dias, os apóstolos voltaram mais uma vez a Jerusalém, onde o Cristo Ressuscitado lhes aparecera anteriormente. Ali, Ele deixou claro que Sua companhia no meio deles era passado; Sua influência agora seria no céu. No entanto, antes de partir, reiterou a importância da profecia e da história. Ninguém antes foi preanunciado, mas Ele o fora, e quanto mais buscassem no Antigo Testamento, mais compreenderiam. Daquele momento em diante, a Igreja deveria sacar do tesouro da Lei, dos profetas e de todos os Salmos que se referiam a Ele.

> Era necessário que se cumprisse tudo
> o que de mim está escrito na Lei de Moisés,
> nos profetas e nos Salmos.
> Abriu-lhes então o espírito,
> para que compreendessem as Escrituras.
> (São Lucas 24,44-45)

Uma nova luz fez todas as coisas parecerem diferentes daquilo que havia antes; à luz da ressurreição, pareciam diferentes do que eram na escuridão anterior. É preciso mais que a luz do sol para ler Moisés, os profetas e os salmos: também é necessária certa iluminação interior, que é inseparável da boa vontade e do amor. Várias vezes Nosso Senhor contou a própria autobiografia e, em cada momento, sem exceção, referiu-se à reparação que faria entre Deus e o homem. Agora, resumiu Sua vida pela última vez, repetindo que o Antigo Testamento se referiu a Ele como o Servo Sofredor, mas Vencedor.

> Assim é que está escrito,
> e assim era necessário que Cristo padecesse,
> mas que ressurgisse dos mortos ao terceiro dia.
> (São Lucas 24,46)

Não era pelo sermão do Monte que Ele seria lembrado, mas por Sua Cruz. Não haveria Evangelho se não houvesse Cruz; e a morte na Cruz teria sido inútil para retirar a culpa do homem se Ele não tivesse ressuscitado dos mortos. O Senhor disse que se obrigou a sofrer porque tinha de mostrar o mal do pecado, e o mal se torna manifesto em plenitude na crucifixão do bem. Nunca tombou sobre a terra uma escuridão mais densa do que aquela que recaiu sobre Ele no Calvário. Em todas as outras batalhas, em geral, existe um acinzentado ou uma mistura de bem e mal em ambos os lados; na crucifixão, no entanto, havia o preto de um lado e o branco do outro. O mal nunca seria mais forte do que foi naquele dia em especial; pois a pior coisa que o mal pode fazer não é bombardear as cidades, matar crianças e promover guerras. A pior coisa que o mal pode fazer é matar o bem. Derrotado nisso, nunca poderia ser novamente vitorioso.

A bondade diante do mal deve sofrer, pois, quando o amor encontra o pecado, será crucificado. Um Deus que expõe Seu Sagrado Coração como demonstração pública de Seu amor, como o fez Nosso Senhor quando se tornou homem, deveria estar preparado para tê-lo bicado por gralhas.[4] Entretanto, ao mesmo tempo, a bondade utilizou aquele mesmo sofrimento como condição de vencer o mal. O bem arrebatou toda a raiva, ira e ódio e implorou "perdão"; tomou a vida e ofereceu-a por outro. Consequentemente, para Ele, era oportuno sofrer para ingressar na glória. O mal, vencido de armadura completa e no instante do ápice monumental, poderia, no futuro, vencer algumas batalhas, mas nunca ganharia a guerra.

Não haveria qualquer esperança para um mundo ferido se esta fosse oferecida por um Confúcio, um Buda, ou mesmo por um Cristo que tivesse ensinado a bondade e depois se decompusesse numa tumba. Asas quebradas não podem ser curadas pelo humanismo, que é a irmandade sem lágrimas; ou por um Cristo gentil que não tem outra fonte de conhecimento diversa de qualquer outro mestre e que, no fim, como eles, não pode romper os grilhões da morte, nem provar que a verdade esmagada na terra pode ressurgir novamente.

Esse resumo que Nosso Senhor ofereceu de Sua vida lançou o desafio aos homens e O colocou fora da história. Que certeza existiria de que

---

4 | O autor faz referência à fala de Iago na peça *Otelo*, de William Shakespeare (Ato I, cena I), em que se utiliza a expressão inglesa "*to wear my heart upon my sleeve*", oriunda do antigo costume medieval do cavaleiro amarrar a fita com as cores da amada no braço ao lutar como maneira de demonstrar afeição. (N. T.)

o mal não triunfaria sobre o bem? Suponhamos que Ele fosse apenas um homem bom ou o maior moralista que o mundo já viu. Então que certeza existiria para a vitória da virtude? Qual inspiração para o sacrifício? Se Ele, que veio à terra para ensinar a dignidade da alma humana, que podia desafiar um mundo pecador a condená-Lo pelo pecado, que no momento da morte podia perdoar os inimigos, não tinha outro desenlace e destino senão restar pendurado em um mandeiro ordinário com criminosos e ladrões comuns para promover um espetáculo público de barbárie e sadismo, aí, então, todos os homens desesperadamente perguntariam: "Se é isso o que acontece com um homem bom, por que alguém deveria levar uma vida honesta?". Nesse caso, a maior de todas as injustiças ficaria sem reparação e a mais nobre de todas as vidas se esvairia sem justificativa. Quaisquer que sejam os elogios que possamos fazer aos Seus ensinamentos, à Sua paciência sob os golpes, à Sua humildade diante das multidões — eles não O tornam o Senhor da morte e da vida; ao contrário, tornam vãs tais virtudes, pois não têm recompensa.

Ao dizer que Ele tinha de sofrer, Cristo glorificou Seu Pai. Admiremos o quanto quisermos a santidade, mas o que pensar de um Deus que olha para o espetáculo da Inocência caminhando para o patíbulo e não remove os cravos, dando, no lugar, um cetro? Ou o que pensar de um Deus que não envia um anjo para arrebatar a coroa de espinhos e pôr no lugar uma guirlanda? Será Deus um partícipe ao dizer que a vida mais nobre que já andou por esta terra é impotente perante os atos malignos dos homens? O que a humanidade deve pensar sobre a natureza humana, se a flor alva de uma vida sem mácula é esmagada sob as botinas rústicas dos executores romanos e, então, destinada a definhar como as flores maceradas? Não exalaria maior odor pestilento por conta da doçura primeva e nos faria odiar não só o Deus que não se importou com a verdade e o amor, mas até mesmo nossos semelhantes, por serem partícipes de Sua morte? Se esse é o fim da bondade, então, por que, afinal, ser bom? Se isso é o que acontece à justiça, deixemos que reine a anarquia!

No entanto, Nosso Senhor tomou o pior que o mundo tinha a oferecer e, assim, pelo poder de Deus, elevou-se acima disso; se Ele, o desarmado, podia fazer a guerra sem arma alguma senão a bondade e o perdão, de modo que a morte era ganho e aqueles que O mataram, perdedores, então, quem não deveria ter esperança? Quem se desesperaria diante de qualquer vitória momentânea do mal? Quem deveria deixar de confiar ao ver andar nas trevas o Senhor Ressuscitado com as cicatrizes gloriosas nas mãos, nos pés e no lado? A lei que Ele deu era clara: a vida é uma luta, a não ser que exista uma Cruz em nossas vidas, nunca haverá um sepulcro vazio; a não ser que exista uma coroa de espinhos em nossas vidas, nunca haverá o halo de luz; a não ser que exista uma Sexta-Feira Santa, nunca haverá um Domingo de Páscoa. Quando Ele disse "Venci o mundo", não queria dizer que Seus discípulos ficariam imunes dos lamentos, das dores, do pesar e da crucifixão. Ele não deu uma paz que prometia banir a contenda, pois Deus detesta a paz daqueles que estão destinados à guerra. Se o Pai Celestial não poupou o próprio filho, Ele, o Filho Celestial, não pouparia Seus discípulos. O que a ressurreição oferecia não era a imunidade ao mal no mundo físico, mas a imunidade do pecado na alma.

O Divino Salvador nunca disse aos apóstolos "Seja bom e não sofrerá", mas afirmou: "Neste mundo tereis tribulações" (São João 16,33). Ele também lhes disse que não temessem aqueles que matam o corpo, mas, antes, que temessem quem pode matar a alma (São Mateus 10,28). Agora disse aos apóstolos que Sua vida era um modelo para todos os seus seguidores; que eram encorajados a assumir o pior que a vida tinha a oferecer com coragem e serenidade. Afirmou que todos os sofrimentos eram como a sombra de "Sua mão estendida, acariciando-os". Não era como um talismã para prometer defesa das provações; ao contrário, como um capitão, ingressou na batalha para inspirar os homens a transfigurar algumas das maiores dores da vida em maior proveito da vida espiritual. Foi a Cruz de Cristo que elevou as questões da vida; foi a Ressurreição que as respondeu. Não o Cristo feminizado, mas o viril, é o que desfralda no próprio corpo o testemunho da vitória diante de um mundo mau — a flâmula estriada das chagas da Salvação. Como descreveu o poeta Edward Shillito: "Nenhum falso deus, isento de dor e pesar, pode consolar-nos nesses dias".

Jesus das Chagas

Se nunca buscamos, buscamos-Te neste instante
Teus olhos, incandescentes, rasgam as trevas, nossos únicos
[astros
Devemos ver os espinhos de Tua fronte
Devemos tê-Lo, ó Jesus das Chagas

Os Céus nos amedrontam; demasiado calmos
Em todo o universo não temos assento

Nossas feridas nos afligem; onde está o bálsamo?
Senhor Jesus, por Tuas Chagas, clamamos Tua graça.

Se, quando em portas cerradas, Tu Te aproximas
Revela apenas aquelas mãos, aquele Teu lado
Hoje sabemos o que são feridas, não as tememos
Mostra-nos Tuas Chagas, conhecemos o contrassinal.

Os outros deuses eram fortes; mas Tu ficaste fraco;
Tiranizaram, mas Tu encontraste, por acaso, um trono;
Todavia, às nossas feridas, somente as Chagas de Deus
[podem falar,
E nenhum deus tem feridas, mas apenas Tu.[5]
Edward Shillito (1872-1948)

---

5 | No original: *If we have never sought, we seek Thee now;/ Thine eyes burn through the dark, our only stars;/ We must have sight of thorn-pricks on Thy brow,/ We must have Thee, O Jesus of the Scars. The heavens frighten us; they are too calm;/ In all the universe we have no place./ Our wounds are hurting us; where is the balm?/ Lord Jesus, by Thy Scars, we claim Thy grace.*
If, when the doors are shut, Thou drawest near,/ Only reveal those hands, that side of Thine;/ We know to-day what wounds are, have no fear,/ Show us Thy Scars, we know the countersign.
The other gods were strong; but Thou wast weak;/ They rode, but Thou didst stumble to a throne;/ But to our wounds only God's wounds can speak,/ And not a god has wounds, but Thou alone.
James Dalton Morrison (ed.), *Masterpiece of Religious Verse*. Harper & Brothers: Nova York. (N. T.)

60

Penitência

Depois de ter narrado a própria autobiografia, Cristo escreveu a biografia de todos aqueles a quem redimiu; os frutos da Cruz agora devem aplicar-se a todos os povos e nações:

> E que em seu nome se pregasse a penitência
> e a remissão dos pecados a todas as nações,
> começando por Jerusalém.
> Vós sois as testemunhas de tudo isso.
> (São Lucas 24,47-48)

O primeiro sermão que Cristo pregou foi sobre o tema do arrependimento:

> Desde então, Jesus começou a pregar:
> Fazei penitência, pois o Reino dos céus está próximo.
> (São Mateus 4,17)

O primeiro sermão de Pedro foi sobre o arrependimento; o primeiro sermão de Paulo foi sobre o arrependimento; o último sermão que Cristo pregou antes de ascender ao céu tinha o mesmo tema do primeiro. O arrependimento tinha de ser o fardo da doutrina do Novo Testamento. O arrependimento, assim, está ligado ao cumprimento de profecias antigas, mas, acima de tudo, à aplicação da vitória da Redenção sobre o Calvário. Pedro, que ouviu essa mensagem, em breve também a estaria pregando:

> Dele todos os profetas dão testemunho,
> anunciando que todos os que nele creem recebem
> o perdão dos pecados por meio de seu nome.
> (Atos dos Apóstolos 10,43)

Arrependimento implica afastar-se do pecado e voltar-se para Deus. As quatro primeiras Beatitudes que Ele pregou foram uma descrição dessa mudança de coração interna e radical, a saber, a pobreza ou humildade de espírito, o choro pelo pecado, a mansidão, a fome e sede por amor a Deus. Na parábola do Filho Pródigo, Nosso Senhor traçara um quadro da alma penitente que "entrou em si", como se o pecado o tivesse externalizado, e então voltou humildemente à casa do pai. Os anjos do céu, disse Ele, regozijam-se mais por um pecador que se arrepende que por 99 justos que não precisam de arrependimento; disse o Senhor que o publicano, nos fundos do templo, lamentando os próprios pecados, voltou para casa justificado. Agora, no discurso de despedida antes da Ascensão, chamou o mundo ao arrependimento.

Essa pregação do arrependimento tinha de começar em Jerusalém, pois a Salvação dirigia-se primeiro aos judeus. Naquela cidade, o grande Sacrifício foi oferecido pelos pecados do mundo; foi ali que o sacerdócio foi vagamente prefigurado com suas prerrogativas e oráculos. Foi ali que a profecia anunciou o Príncipe de Israel; e foi ali que Isaías disse:

> Porque de Sião deve sair a lei,
> e de Jerusalém, a palavra do Senhor.
> (Isaías 2,3)

A ordem divina de começar a pregar a Redenção em Jerusalém foi uma marca de Sua grande compaixão; pois Ele estava direcionando os Apóstolos a irem àqueles que falsamente O tinham acusado e disse-lhes que era Advogado deles; que intercederia por eles desde o alto; e, enfim, lhes garantia que, embora o tivessem flagelado, por suas Chagas, eles seriam sarados.

Tendo concluído sua autobiografia, Nosso Senhor lembrou-os mais uma vez do Espírito que prometera na noite da Última Ceia e cumprira, em parte, quando soprou sobre eles e deu-lhes o poder de perdoar pecados.

> Eu vos mandarei o Prometido de meu Pai;
> entretanto, permanecei na cidade,
> até que sejais revestidos da força do alto.
> (São Lucas 24,49)

Assim, Ele prometeu um aumento do Espírito além do que fora soprado sobre eles; de fato, seria um "poder do alto". Contudo, para recebê-lo, deveriam esperar dez dias após a Ascensão. Esse poder seria maior do que o que foi dado a Moisés para conduzir Israel; maior do que o que foi dado a Josué para vencer os inimigos; maior que o que foi dado aos reis e profetas; e os capacitaria para proclamar a Redenção. Os apóstolos não compreenderam a natureza do poder; pois, para eles, significava um tipo de restauração de Israel:

> Senhor, é porventura agora
> que ides instaurar o reino de Israel?
> (Atos dos Apóstolos 1,6)

Eles ainda estavam pensando nos velhos termos de um messias político e em fazer de Jerusalém o que César fizera de Roma. Mas Ele advertiu que não lhes competia saber tempos ou épocas; a fé num futuro brilhante não havia de instigar uma curiosidade presunçosa. Em todas as coisas eles haviam de esperar em Deus. O presente é o objeto exclusivo do dever apostólico; quanto ao futuro, alguns colherão onde não semearam.

Teriam poder, mas não o poder de restaurar Israel; seria um poder sobre almas vivas para canalizar o perdão e a graça armazenadas no reservatório do Calvário.

> Mas descerá sobre vós o Espírito Santo e vos dará força;
> e sereis minhas testemunhas em Jerusalém,
> em toda a Judeia e Samaria e até os confins do mundo.
> (Atos dos Apóstolos 1,8)

Queriam um reino terreno; o Senhor falou de um reino espiritual. Queriam um retorno dos velhos tempos; o Senhor falou-lhes que seriam "testemunhas" de algo novo. E testemunhar significa ser mártir. O poder de Seu Espírito era compatível com a fraqueza humana. Eles podiam ser humanamente fracos como Paulo era em sua pregação, mas cheio de poder, por causa do Espírito. Estavam unidos pela ideia de uma nação: Israel; o Senhor incluiu o mundo inteiro em Sua visão.

O novo poder seria uma dádiva; não seria gerado desde dentro pela autoconfiança, por uma crença subjetiva de que alguém tinha influência sobre os outros ou por um truque psicológico de acreditar em si mesmo. Avivamentos organizados com base em propaganda atrairiam multidões, mas esses truques não poderiam produzir mais efeitos espirituais do que podiam produzir trovões e relâmpagos. Nesse momento solene em que Cristo está prestes a transferir o próprio mundo aos Seus 11, Ele voltou ao assunto da Última Ceia: o Espírito Santo. Assim como começou Sua vida pública com a descida do Espírito Santo, também eles haveriam de começar sua missão no mundo. O Espírito veio a Ele depois de Sua obediência à mãe e ao pai adotivo em Nazaré; assim o Espírito viria a eles depois da obediência a permanecerem em Jerusalém reunidos em oração. Quando esse poder viesse, eles seriam testemunhas não só de Seus milagres, de Suas profecias ou de Seus mandamentos morais, mas de sua Pessoa. Como no Monte das Bem-Aventuranças, Ele reafirmou que não há doutrina à parte de Sua Pessoa. Já não se pode escolher acreditar em Suas palavras acerca dos lírios e desacreditar de Suas palavras sobre o inferno, nem acreditar em Seu Corpo e não em Seu Sangue. Com a afirmação de que o cristianismo é o próprio Cristo, Ele preparou-se para ascender ao Pai.

61

A Ascensão

Naqueles quarenta dias após Sua Ressurreição, Nosso Senhor Divino estava preparando os apóstolos para suportar a perda de Sua presença por meio do Consolador que estava por vir.

> E a eles se manifestou vivo depois de sua Paixão,
> com muitas provas, aparecendo-lhes durante quarenta dias
> e falando das coisas do Reino de Deus.
> (Atos dos Apóstolos 1,3)

Não foi um período em que dispensou dons, mas, antes, um período em que deu as leis e preparou a estrutura de Seu Corpo Místico, a Igreja. Moisés jejuara por dias antes de dar as Leis; Elias jejuara quarenta dias antes da restauração da Lei; e, agora, por quarenta dias o Salvador Ressuscitado fixou os pilares de Sua Igreja e a nova Lei do Evangelho. No entanto, os quarenta dias estavam por acabar, e os apóstolos foram convidados a esperar até o quinquagésimo dia — o dia do jubileu.

Cristo os conduziu até Betânia, que deveria ser o cenário do último adeus; não na Galileia, mas em Jerusalém, onde sofrera, seria o local de Seu retorno para a casa do Pai Celestial. Completado o Seu sacrifício, prestes a ascender ao trono dos céus, ergueu as mãos com as marcas dos cravos para o alto. Esse gesto seria uma das últimas lembranças que os apóstolos teriam, exceto uma. As mãos foram, primeiro, erguidas aos céus e depois abaixadas para o chão como se baixassem as bênçãos sobre os homens. As mãos perfuradas concedem melhor as bênçãos. No Livro do Levítico, após a leitura da promessa profética do Messias, vem a bênção do Sumo Sacerdote; igualmente, também, após demonstrar que todas as profecias se cumpriram Nele, preparou-se para ingressar no Santuário sagrado. As mãos que seguraram o cetro da autoridade no céu e na terra agora davam a benção final:

> Enquanto os abençoava, separou-se deles e foi arrebatado ao céu.
> (São Lucas 24,51)
>
> Depois que o Senhor Jesus lhes falou,
> foi levado ao céu e está sentado à direita de Deus.
> (São Marcos 16,19)
>
> Depois de o terem adorado,
> voltaram para Jerusalém com grande júbilo.
> E permaneciam no templo,
> louvando e bendizendo a Deus.
> (São Lucas 24,52-53)

Se Cristo tivesse permanecido na terra, a visão teria substituído a fé. Nos céus, não haveria fé, porque Seus seguidores teriam a visão; não haveria esperança, porque teriam o gozo, mas haveria o amor pelo amor que duraria para sempre! Sua despedida da terra combinou a Cruz e a Coroa que regeu até o mais ínfimo detalhe de Sua vida. A ascensão ocorreu no Monte das Oliveiras, em cujo sopé está Betânia. Levou os apóstolos através da Betânia, o que significava passar pelo Getsêmani e no exato local em que chorou sobre Jerusalém! Não foi de um trono, mas de uma montanha elevada acima do jardim com as oliveiras tingidas por Seu sangue rubro que ofereceu a manifestação final de Seu poder divino! Seu coração não foi amargurado pela Cruz, pois a Ascensão era o fruto de Sua crucifixão. Como disse, era conveniente que sofresse para entrar em Sua glória.

Na Ascensão, o Salvador não pôs de lado as vestes da carne com as quais fora revestido; pois Sua natureza humana seria o padrão da glória futura de outras naturezas humanas que se incorporariam a Ele ao partilhar Sua vida. Intrínseca e profunda era a relação entre Sua Encarnação e Ascensão. A Encarnação ou a admissão da natureza humana tornou possível para Ele sofrer e redimir. A Ascensão exaltou à glória aquela mesma natureza humana que foi humilhada à morte.

A coroação na terra, em vez da Ascensão aos céus, teria confinado à terra as ideias humanas a respeito Dele. No entanto, a Ascensão faria com que mentes e corações humanos ascendessem acima da terra. Em relação a Si mesmo, era conveniente que a natureza humana que assumiu como instrumento para ensinar, governar e santificar devesse partilhar a glória assim como partilhou o opróbrio. Era muito difícil acreditar que Ele, Homem de Dores e íntimo do pesar, era o Filho amado em quem o Pai se aprazia. Era difícil acreditar que Ele, que não desceu da Cruz, poderia ascender aos céus ou que a glória momentânea que brilhou sobre Ele no monte da Transfiguração era um bem permanente. A Ascensão afastou as dúvidas ao introduzir Sua natureza humana em comunhão íntima e eterna com Deus.

A natureza humana que Ele assumiu foi ridicularizada como profeta quando O vendaram e pediram que dissesse quem O golpeara; foi ridicularizado como rei quando puseram Nele vestes falsas de realeza e Lhe deram um caniço como cetro; por fim, foi ridicularizado como sacerdote quando O desafiaram, a Ele, que se oferecia como vítima, a descer da Cruz. Por intermédio da Ascensão, Seu triplo ofício de Mestre, Rei e Sacerdote foi justificado. No entanto, a justificação seria completada quando Ele viesse em justiça como Juiz dos homens na natureza humana que tomou dos homens. Nenhum réu de juízo pode reclamar que Deus não conhece as provações a que os homens estão sujeitos. Sua própria aparência como o Filho do Homem comprovaria que Ele lutara as mesmas batalhas como homem e suportara as mesmas tentações como qualquer um que enfrente o tribunal de justiça. Seu julgamento imediatamente encontraria eco nos corações.

Outro motivo para a Ascensão foi que Ele podia advogar junto ao Pai com a natureza humana comum ao restante dos homens. Podia agora, por assim dizer, mostrar as cicatrizes de Sua glória não só como troféus da vitória, mas também como símbolos de intercessão. Na noite em que foi para o jardim, rezou como se já estivesse à direita do Pai em Sua morada celestial; pronunciou uma prece que não era de quem estava para morrer, mas de um redentor inflamado:

> Manifestei-lhes o teu nome,
> e ainda hei de lho manifestar,
> para que o amor com que me amaste
> esteja neles, e eu neles.
> (São João 17,26)

Embora nos céus, não seria somente um advogado dos homens junto ao Pai, mas também enviaria o Espírito Santo como advogado do homem junto Dele. O Cristo à direita do Pai representaria a humanidade diante do trono do Pai; o Espírito Santo, ao permanecer com os fiéis, representaria neles o Cristo que foi estar junto ao Pai. Na Ascensão, Cristo levou nossas necessidades ao Pai; graças ao Espírito, Cristo, o Redentor, seria levado aos corações de todos os que Nele viessem a crer.

A Ascensão daria a Cristo o direito de interceder com grande poder pelos mortais:

> Temos, portanto, um grande Sumo Sacerdote
> que penetrou nos céus, Jesus, Filho de Deus.
> Conservemos firme a nossa fé.
> (Hebreus 4,14)

62

Cristo assume um novo corpo

Dez dias após a Ascensão, os apóstolos estavam reunidos, esperando o Espírito que lhes ensinaria e revelaria tudo que Nosso Bendito Senhor lhes havia ensinado. Durante a vida pública, o Senhor lhes disse que assumiria um novo corpo. Não seria físico, como aquele que recebeu de Maria. Esse Corpo está agora glorificado à destra do Pai. Tampouco seria um corpo moral, como um clube social que deriva sua unidade da vontade dos homens. Antes, Seu novo Corpo social estaria ligado a Ele mediante o Espírito Celestial que havia de ser enviado sobre a terra. Ele falou de Seu novo Corpo algumas vezes como um Reino, embora São Paulo falasse dele como um Corpo que os gentios podiam compreender prontamente. Contou aos apóstolos a natureza desse novo Corpo. Teria sete características principais.

1. Disse-lhes que, para ser membro de Seu novo Corpo, os homens teriam de nascer nele. Mas não seria mediante um nascimento humano, pois este cria filhos de Adão; para ser membro de Seu novo Corpo é necessário nascer de novo pelo Espírito nas águas do batismo, que gera filhos adotivos de Deus.

2. A unidade entre o novo Corpo e Ele não se daria mediante a cantoria de hinos a Ele, nem de chás sociais em Seu nome, nem na audição de transmissões de rádio, mas pelo compartilhar de Sua vida:

> Assim também vós:
> não podeis tampouco dar fruto,
> se não permanecerdes em mim.
> Eu sou a videira;
> vós, os ramos.
> (São João 15,4-5)

3. Seu novo Corpo seria como todas as coisas vivas, pequeno no início — até mesmo, conforme Ele disse, "como um grão de mostarda" —, mas

cresceria da simplicidade para a complexidade até a consumação dos séculos. Nas palavras Dele:

> Pois a terra por si mesma produz,
> primeiro a planta, depois a espiga e,
> por último, o grão abundante na espiga.
> (São Marcos 4,28)

4. Uma casa se expande de fora para dentro, pela adição de tijolo por tijolo; organizações humanas crescem pela adição de homem a homem, isto é, da circunferência para o centro. Seu Corpo, disse Ele, seria formado de dentro para fora, como um embrião vivo se forma no corpo humano. Assim como Ele recebeu vida do Pai, os fiéis receberiam vida Dele. Como Ele mesmo disse:

> Para que todos sejam um,
> assim como tu, Pai,
> estás em mim e eu em ti,
> (São João 17,21)

5. Nosso Senhor disse que teria um só Corpo. Seria uma monstruosidade espiritual que tivesse muitos corpos ou uma dúzia de cabeças. Para mantê-lo uno, teria um pastor, a quem Ele ordenou que alimentasse Seus cordeiros e ovelhas.

> Haverá um só rebanho e um só pastor.
> (São João 10,16)

6. Disse que Seu novo Corpo não se manifestaria diante dos homens até o dia de Pentecostes, quando enviaria o Espírito da Verdade.

> Porque, se eu não for, o Paráclito não virá a vós.
> (São João 16,7)

O que quer que começasse, portanto, até mesmo 24 horas depois do Pentecostes ou 24 horas antes seria uma organização; podia ter o espírito humano, mas não teria o Espírito Divino.

7. A observação mais interessante que Ele fez acerca de Seu Corpo foi que este seria odiado pelo mundo, assim como Ele o foi. O mundo ama qualquer coisa mundana. O que é divino, no entanto, o mundo odeia.

> Como, porém, não sois do mundo,
> mas do mundo vos escolhi,
> por isso o mundo vos odeia.
> (São João 15,19)

O núcleo desse novo Corpo Místico eram os apóstolos. Eles seriam a matéria bruta sobre a qual Ele enviaria Seu Espírito para animá-los em Seu Ser Prolongado. Eles o representariam quando partisse. O privilégio de evangelizar o mundo lhes estava reservado. Esse novo Corpo, do qual eram o embrião, seria Seu Ser póstumo, e Sua Personalidade prolongada pelos séculos.

Até que Nosso Senhor enviasse o Espírito sobre eles cinquenta dias após a Ressurreição, os apóstolos estavam como elementos num laboratório de química. A ciência conhece até 100% dos elementos químicos que entram na constituição de um corpo humano, mas ela não pode gerar um corpo humano por sua incapacidade de prover o princípio unificador, a alma. Os apóstolos não podiam dar vida à Igreja Divina mais dos que os elementos químicos podem gerar uma vida humana. Eles precisavam do Espírito Divino do Deus invisível para unificar sua natureza humana visível.

Consequentemente, dez dias após a Ascensão, o Salvador Glorificado no Céu enviou sobre eles Seu Espírito, não em forma de um livro, mas como língua de fogo vivo. Como células num corpo formam uma nova vida humana quando Deus sopra uma alma no embrião, assim também os apóstolos apareceram como o Corpo visível de Cristo quando o Espírito Santo veio para torná-los um. Esse Corpo Místico ou a Igreja é chamado na tradição e na Escritura de "Cristo total" ou "a plenitude de Cristo".

O novo Corpo de Cristo apareceu publicamente diante dos homens. Como o Filho de Deus assumiu em si a natureza humana do ventre de Maria, envolto pelo Espírito Santo, também no Pentecostes Ele tomou um Corpo Místico do ventre da humanidade, envolta pelo Espírito Santo. Exatamente como Ele outrora ensinou, governou e santificou mediante Sua natureza humana, agora continuaria a ensinar, governar e santificar mediante outras naturezas humanas unidas a Seu Corpo ou Igreja.

Como esse corpo não é físico como um homem, nem moral como um clube de *bridge*, mas celestial e espiritual porque o Espírito o fez um, é chamado de Corpo Místico. Da mesma forma que o corpo humano é formado por milhões e milhões de células e ainda assim é um porque vivificado por uma alma, presidida por uma cabeça visível e governada por uma mente invisível, também esse Corpo de Cristo, embora formado por milhões e milhões de pessoas que são incorporadas a Ele pelo batismo, é um porque vivificado pelo Espírito Santo de Deus e presidido por uma cabeça visível e governada por uma Mente invisível ou Cabeça Que é o Cristo Ressurreto.

O Corpo Místico é um prolongamento do Ser de Cristo. São Paulo chegou a compreender essa verdade. Talvez jamais tenha vivido alguém que odiou a Cristo mais que Saulo. Os primeiros membros do Corpo Místico de Cristo oraram para que Deus enviasse alguém para refutar Saulo. Deus ouviu a oração deles — e enviou Paulo para responder a Saulo. Um dia, o perseguidor, respirando ódio, seguia em direção a Damasco para prender os membros do Corpo Místico de Cristo ali e trazê-los de volta a Jerusalém. A ocasião se deu apenas alguns anos após a Ascensão de Nosso Salvador Divino, e Nosso Senhor estava agora glorificado no céu. De repente, brilhou uma grande luz sobre Saulo, e este caiu por terra. Despertado por uma Voz semelhante à rebentação do mar, ele ouviu:

> Saulo, Saulo, por que me persegues?
> (Atos dos Apóstolos 9,4)

A insignificância ousou perguntar o nome da Onipotência:

> Quem és, Senhor?

E a Voz respondeu:

> Eu sou Jesus, a quem tu persegues.
> (Atos dos Apóstolos 9,5)

Como era possível que Saulo estivesse perseguindo Nosso Senhor que estava glorificado no céu? Por que a Voz do Céu havia de dizer "Saulo, Saulo, por que Me persegues?"?

Se alguém pisa no pé, a cabeça não se queixaria porque é parte do corpo? Nosso Senhor estava agora dizendo que, ao atacar Seu Corpo, Paulo estava O atacando. Quando o Corpo de Cristo era perseguido, era Cristo, a Cabeça Invisível que se erguia para falar e protestar. O Corpo Místico de Cristo, portanto, não permanece entre Ele e um indivíduo mais do que Seu corpo físico permaneceu entre Madalena e Seu perdão, ou Sua mão permaneceu entre os pequeninos e Sua bênção. Foi por meio de Seu Corpo humano que Ele veio aos homens em Sua vida individual; é por meio de Seu Corpo Místico ou Sua Igreja que Ele vem aos homens em sua vida mística corporativa.

Cristo está vivo agora! Está ensinando agora, governando agora, santificando agora — como o fez na Judeia e na Galileia. Seu Corpo Místico, ou a Igreja, já existia durante o Império Romano antes de qualquer um dos Evangelhos ter sido escrito. Foi o Novo Testamento que veio da Igreja, não a Igreja que veio do Novo Testamento. Esse corpo tinha quatro marcas distintivas de vida: tinha *unidade*, porque vivificada por uma Alma, um Espírito, o dom de Pentecostes. Assim como unidade na doutrina e autoridade são a força centrípeta que mantém a vida da Igreja una, a *catolicidade* é a força centrífuga que a capacita a expandir e absorver a humanidade redimida sem distinção de raça ou cor. A terceira nota da igreja é a *santidade*, o que quer dizer que ela permanece na condição que a mantém saudável, pura e livre da doença da heresia e do cisma. A santidade não está em cada membro, mas no todo da Igreja. E porque o Espírito Santo é a alma da Igreja, esta pode ser o instrumento Divino para a santificação das almas. A luz do sol não é poluída porque seus raios passam por uma janela suja; nem os sacramentos perdem seu poder de santificar porque os instrumentos humanos desses sacramentos podem estar manchados. Por fim, há a obra da *apostolicidade*. Na biologia, *Omne vivum ex vivo*, ou "Toda vida vem da vida". Assim também o Corpo Místico de Cristo é apostólico, porque historicamente tem suas raízes em Cristo e não num homem separado Dele por séculos. É por isso que a Igreja nascente teve de encontrar um sucessor de Judas que fosse testemunha da Ressurreição e companheiro dos Apóstolos.

> Convém que destes homens
> que têm estado em nossa companhia
> todo o tempo em que o Senhor Jesus viveu entre nós,
> a começar do batismo de João
> até o dia em que do nosso meio foi arrebatado,
> um deles se torne conosco testemunha de sua Ressurreição.
> (Atos dos Apóstolos 1,21-22)

Assim, o Cristo que se esvaziou a Si mesmo na Encarnação agora tinha Sua "plenitude" no Pentecostes. A *kenosis* ou humilhação é uma faceta de Seu Ser; o *pleroma* ou a continuação de Sua vida em Sua Noiva, Esposa,

Corpo Místico ou Igreja é a outra. Assim como o esvaziamento da luz e do calor do sol clama pelo preenchimento da terra com sua energia radiante, também o curso descendente de Seu amor encontra a perfeição naquilo que São Paulo chama de Sua "plenitude" — a Igreja.

Muitos pensam que teriam crido Nele se tivessem vivido em Seus dias. Mas, na verdade, não teria havido nenhuma grande vantagem. Aqueles que não O veem como o Divino vivendo em Seu Corpo Místico hoje também não O teriam visto como o Divino vivendo em seu corpo físico. Se há escândalos em algumas células de Seu Corpo Místico, também havia escândalos em Seu corpo físico; ambos apresentam uma aparência humana que, em momentos de fraqueza ou crucifixão, exigem força moral para ver a Divindade. Nos dias da Galileia, era necessária a fé apoiada por motivos de credibilidade para acreditar no Reino que Ele veio estabelecer, ou Seu Corpo Místico mediante o qual Ele santificaria os homens por Seu Espírito, depois da Crucifixão. Nesses dias, é necessária uma fé apoiada pelos mesmos motivos de credibilidade para acreditar na Cabeça, ou o Cristo invisível, governando, ensinando e santificando mediante Sua cabeça visível e Seu Corpo, a Igreja. Em todo caso, é necessária uma elevação. Para redimir os homens, Nosso Senhor disse a Nicodemos que Ele tinha de ser "levantado" no madeiro; para santificar os homens no Espírito, Ele tinha de ser "levantado" aos céus na Ascensão.

Cristo, portanto, ainda caminha sobre a terra, agora em Seu Corpo Místico, como outrora com Seu corpo físico. O Evangelho era a pré-história da Igreja, assim como a Igreja é a pós-história do Evangelho. Ele ainda é rejeitado na hospedaria, como o foi em Belém; novos Herodes com nomes soviéticos e chineses O perseguem com a espada; outros Satanases aparecem para tentá-Lo a pegar os atalhos da popularidade que o afastam da Cruz e da mortificação; Domingos de Ramos de grande triunfo chegaram a Ele, mas são prelúdios da Sexta-feira da Paixão; novas acusações (e geralmente de pessoas religiosas, como outrora) são levantadas contra Ele — que Ele é inimigo de César, é antipatriota e perverteria uma nação; pelo lado de fora, é apedrejado; pelo lado de dentro, é atacado por falsos irmãos; não faltam nem os Judas, chamados a ser apóstolos e prontos a traí-Lo e entregá-Lo ao inimigo; alguns dos discípulos que se vangloriavam de Seu nome já não caminham com Ele, porque — como os predecessores — consideram Seu ensino, particularmente sobre o Pão da Vida, muito "duro".

No entanto, uma vez que nunca há morte sem Ressurreição, Seu Corpo Místico terá, no correr da história, milhares de mortes e milhares de ressurreições. Os sinos sempre dobrarão por Sua execução, mas a execução será eternamente adiada. Num dia final, em Seu Corpo Místico, virá a perseguição universal, quando Ele seguirá para a morte como antes, "padecendo sob Pôncio Pilatos", sofrendo sob o poder onipotente do Estado. Mas, no fim, tudo que foi previsto de Abraão e Jerusalém virá a suceder em sua perfeição espiritual, quando Ele será glorificado em Seu Corpo Místico assim como foi glorificado em Seu corpo físico. Conforme o descreve São João apóstolo:

> Vem, e mostrar-te-ei a noiva, a esposa do Cordeiro.
> Levou-me em espírito a um grande e alto monte
> e mostrou-me a Cidade Santa, Jerusalém,
> que descia do céu, de junto de Deus, revestida da glória de Deus.
> Assemelhava-se seu esplendor a uma pedra muito preciosa, tal como o jaspe cristalino.
> Tinha grande e alta muralha com 12 portas,
> guardadas por 12 anjos.
> Nas portas estavam gravados os nomes das 12 tribos dos filhos de Israel.
> Ao oriente havia três portas, ao setentrião três portas,
> ao sul três portas e ao ocidente três portas.
> A muralha da cidade tinha 12 fundamentos
> com os nomes dos 12 apóstolos do Cordeiro.
> Não vi nela, porém, templo algum,
> porque o Senhor Deus Dominador é o seu templo,
> assim como o Cordeiro.
> A cidade não necessita de sol nem de lua para iluminar,
> porque a glória de Deus a ilumina,
> e a sua luz é o Cordeiro.
> As nações andarão à sua luz,
> e os reis da terra levar-lhe-ão a sua opulência.
> As suas portas não se fecharão diariamente,
> pois não haverá noite.
> Levar-lhe-ão a opulência e a honra das nações.
> Aquele que atesta estas coisas diz: Sim!
> Eu venho depressa! Amém.
> Vem, Senhor Jesus!
> A graça do Senhor Jesus esteja com todos.
> (Apocalipse 21,19-14.22-26; 22,20-21)

Direção editorial
Daniele Cajueiro

Editor responsável
Hugo Langone

Produção editorial
Adriana Torres
Luana Luz de Freitas

Revisão de tradução
Laís Curvão

Revisão
Raquel Rimas

Diagramação
Elza Ramos

Este livro foi impresso em 2024, pela Leograf, para a Petra. O papel de miolo é Hylte Paper Book Creamy 70g/m² e o da capa é couchê 150g/m².